CHARLES DE GAULLE

ARTISTE DE L'ACTION

by Colette Dubois Brichant

Docteur de l'Université de Paris
University of California at Los Angeles

McGraw-Hill Book Company

New York
St. Louis
San Francisco
Toronto
London
Sydney

CHARLES DE GAULLE: ARTISTE DE L'ACTION

Library of Congress Catalog Card Number 68–25647
1 2 3 4 5 6 7 8 9 10 MAMM 78 77 76 75 74 73 72 71 70 69

PREFACE

Ce livre est un ouvrage de documentation. Conçu sans esprit de parti, il vise à présenter l'ensemble de l'œuvre du général de Gaulle aussi objectivement que possible.

De Gaulle ne pourra pas être pleinement compris avant de nombreuses années. Comme tant de personnalités contemporaines, il est d'autant plus difficile à étudier qu'il a fait l'objet de jugements hâtifs, passionnés ou tendencieux. Il nous faut donc rechercher les faits, confronter les témoignages et, dans le cas d'un homme d'action qui est également un grand écrivain, étudier sa pensée directement dans ses écrits. C'est pourquoi nous avons préparé ce livre à l'intention des professeurs, des étudiants et de tous les lecteurs américains qui s'intéressent à l'histoire de la France.

Nous tenons à exprimer notre gratitude à Mademoiselle Garrigoux, conservateur à la Bibliothèque Nationale, au Professeur McNab de Virginia Polytechnic Institute, à Monsieur Gibert, attaché culturel, et à Monsieur Dalancourt, chef du département de photographies du Ministère des Armées.

Enfin, nous adressons notre profonde reconnaissance à Monsieur Perol, chef du service de presse de l'Elysée, à Monsieur Kaeppelin, chargé de mission au Cabinet du Président de la République ainsi qu'à Monsieur de Lignerolles, directeur littéraire des éditions Berger-Levrault.

C.B.

TABLE DES MATIERES

ANNEES D'ENFANCE ET DE JEUNESSE

French Embassy Press and Information Division

La façade de la maison natale de de Gaulle à Lille.

Notre-Dame la France[1]

Charles André Marie Joseph naquit à Lille le 22 novembre 1890 chez ses grand-parents maternels. La façade de la belle demeure austère où il vit le jour était ornée d'une petite niche qui abritait une statuette de Notre-Dame de la Foy. Charles était le second fils de Henri de Gaulle et de Jeanne Maillot.[2]

La France était en République depuis vingt ans à peine.[3] Malgré les efforts des républicains, les monarchistes et les bonapartistes étaient encore nombreux et influents. Bien que chaque élection amenait à la Chambre un nombre croissant de députés républicains, certaines familles continuaient encore à espérer le rétablissement de la royauté. La famille de Gaulle était du nombre.

Du côté paternel et du côté maternel, les ancêtres comprenaient des avocats, des professeurs, des officiers de carrière et des gens de lettres.[4] Admissible à l'Ecole Polytechnique, Henri de Gaulle avait dû renoncer à la carrière militaire, faute de moyens financiers.[5] Il devint professeur. Il enseigna la philosophie et les mathématiques au Collège de l'Immaculée Conception tenu par les Jésuites à Paris. En 1907, il fonda l'école Fontanes.[6] Il était un conférencier et un éducateur remarquables.[7] D'apparence sévère et distinguée, il avait une culture encyclopédique et une grande sensibilité. Henri de Gaulle fut surnommé «le dernier gentilhomme de France». Il ne cachait d'ailleurs pas ses convictions royalistes. «Je suis un monarchiste», répétait-il souvent mais, chez lui, l'amour de la patrie l'emportait sur tous les autres sentiments.[8]

Madame de Gaulle[9] était intransigeante en matière de morale, de patriotisme et de religion. Deux tragédies déchiraient son âme: la perte de l'Alsace-Lorraine et la politique anticléricale de la IIIe République.

L'enfance de Charles fut studieuse, grave et, somme toute, heureuse. Il faisait ses études à l'école où enseignait son père. L'été, il allait passer ses vacances avec ses frères et sœur, dans une grande propriété de la famille, la Ligerie en Dordogne.

Chez les de Gaulle, on priait en famille, on lisait beaucoup, on composait des poèmes latins, on faisait des mathématiques, on parlait des événements politiques et littéraires. Les jours de congé, on allait se recueillir devant les haut-lieux de l'histoire de France: les Invalides, le palais de Versailles, les champs de bataille de la guerre de 1870 . . . On assistait gravement à la revue du 14 juillet;[10] on déplorait les malheurs du temps; on vénérait la France.

«L'histoire c'est ma passion», dira plus tard de Gaulle. L'histoire, il ne l'a pas seulement étudiée avec avidité; il l'a ressentie dès son enfance. Les images du passé national s'étaient déjà gravées dans son esprit avant même qu'il soit en âge de lire.

Toute ma vie, je me suis fait une certaine idée de la France. Le sentiment me l'inspire aussi bien que la raison. Ce qu'il y a, en moi, d'affectif imagine naturellement la France, telle la princesse des contes ou la madone aux fresques des murs, comme vouée à une destinée éminente et exceptionnelle. J'ai, d'instinct, l'impression que la Providence l'a créée pour des succès achevés ou des malheurs exemplaires. S'il advient que la médiocrité marque, pourtant, ses faits et gestes, j'en éprouve la sensation d'une absurde anomalie, imputable aux fautes des Français, non au génie de la patrie. Mais aussi, le côté positif de mon esprit me convainc que la France n'est réellement elle-même qu'au premier rang; que, seules, de vastes entreprises sont susceptibles de compenser les ferments de dispersion que son peuple porte en lui-même; que notre pays, tel qu'il est, parmi les autres, tels qu'ils sont, doit, sous peine de danger mortel, viser haut et se tenir droit. Bref, à mon sens, la France ne peut être la France sans la grandeur.

Cette foi a grandi en même temps que moi dans le milieu où je suis né. Mon père, homme de pensée, de culture, de tradition, était imprégné du sentiment de la dignité de la France. Il m'en a découvert l'Histoire. Ma mère portait à la patrie une passion intransigeante à l'égal de sa piété religieuse. Mes trois frères, ma sœur, moi-même, avions pour seconde nature une certaine fierté anxieuse au sujet de notre pays. Petit Lillois de Paris, rien ne me frappait davantage que les symboles de nos gloires: nuit descendant sur Notre-Dame, majesté du soir à Versailles, Arc de Triomphe dans le soleil, drapeaux conquis frissonnant à la voûte des Invalides. Rien ne me faisait plus d'effet que la manifestation de nos réussites nationales: enthousiasme du peuple au passage du Tsar de Russie,[11] revue de Longchamp,[12] merveilles de l'Exposition,[13] premiers vols de nos aviateurs.[14] Rien ne m'attristait plus profondément que nos faiblesses et nos erreurs révélées à mon enfance par les visages et les propos: abandon de Fachoda,[15] affaire Dreyfus,[16] conflits sociaux,[17] discordes religieuses. Rien ne m'émouvait autant que le récit de nos malheurs passés: rappel par mon père de la vaine sortie du Bourget et de Stains,[18] où il avait été blessé; évocation par ma mère de son désespoir de petite fille à la vue de ses parents en larmes: «Bazaine a capitulé!»[19]

Adolescent, ce qu'il advenait de la France, que ce fût le sujet de l'Histoire ou l'enjeu de la vie publique, m'intéressait par-dessus tout. J'éprouvais donc de l'attrait, mais aussi de la sévérité, à l'égard de la pièce qui se jouait, sans relâche, sur le forum; entraîné que j'étais par l'intelligence, l'ardeur, l'éloquence qu'y prodiguaient maints acteurs et navré de voir tant de dons gaspillés dans la confusion politique et les divisions nationales. D'autant plus qu'au début du siècle apparaissaient les prodromes de la guerre. Je dois dire que ma prime jeunesse imaginait sans horreur et magnifiait à l'avance cette aventure inconnue. En somme, je ne doutais pas que la France dût traverser des épreuves gigantesques, que l'intérêt de la vie consistait à lui rendre, un jour, quelque service signalé et que j'en aurais l'occasion.

Mémoires de Guerre, I, L'Appel, Librairie Plon, 1954.

De Gaulle enfant.

Photo E. C. Armées

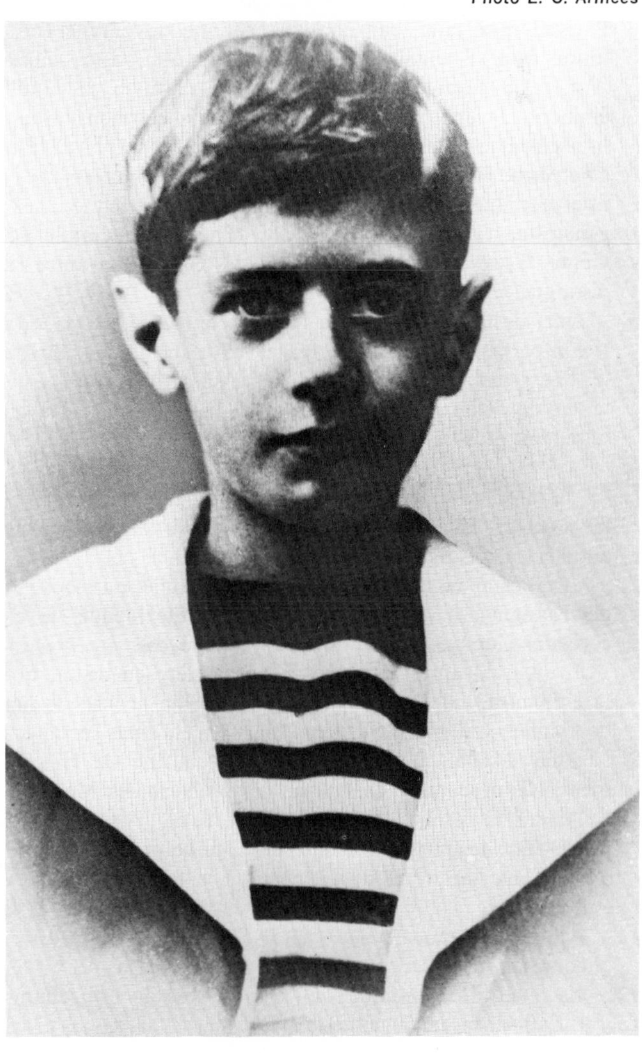

Notes

1. Ce nom reviendra fréquemment dans les discours aux Français que de Gaulle prononcera à Londres pendant la seconde guerre mondiale.
2. Il avait un frère et une sœur ainés: Xavier et Marie-Agnès. Deux autres garçons naquirent après lui: Jacques et Pierre.
3. La République avait été proclamée le 2 septembre 1870 mais, pendant plusieurs années, les républicains furent en minorité et la nature du gouvernement demeura imprécise.
4. La famille de Gaulle était probablement originaire de Normandie. Au XVe siècle, un Jean de Gaulle défendit le roi Charles VI à la bataille d'Azincourt; ensuite, comme il refusa de prêter serment au roi d'Angleterre, il dut quitter la Normandie et s'installer en Bourgogne. Plusieurs membres de la famille ont siégé au Parlement de Bourgogne; d'autres ont siégé au Parlement de Paris. Un certain Jean-Baptiste-Philippe de Gaulle fut ruiné par la Révolution puis il réussit à devenir maître des postes militaires de la Grande Armée de Napoléon. Son fils, Julien-Philippe de Gaulle fut un historien éminent. Joséphine de Gaulle, femme de Julien-Philippe, publia de nombreux romans, des livres de piété et des biographies. Elle écrivit une *Vie de Chateaubriand* et une vie de *O'Connell, libérateur de l'Irlande.* Elle a fait preuve d'une vigueur intellectuelle peu commune chez les femmes de sa génération. L'un de ses trois fils, Charles de Gaulle (oncle et parrain du Général), se consacra à l'histoire des Celtes; un autre fut un entomologiste distingué.
5. Henri de Gaulle était à la fois Docteur ès Lettres et Licencié ès Sciences. Il combattit pendant la guerre de 1870; au moment où Paris était assiégé par les Prussiens, il fut blessé au cours d'un combat qui fut livré au Bourget pour tenter de délivrer la ville. En 1914, malgré son âge avancé, il reprit volontairement du service.
6. En 1905, lorsque fut votée la loi de la séparation de l'Eglise et de l'Etat, les Jésuites, comme toutes les autres congrégations religieuses, durent fermer leurs écoles. La famille de Gaulle fut profondément éprouvée par les mesures anticléricales du gouvernement.
7. Parmi les anciens élèves de Henri de Gaulle, on trouve: le général de Lattre de Tassigny, le général Leclerc de Hauteclocque, le cardinal Gerlier, les écrivains Georges Bernanos et Marcel Prévost.
8. On dit qu'il aurait compromis sa carrière en disant qu'il ne croyait pas à la culpabilité de Dreyfus, l'officier israélite accusé de haute trahison. Henri de Gaulle avait une foi ardente mais il n'était pas sectaire.
9. Jeanne Maillot-Delannoy était une cousine de Henri de Gaulle. Par sa mère, elle descendait de la famille irlandaise des MacCartan.
10. Depuis la défaite de 1870 et la perte de l'Alsace-Lorraine, le défilé du 14 juillet était devenu la solennité patriotique par excellence. Le spectacle d'une armée renaissante inspirait la fierté à la fois aux soldats et à la nation toute entière.
11. Après la signature du traité d'alliance franco-russe de 1894, le Tsar Nicolas II vint à Paris et fut reçu avec enthousiasme.
12. La revue du 14 juillet sur l'hippodrome de Longchamp près de Paris
13. L'Exposition universelle de 1900

14. Au commencement du siècle, l'aviation française était à l'avant-garde du progrès. Signalons, parmi les nombreux succès remportés par les Français, la première traversée de la Manche en avion, accomplie par Louis Blériot en 1909.

15. En 1898 une expédition française commandée par le colonel Marchand s'installa à Fachoda au Soudan. La présence des Français dans la haute vallée du Nil irritait les Anglais. Une grave tension régna entre la France et l'Angleterre. Quelques mois plus tard, le gouvernement français donna l'ordre à ses troupes de quitter le Soudan.

16. En 1898 le capitaine Dreyfus fut accusé d'avoir communiqué des secrets militaires aux Allemands. Il fut condamné et emprisonné dans une île de la Guyane. Cette lamentable affaire causa des inquiétudes d'autant plus grandes que la France souffrait cruellement de la défaite de 1870. Dreyfus était israélite. Dans l'ensemble, les Français se rangèrent pour ou contre Dreyfus (Dreyfusards ou Antidreyfusards) selon le milieu auquel ils appartenaient. Les hommes de droite, généralement favorables à l'église catholique, étaient, pour la plupart, antidreyfusards. La gauche, anticléricale, était, dans son ensemble, dreyfusarde. Après une campagne de presse retentissante dirigée par Emile Zola, le procès fut revisé. Reconnu innocent, en 1906 Dreyfus fut réintégré dans l'armée.

17. En France le début du XXe siècle fut marqué par de nombreuses grèves (il y en eut 1 300 en 1906), par des revendications paysannes, des manifestations antimilitaristes et, évidemment, par des conflits parfois sanglants entre cléricaux et anticléricaux.

18. En 1870 Paris fut assiégé par les Prussiens. Dans l'espoir de débloquer la ville, les Français tentèrent plusieurs sorties, notamment au Bourget et à Stains.

19. Au mois d'août 1870, au lieu de passer à l'offensive, le maréchal Bazaine se laissa enfermer dans la ville de Metz avec son armée. Fin octobre, il dut capituler. Les échecs de Bazaine ont lourdement contribué à la défaite de la France et à la perte de l'Alsace-Lorraine.

PREMIERES ARMES

Quand j'entrai dans l'armée,
elle était une des plus
grandes choses du monde.[1]

Des cinq enfants de la famille de Gaulle, Charles était le plus dominateur. L'expression de son visage était, le plus souvent, calme et froide. «Charles est tombé dans la glacière», disait-on. Quand les autres garçons s'amusaient à livrer des batailles avec des soldats de plomb, Charles se réservait de droit le commandement de l'armée française. Le père aurait dit à propos de son fils: «Charles ira loin . . . loin . . . Mon Dieu! Faites aussi que tout aille bien!»[2]

Le jeune homme était doué d'une mémoire extraordinaire qu'il a d'ailleurs exercée systématiquement toute sa vie.[3] Excellent élève,[4] il était particulièrement brillant en mathématiques. Il se présenta au concours d'entrée de l'Ecole Saint-Cyr[5] et fut admis.[6] En 1912, à l'examen qui termine la troisième et dernière année d'études, il sortit 13e sur 211.[7]

Sa haute taille (I mètre 90), son regard lointain l'ont déjà fait remarquer; on l'a surnommé «double mètre», «le coq», «le paon», «l'officier kilomètre»[8] et, bien entendu, Cyrano![9]

En 1913, il est nommé lieutenant; sur sa demande, il est affecté au 33e régiment d'infanterie en garnison à Arras. Ce régiment était sous les ordres du colonel Philippe Pétain, futur maréchal de France.[10]

Pendant les vingt et un mois qu'il passa à Arras, de Gaulle fut chargé de l'entrainement des jeunes recrues, presque tous fils de mineurs et de cultivateurs de la région. Il connaissait à fond le dossier de tous ses hommes; il se faisait obéir; il était respecté. Il ne tarda pas à éprouver à l'égard de son chef une admiration qui, d'ailleurs, lui fut largement rendue. Voici ce que Pétain écrivit en 1913 à propos du jeune lieutenant:

> Premier semestre:
>
> . . . S'affirme dès le début comme un officier de réelle valeur qui donne les plus belles espérances pour l'avenir. Se donne de tout cœur à ses fonctions d'instructeur. A fait une brillante conférence sur les causes du conflit dans la péninsule des Balkans.
>
> Deuxième semestre:
>
> Très intelligent, aime son métier avec passion. A parfaitement conduit sa section aux manœuvres. Digne de tous les éloges.[11]

Pendant les loisirs que lui laissait la vie de garnison, de Gaulle s'adonnait à la lecture. Il lisait — ou plutôt il relisait — ses auteurs favoris: Descartes, Pascal, Chateaubriand, Vigny mais également Albert Samain,

Photo E. C. Armées

En grand uniforme de Saint-Cyrien.

Photo E. C. Armées

A Arras — 33e régiment d'infanterie.

Bergson, Ibsen, etc. . .[12] Son séjour dans la vieille cité lui a permis de renouer ses liens avec le nord de la France. Cette région lui était chère pour bien des raisons. Il y etait né; ses ancêtres y avaient vécu; il y trouvait de vastes plaines où le regard peut embrasser des horizons illimités; enfin, il y sentait palpiter l'histoire. Plus tard, dans divers ouvrages,[13] il étudiera le caractère unique de cette frontière du Nord-Est où se sont déroulés les principaux événements de l'histoire militaire de la France.[14]

Le premier août 1914, les affiches blanches aux drapeaux tricolores annonçaient la mobilisation générale. Le 3 août, l'Allemagne attaqua la Belgique et déclara la guerre à la France. De Gaulle allait rencontrer l'ennemi pour la première fois.

La guerre, il l'a vécue dans toute son horreur, c'est pourquoi il ne l'a jamais exaltée. Les pages qu'il lui a consacrées dans *La France et son Armée* sont lourdes de pitié car, dans la boue et le sang des tranchées, il a découvert que «toute la vertu du monde ne prévaut point contre le feu».[15]

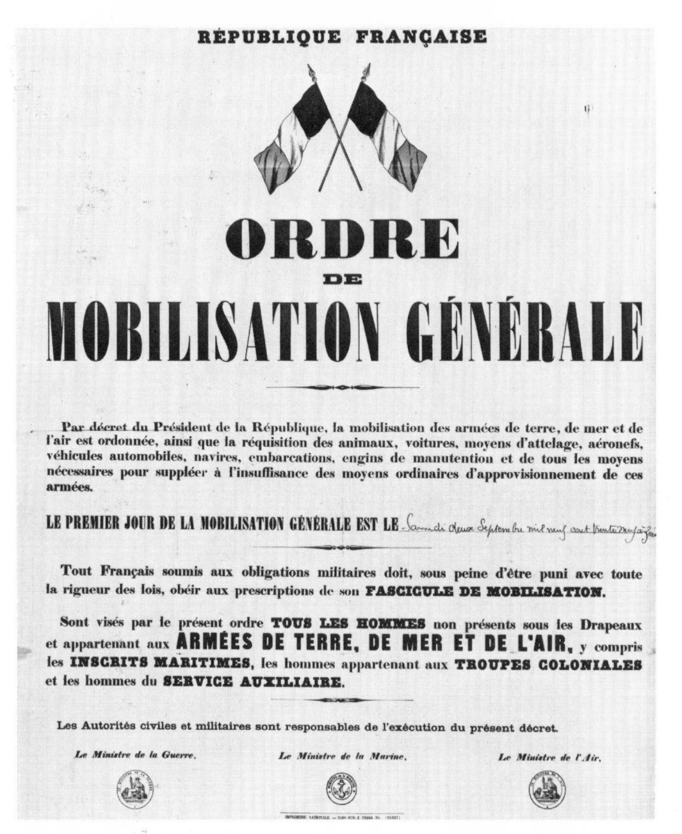

Photo Bibl. Nat. Paris

2 août 1914. La mobilisation générale.

Dès les premiers jours de l'attaque allemande, de Gaulle est dirigé vers la frontière belge; le 15 août il est blessé. Craignant d'être fait prisonnier, il rejoint son régiment en taxi. Le 15 mars 1915, il est blessé une seconde fois. Promu capitaine, il prend volontairement le commandement d'une compagnie qui est envoyée d'urgence pour renforcer le secteur de Verdun. Le 2 mars 1916, près du fort de Douaumont,[16] son unité est presque totalement annihilée. Gravement blessé par un obus, il perd connaissance. Il est porté manquant; on le croit mort. Il est prisonnier.

Il devait rester captif jusqu'à la fin de la guerre. Pendant trente-deux mois il rongea son frein. Forcé de tourner son énergie vers l'intérieur, il a étudié les bulletins de nouvelles, il a organisé des leçons d'art militaire pour ses camarades de captivité, il a observé ses gardiens, il a lu et il a beaucoup médité.[17] A cinq reprises, il a tenté de s'évader mais sa taille le trahissait. Il fut interné dans diverses forteresses puis, finalement, dans un camp de représailles à Ingolstadt en Lithuanie.[18] Premier exil; dure mais salutaire épreuve de la solitude.

Photo E. C. Armées

Le capitaine de Gaulle en captivité en Allemagne avec un autre prisonnier.

Notes

1. De Gaulle, *Mémoires de Guerre,* I, p. 6.
2. Sur l'enfance de de Gaulle, consulter: J. R. Tournoux, *Pétain et de Gaulle.*
3. Les enfants de la famille de Gaulle prenaient plaisir à jouer des scènes du *Cid,* de *Cinna,* d'*Athalie.* A quatorze ans, le jeune Charles composa une petite comédie, *Une mauvaise rencontre.* Il y a deux personnages: un voyageur peureux et un brigand audacieux et bien armé. Le voyageur a peur; il est peu à peu volé de tout ce qu'il a. Le voleur, très courtois, quitte sa victime en lui disant «Au plaisir de vous voir, cher Monsieur». Et l'autre répond: «Enchanté».
4. On a rapporté l'anecdote suivante. Une dame félicitait Madame de Gaulle des succès scolaires de ses fils. Après quelques instants de silence, Madame de Gaulle répondit à son interlocutrice: «Oui . . . mais ils me causent beaucoup de soucis. Ils sont républicains.» (Témoignage recueilli par l'auteur)

5. Saint-Cyr est la plus célèbre école militaire française. Fondée en 1803 par Bonaparte, elle forme des officiers de carrière. On ne rentre à cette école que par concours. Les étudiants (les Cyrards) ont un uniforme et des traditions dont ils sont très fiers.
6. Au concours d'entrée il fut reçu avec un rang médiocre: 119e sur 221.
7. Sur les 212 étudiants de la promotion, 98 allaient mourir au front pendant la Grande Guerre.
8. Selon la coutume, ce surnom est donné à l'élève le plus grand de la promotion. Le plus petit est surnommé «l'officier milli».
9. Il prenait plaisir à déclamer la fameuse tirade dans laquelle Cyrano, le héros de la pièce de Rostand, chante son grand nez. «. . . C'est un roc! . . . c'est un pic . . . c'est un cap! Que dis-je, c'est un cap? . . . C'est une péninsule!»
10. A cette époque, le colonel Pétain semblait toucher au bout de sa carrière militaire. . . Il était né en 1856 et il était entré à Saint-Cyr en 1876. Promu colonel en 1911, il avait gravi les échelons peu à peu, sans éclat. La guerre allait bientôt lui permettre de devenir général puis maréchal. Par la suite, les destins de Pétain et de de Gaulle allaient fréquemment s'entrecroiser jusqu'à ce qu'ils s'opposent irrévocablement.
11. Cité par: Tournoux, *Pétain et de Gaulle,* documents p. 383.
12. Les officiers de carrière qui goûtent ces auteurs sont, pour le moins qu'on puisse dire, assez rares.
13. Notamment dans: *Vers l'Armée de Métier* et *La France et son Armée.*
14. Cette frontière qui n'est marquée par aucun accident de terrain, de Gaulle l'a appelée «le mortel boulevard» de la France.
15. De Gaulle, *La France et son Armée,* p. 276.
16. L'un des forts qui protègent Verdun. D'abord perdu par les Français, il fut repris après des combats sanglants. Environ 300 000 Français périrent autour de Douaumont.
17. Au cours de sa captivité, de Gaulle a fait la connaissance d'autres prisonniers qu'il allait retrouver par la suite: l'aviateur Roland Garros, Berger-Levrault (son futur éditeur), Georges Catroux (le futur général qui se ralliera à lui en 1940), Rémy Roure (le futur rédacteur du *Temps*) et Toukhatchevski (le futur maréchal de l'U.R.S.S. contre lequel il allait combattre en Pologne).
18. Ce camp a été décrit par le lieutenant britannique A. J. Evans dans *The Escape Club* (traduction française: *L'auberge de la fille de l'air*). Inutile de dire que le titre du livre est humoristique!

LA GRANDE GUERRE

La Grande Guerre est une révolution. Dès que paraît, en blanc sur les murs, le décret de mobilisation, 4 millions d'hommes, — un quart de la population active, — quittent ensemble la terre, l'usine, le bureau. Quatre autres millions les suivront. Fabrications, services publics, absorberont, en outre, 5 millions d'hommes et de femmes. La Guerre, qui s'empare des personnes, fait en même temps le trust des affaires. Cent milliards-or, la moitié de la fortune nationale, s'engloutiront dans ses abîmes.[1] De ce coup, le régime sur lequel vivait le monde est retourné dans ses fondements. Adieu, la liberté, dans la production, la répartition, l'échange; finie, la stabilité des classes et des fortunes; suspendues, les élections; surveillées, les opinions; censurée, la presse. Pensées, passions, intérêts, sont concentrés sur le même drame terrible et obsédant.

Comme d'autres révolutions, celle-là n'est que l'aboutissement, à la faveur d'un cataclysme, de changements dès longtemps commencés. Depuis plusieurs générations, le suffrage universel, l'égalité des droits et des charges, l'instruction obligatoire, combinaient leurs effets pour fondre la nation en un moule unique. L'industrie, la vie urbaine, effaçaient les caractères locaux. Le machinisme distribuait à tous les mêmes objets de série. Les journaux assemblaient les esprits autour de sujets identiques. La propriété mobilière avait pour résultat l'ubiquité des intérêts. Les partis, les syndicats, les sports, exaltaient le sentiment du collectif. Les transports, la circulation, l'hygiène, pliaient les gens à mille contraintes communes. Bref, cette vie uniforme, agglomérée, précipitée, à quoi la mécanique du siècle soumettait les contemporains, les déterminait d'avance à subir les levées en masse, chocs gigantesques et sans nuances, qui marquèrent la guerre des peuples.

Il suffit donc que la France tire l'épée pour que les ardeurs se trouvent à l'unisson. Retournant de la foule aux individus, elles enveloppent ceux-ci d'une suggestion irrésistible. Tout ce qui peut faciliter l'arrachement — patriotisme, foi religieuse, espérances, haine de l'ennemi — est aussitôt encouragé par la faveur universelle. Au contraire, s'évanouissent les théories dont on avait pu penser qu'elles feraient obstacle au mouvement. Pas un groupement ne se dresse pour condamner la mobilisation. Pas un syndicat ne songe à l'entraver par la grève.[2] Au Parlement, pas une voix ne manque au vote des crédits pour la guerre. La proportion des réfractaires, évaluée par les prévisions officielles à 13 pour 100 des appelés, n'atteint pas 1,5 pour 100. 350 000 volontaires assiègent les bureaux

Photo E. C. Armées

La Grande Guerre. La boue des tranchées.

de recrutement. Les Français vivant à l'étranger prennent d'assaut trains et navires pour rallier la patrie. Les suspects, inscrits au «Carnet B», supplient qu'on les envoie au feu. On voit accourir aux frontières 3 000 déserteurs du temps de paix qui sollicitent l'honneur de se battre.

• • •

Le premier choc est une immense surprise. Stratégiquement, l'envergure du mouvement tournant de l'ennemi et l'emploi qu'il fait de ses unités de réserve bouleversent, d'un seul coup, notre plan.[3] Tactiquement, la révélation de la puissance du feu rend caduques, à l'instant même, les doctrines en vigueur. Moralement, les illusions, dont on s'était cuirassé, sont emportées en un clin d'œil.

• • •

La rencontre avec l'ennemi revêt une forme brutale. Car, celui-ci qui stratégiquement a pris l'offensive avant nous, adopte, pour le premier choc, la défensive tactique. Il s'est d'avance déployé. Notre «pointe» frappe son «rateau».[4] Les avant-gardes françaises heurtent donc à l'improviste une ligne de feux installée. C'est dire qu'elles sont, aussitôt, décimées et clouées sur place. Alors qu'il attendait d'elles les renseignements nécessaires pour combiner l'action du gros, le général de division voit sa colonne saisie par la tête. Voudrait-il se dégager qu'il le pourrait malaisément derrière une couverture ébranlée et qui appelle au secours. Au reste, il n'y songe guère. L'ennemi est là. Il n'est que de marcher sur lui. L'ordre, donné incontinent, porté au galop, arrive quand déjà les exécutants ont, d'eux-mêmes entamé l'action.

L'infanterie a quitté la route. Déployée à travers champs en ligne de petites colonnes, elle progresse vers le drame inconnu. La marche d'approche, cette fois, n'est plus une fiction de polygone.[5] En silence, la gorge serrée, regardant leurs chefs qui se forcent à sourire, les hommes vont, anxieux mais résolus. Soudain, au passage d'une crête, au débouché d'un bois, au sortir d'un cheminement, arrivent les premiers obus. Souvent, ce ne sont que shrapnels, venus de loin, éclatant haut, dont l'efficacité médiocre rassure ces combattants novices. Mais, bientôt, le tir se précise. Le sol est criblé de rafales. On voit, non sans stupeur, s'effondrer les premiers cadavres.

• • •

Ce fut la fortune de la France que Joffre,[6] ayant mal engagé l'épée, ne perdit point l'équilibre. Il avait cru, d'abord, aux doctrines d'école, assez pour adopter tel quel le plan qui en procédait.[7] Mais, discernant que le recours n'était qu'en lui-même, il s'affranchit des théories et dresse contre l'événement sa puissante personnalité.[8] Or, il se trouve que celle-ci est la plus propre à dominer le tumulte des mauvaises heures, par le bon sens, l'obstination, et jusque par une nature physique insensible aux péripéties. Le soir même de Charleroi,[9] il a fixé son dessein: renforcer la gauche aux dépens de la droite, n'accepter point la bataille tant que cela n'est pas fait, mais, ensuite, assaillir l'ennemi sur toute la ligne et sans restriction. Quoi qu'il en coûte, il s'y tiendra. Il saura sacrifier Mulhouse, prélever sur la Lorraine, risquer de perdre Verdun. Il sera sourd à l'angoisse des ministres. Il passera outre aux craintes de Paris. Faisant réparer les brèches, renonçant aux succès locaux, imposant son autorité, il maintiendra la cohésion, assez pour qu'au premier ordre toutes les armées se tournent et frappent à la fois.[10]

• • •

Le charme était rompu. Pour la première fois, depuis plus de cent ans, la France avait vaincu l'Allemagne dans une bataille générale. Psychologiquement, la partie était, dès lors, jouée. Du moment où les armées de l'Empire avaient dû faire demi-tour, le poison du doute allait s'y infiltrer. Inversement, cette sorte d'assurance en la force nationale, jadis ressentie par nos pères au point qu'elle leur était comme une seconde nature, nous revenait, d'un seul coup. Bien qu'accueillie sans fanfares, la victoire rassemblait, dans la fierté commune, un peuple longtemps dispersé par l'humiliation.

• • •

Implacable, morne, ruineuse pour la défense aussi bien que pour l'attaque, telle fut la guerre d'usure: d'immenses et vaillantes armées se dévorant sur place; des prodiges de courages, d'activité, d'habileté, accomplis des deux côtés; des travaux gigantesques, entrepris, détruits, refaits; des batailles de plusieurs mois, menées sur d'étroits terrains, avec une dépense inouïe de vies humaines et de moyens; dix millions de soldats mis hors de combat sur le front de France, un milliard d'obus tirés; et, malgré tout, un front obstinément immobile, des élans sans décisions, des sacrifices sans victoire, une tâche toujours entière et dont le terme reculait à mesure des efforts; l'espérance ne vivant que de crédit.

• • •

Surprise par le premier choc et rétablie au bord de l'abîme, puis jetée dans d'épuisantes batailles et chancelante à force de blessures, dotée, enfin, des moyens de vaincre et, dès lors, victorieuse, la France, dans l'épreuve des nations armées, emportait la palme de l'effort. Sans doute, dut-elle payer cher les lacunes de sa préparation. Sans doute, privée de l'avantage démographique, avait-elle, pour la première fois, perdu celui des plus gros bataillons. Pourtant, parmi les armées unies contre les Empires, c'est la sienne qui, de bout en bout, joua le rôle principal.[11] Tandis qu'elle endurait, plus cruellement qu'aucun autre peuple, les souffrances de la guerre et de l'invasion, hécatombes de ses meilleurs fils, terre blessée jusqu'aux entrailles, foyers détruits, amours sombrées, plaintes des enfants mutilés, elle se forgeait un instrument de combat qui, pour finir, l'emporta sur celui de tous les belligérants. Au total, de trois Allemands tués, deux l'ont été de nos mains. Quels canons, quels avions, quels chars, ont valu mieux que les nôtres? Quelle stratégie triompha, sinon celle de nos généraux? Quelle flamme anima les vainqueurs autant que l'énergie de la France?

Pauvre peuple, qui de siècle en siècle porte, sans fléchir jamais, le plus lourd fardeau de douleurs. Vieux peuple, auquel l'expérience n'a point arraché ses vices, mais que redresse sans cesse la sève des espoirs nouveaux. Peuple fort, qui, s'il s'étourdit à caresser des chimères, est invincible dès qu'il a su prendre sur lui de les chasser. Ah! grand peuple, fait pour l'exemple, l'entreprise, le combat, toujours en vedette de l'Histoire, qu'il soit tyran, victime ou champion, et dont le génie, tour à tour négligent ou bien terrible, se reflète fidèlement au miroir de son armée.

La France et son Armée, Librairie Plon, 1938.

Notes

1. Dès la mobilisation générale, les banques avaient reçu l'ordre de cesser immédiatement toute remise d'or. Les pièces d'or n'ont plus jamais circulé depuis. Pour faire face à ses besoins, le gouvernement français dut lancer des emprunts, sacrifier une partie de ses réserves et s'endetter vis-à-vis de l'étranger.
2. Contrairement à ce qu'on avait pu craindre, aucune manifestation antimilitariste n'eut lieu au cours de la mobilisation. L'union sacrée fut immédiate.
3. Les Français s'attendaient à une attaque provenant de l'est or, au mois d'août 1914 (comme d'ailleurs au mois de mai 1940), les troupes allemandes traversèrent la Belgique et frappèrent la France au Nord-Est.
4. Large front
5. Champ de manœuvres pour l'entraînement des soldats
6. Joffre, général en chef des armées françaises du Nord et du Nord-Est. Au mois d'août 1914, il ne se laissa pas désorienter par l'invasion et les premières défaites. Il ordonna une retraite stratégique grâce à laquelle il put rassembler ses forces et remporter la victoire de la Marne (5–12 septembre).
7. De Gaulle a maintes fois signalé les dangers que présentent les systèmes dogmatiques dans la conduite des opérations militaires.
8. De Gaulle a mis en relief, dans plusieurs ouvrages, l'importance capitale de la personnalité du chef. Voir notamment *Le Fil de l'Epée*, chapitre du caractère.
9. Défaite française (21–24 août)
10. Allusion à la bataille de la Marne. En faisant bloc pour arrêter l'avance ennemie vers Paris, les Français sauvèrent la capitale et renversèrent le cours des événements. Après la bataille de la Marne le front s'immobilisa; la guerre de tranchées commençait. Cette guerre d'usure dura jusqu'à ce que les alliés puissent, en 1918, prendre l'initiative des opérations et repousser définitivement les armées allemandes vers les frontières.
11. Au cours de la Grande Guerre la France perdit la moitié de ses hommes de 18 à 32 ans (3,5% de la population totale). Les pertes des belligérents furent comme suit: France 1 500 000 morts, Grande-Bretagne 900 000 morts, U.S. 115 000 morts, Allemagne 1 800 000 morts.

DE GAULLE

L'ECOLE DE GUERRE

*Dans l'armée, tournant à vide,
je voyais l'instrument des grandes
actions prochaines.*[1]

Rentré en France, le capitaine de Gaulle s'est trouvé relativement handicapé. Il n'avait combattu que pendant la moitié de la guerre. Malgré sa conduite héroïque et trois superbes citations,[2] son avancement risquait d'être ralenti du fait qu'il avait été prisonnier. D'autre part, il n'avait pas participé aux réunions d'état-major des dernières campagnes; enfin, il n'avait pas eu l'occasion d'observer le rôle des tanks et des engins mécaniques employés sur le front à partir de mars 1917.

Il n'est guère surprenant que, après l'armistice, il ait voulu poursuivre le combat. Au mois de mai 1919 il demanda à faire partie de la mission militaire française en Pologne. En effet, tandis que les hostilités avaient pris fin en Europe occidentale, les frontières orientales de la Roumanie et de la Pologne étaient attaquées par les armées bolcheviques.[3] Cette mission répondait aux convictions profondes du jeune officier. D'une part il allait combattre les communistes qui, en 1917, avaient failli provoquer l'effondrement du front français,[4] d'autre part, il allait défendre, contre le péril rouge, un pays catholique traditionnellement allié de la France.

En Pologne, de Gaulle participa aux opérations de Volhynie[5] puis à la défense de Varsovie.[6] Sa bravoure lui valut le *Virtuti Militari,* la plus haute distinction polonaise. Quand la paix fut rétablie, il fut chargé d'enseigner la tactique d'infanterie à l'école de Rembertow non loin de Varsovie. Ses conférences, parfois données en polonais, furent remarquées. Bien qu'il ait agacé certains officiers par son «allure hautaine», il a immédiatement retenu l'attention de son auditoire. Le maréchal Pilsudski, président de la République de Pologne, vint l'écouter. Le jeune officier, encore cassant et gauche, était néanmoins l'un de ces hommes qui «répandent, pour ainsi dire de naissance, un fluide d'autorité dont on ne peut discerner au juste en quoi il consiste et dont on s'étonne parfois tout en subissant ses effets.»[7]

On lui offrit une chaire de professeur à l'Ecole de Guerre de Pologne[8] mais, il décida de rentrer en France.[9] Le général Niessel, commandant de la mission française en Pologne, termina son rapport sur le capitaine de Gaulle par cette appréciation: «Particulièrement qualifié pour le professorat dans une école militaire.»[10]

De retour en France, le 7 avril 1921, de Gaulle épousa Yvonne Vendroux, fille d'un industriel de Calais.[11] Les deux familles appartenaient l'une comme l'autre à l'austère milieu catholique du Nord. Le jeune ménage s'installa à Paris dans un appartement modeste. A aucun moment Madame de Gaulle n'allait intervenir dans la carrière militaire et politique

Archives Photographiques

L'Ecole de Guerre.

de son mari. Par la suite, les critiques les plus véhéments s'accorderont tous à reconnaître le caractère exemplaire de la vie privée de de Gaulle et de ses proches.[12]

Dès son arrivée dans la capitale, le jeune capitaine renoua ses relations avec son ancien chef, le maréchal Pétain, pour qui il avait une admiration profonde. Pétain avait déjà dépassé la soixantaine mais il jouissait d'une vigueur majestueuse. Il était l'homme numéro un de l'armée française, à la fois Inspecteur général de l'armée et Vice-président du Conseil Supérieur de la Guerre. Par son prestige, il disposait de plus de pouvoir que le Ministre de la Guerre. Fréquemment invité par le grand «patron», de Gaulle passait pour être son protégé, son «poulain» comme on dit dans l'armée.

Le 28 décembre 1921, chez les de Gaulle naquit un fils qui reçut le prénom Philippe.[13] Dans la chambre de l'enfant, un portrait de Pétain portait cette dédicace:

«A mon jeune ami Philippe de Gaulle, en lui souhaitant de réunir toutes les qualités et tous les dons de son père.»[14]

Le premier octobre 1921, de Gaulle commença à enseigner à l'Ecole Saint-Cyr en qualité de professeur adjoint. Son cours portait sur l'histoire de l'armée française de l'Empire jusqu'à l'époque contemporaine. Droit, sanglé dans un uniforme bleu-horizon, en gants blancs, il parlait avec autorité et sans la moindre note.[15] A la fois précis et passionné, il entraînait ses étudiants par des chemins héroïques. La conférence terminée, il frappait un grand coup sur la chaire et commandait: «Debout Messieurs. Garde à vous.» Ensuite, après la traditionnelle minute de salut à l'armée française, il lançait: «Repos. Messieurs, je vous remercie.»

L'année suivante il fut admis à l'Ecole Supérieure de Guerre. A son entrée, ses anciens camarades lui auraient dit: «N'oublie surtout pas, Charles, que tu entres à l'Ecole comme élève et non comme professeur!»[16] Voici tel qu'il apparut aux yeux d'un autre étudiant de sa promotion, le capitaine Laffargue:[17]

> . . . Je fus, à l'Ecole de Guerre, le camarade de de Gaulle, de deux ans mon aîné . . .
>
> Avant d'entrer à l'Ecole de Guerre, en novembre 1922, je n'avais jamais eu l'occasion de le rencontrer. Je ne le connaissais donc pas lorsque, à la réunion d'ouverture, dans l'amphithéâtre des conférences, je vis un grand, très grand capitaine en bleu-horizon, descendre les gradins pour rejoindre sa place au banc en dessous du mien. Il marchait très droit, raide, grave, en se rengorgeant, comme s'il déplaçait sa propre statue. Cette contenance me frappa et je ne pus me retenir de m'écrier en moi-même:
>
> «Eh bien! en voilà un qui ne se prend pas pour peu de chose!»
>
> La première impression, dit-on, est toujours la vraie. Or, cette première impression, un peu péjorative, les deux ans que je passai avec Charles de Gaulle à l'Ecole de Guerre devaient s'attacher à la démentir et à me rendre confus de l'avoir éprouvée.
>
> Car cet inconnu devait devenir mon plus proche voisin dans le petit groupe auquel nous fûmes affectés l'un et l'autre. Et c'est ainsi que, durant deux années, j'eus l'occasion de vivre côte à côte avec de Gaulle et d'être témoin quotidien de son comportement.
>
> De cette fréquentation, j'ai gardé le meilleur souvenir. Sans rien abdiquer de sa personnalité, de Gaulle se mit à l'unisson de cette ambiance de bonne camaraderie et de gaieté qui régnait à l'Ecole de Guerre . . .
>
> Pour ma part, jamais de Gaulle ne fit mine de se différencier de nous en essayant de s'imposer ou en se tenant dédaigneusement à l'écart. Nous dépassant de sa haute taille, il ne se montrait nullement hautain et dominateur. Plus silencieux et moins expansif, certes, que la plupart de nous, il restait toujours présent, participant, plaçant son mot, souvent avec originalité et humour.
>
> Sans être exubérant, il avait cependant un fond de gaieté et ne s'abstenait pas de joindre sa voix, un peu caverneuse, au

chœur du groupe lorsque, au cours d'un voyage, nous entonnions *La femme du roulier* par exemple:

> . . . C'est la femme du roulier
> Qui va de porte en porte
> En cherchant son mari . . .

> . . . Sans se tenir à l'écart, il n'était pas porté à se lier et l'on ne pouvait être familier avec lui. Mais il ne donnait pas non plus matière à heurts. C'est pourquoi, parce que faciles sans être vraiment intimes, nos relations m'ont surtout laissé, au lieu de faits précis, une impression de sérénité et de plaisir: les relations heureuses n'ont pas d'histoire.[18]

Comme le capitaine de Gaulle avait déjà donné des conférences *ex cathedra,* il lui arrivait, au cours d'un exercice, de renverser les rôles et de placer son professeur dans la situation d'un élève interrogé. Cette attitude, au dire du capitaine Laffargue, était plus drôle que répréhensible néanmoins, elle agaça les susceptibilités et, naturellement, certains professeurs observèrent sans indulgence le comportement de «sa grandeur».

A la fin de la deuxième année d'études, on allait annoncer le classement général des élèves de la promotion. Les professeurs discutèrent longuement «le cas de Gaulle». On lui reprochait son attitude de «roi en exil». Le président du jury était le général Dufieux. Or, au cours des manœuvres, de Gaulle lui avait tenu tête à propos de l'importance qu'il convenait de donner aux chars. Enfin, le souvenir de divers incidents[19] contribua à faire placer «le Connétable»[20] dans le troisième tiers de la promotion. A la dernière minute, l'intervention du maréchal Pétain réussit à le faire placer dans le second tiers. De Gaulle fut tout de même déçu car, théoriquement, ce rang moyen ne lui permettait pas de devenir professeur à l'Ecole de Guerre.

Mais, peu après, Pétain faisait entrer son protégé, à son état-major du boulevard des Invalides, au cœur même de l'administration de la défense nationale. De Gaulle fut chargé de rédiger une étude sur le rôle des fortifications dans la défense de la France[21] et de préparer un plan d'organisation du territoire en temps de guerre.

Entretemps, il avait commencé à écrire. En 1924 parut son premier livre, *La Discorde chez l'ennemi,* publié par Berger-Levrault, éditeur d'ouvrages militaires. Cette œuvre avait mûri en lui depuis sa captivité. Le style en est brusque, la matière en est aride mais elle ne manque pas de valeur.

La Discorde chez l'ennemi est une analyse des causes de la défaite allemande de 1918. L'auteur a centré son attention autour de cinq épisodes particulièrement lourds de conséquences. Dans chacun des cas il a mis en relief les conséquences d'erreurs qui furent fatales: orgueil des chefs, routine et obsession du passé, insubordination du commandement militaire. Déjà, s'élevant au dessus du domaine strictement professionnel, de Gaulle s'orientait vers l'étude des rapports entre l'armée et le pouvoir politique.

Notes

1. De Gaulle, *Mémoires de Guerre,* I, p. 6.
2. L'une de ses citations était signée Philippe Pétain. Elle lui valut la Légion d'honneur. «Le capitaine de Gaulle ... réputé pour sa haute valeur intellectuelle et morale, alors que son bataillon subissait un effroyable bombardement, était décimé et que les ennemis atteignaient la compagnie de tous côtés, a enlevé ses hommes dans un assaut furieux et un corps à corps farouche, seule solution qu'il jugeait compatible avec son sentiment de l'honneur militaire. Il est tombé dans la mêlée. Officier hors de pair à tous égards.»
3. La République polonaise avait été proclamée le 3 novembre 1918. Après avoir disparu de la carte, la Pologne se trouvait reconstituée avec des territoires cédés par la Russie, l'Autriche et l'Allemagne mais à l'est ses frontières restaient imprécises. La mission militaire qui fut envoyée en Pologne comprenait environ 250 officiers français et 50 000 soldats venus de divers pays.
4. En 1917, la révolution bolchevique avait amené la Russie à cesser le combat et à faire une paix séparée avec l'Allemagne (traité de Brest-Litovsk). La défection russe avait entraîné de tragiques conséquences sur le front français.
5. Région du sud-est de la Pologne
6. Au mois d'août 1920, les troupes bolcheviques parvinrent à moins de 250 kilomètres de Varsovie; elles étaient commandées par Toukhatchevski, l'officier russe que de Gaulle avait rencontré pendant sa captivité à Ingolstadt. (Staline le fera fusiller en 1937 pour trahison ...) Enfin, les Rouges furent repoussés, en grande partie grâce aux troupes françaises qui, en juillet-août 1920, étaient sous le commandement du général Weygand. Le conflit russo-polonais se termina par le traité de Riga (18 mars 1921).
7. De Gaulle, *Le Fil de l'Epée,* p. 77.
8. Cette école venait juste d'être fondée par le gouvernement polonais, sur le modèle de l'Ecole de Guerre française.
9. De Gaulle semble avoir décidé de rentrer en France pour deux raisons principales: d'une part il allait bientôt se marier et, d'autre part, on l'invitait à enseigner l'histoire à titre de professeur adjoint à l'Ecole Saint-Cyr.
10. Cité par: Tournoux, *Pétain et de Gaulle,* documents p. 385.
11. Les parents d'Yvonne Vendroux étaient fabricants de biscuits. Les deux jeunes gens avaient fait connaissance six mois plus tôt au Salon d'Automne. Des parents et amis des deux familles avaient discrètement préparé cette rencontre «fortuite».
12. C'est le cas, par exemple, d'Alfred Fabre-Luce qui a lancé contre de Gaulle plusieurs livres incendiaires.
13. Le choix de ce prénom a fait énormément parler. Il a souvent été dit que de Gaulle avait choisi le prénom Philippe parce que Pétain était le parrain de l'enfant. Or, il n'en est rien. D'une part, le prénom Philippe était celui du grand-père de de Gaulle (Julien-Philippe de Gaulle) d'autre part, Pétain n'a pas été le parrain du nouveau-né. Selon la coutume française, parrain et marraine étaient des membres de la famille (M. Henri de Gaulle et Madame Vendroux, les grand-parents). D'ailleurs, Pétain n'aurait pas convenu comme parrain car, quinze mois plus tôt, il avait épousé civilement une femme divorcée; c'était pour lui son premier mariage, il avait 64 ans! Probablement de Gaulle était-il satisfait de pouvoir honorer indirectement son chef en choisissant le prénom Philippe.

14. Rapporté par: Tournoux, *Pétain et de Gaulle.*

15. Par la suite, il développera certaines de ses conférences dans un livre intitulé *La France et son Armée.*

16. L'Ecole Supérieure de Guerre, fondée en 1878, forme des officiers d'état-majors supérieurs. Les étudiants sont choisis par concours parmi les officiers.

17. Le témoignage que l'on va lire est d'autant plus intéressant qu'André Laffargue n'est pas porté à être bienveillant à l'égard de de Gaulle dont il a condamné la politique sur plusieurs points pendant la seconde guerre mondiale.

18. André Laffargue, *Fantassin de Gascogne,* pp. 123–124.

19. A plusieurs reprises, de Gaulle s'était insurgé contre les doctrines d'école. Mettant en relief le caractère contingent des opérations militaires, il soutenait qu'il fallait avant tout, dans chaque cas, agir en fonction des circonstances particulières. Les professeurs avaient tendance à accorder peu d'importance aux renseignements pris sur l'ennemi et, par conséquent, ils enseignaient qu'il fallait avant tout défendre une position choisie d'avance, en fonction du terrain.

20. Un autre surnom de de Gaulle. Du temps de la monarchie, le Connétable était à la tête de toute l'organisation militaire.

21. Quelques mois plus tard, de Gaulle allait reprendre cette étude dans un article intitulé: *Rôle historique des Places françaises* (voir p. 30).

LA DISCORDE CHEZ L'ENNEMI

La défaite allemande ne saurait empêcher l'opinion française de rendre à nos ennemis l'hommage qu'ils ont mérité par l'énergie des chefs et les efforts des exécutants.

Mais l'étendue exceptionnelle des qualités de guerre qu'ils montrèrent, d'un bout à l'autre du drame, nous permet de mieux mesurer les erreurs qu'ils ont commises.

Nous le pouvons d'autant plus aisément que presque tous les personnages allemands qui jouèrent, dans la conduite de la lutte, un rôle de premier plan, ont aujourd'hui publié leurs mémoires.[1] Et, s'il ne convient de tirer parti de ces écrits qu'en tenant très largement compte de l'esprit de justification qui les a dictés, il est possible, en les comparant les uns aux autres, en opposant les thèses qu'ils soutiennent, en groupant leurs affirmations et leurs négations, de discerner tout au moins les principales péripéties et de se former un jugement sur l'action des personnalités . . .

Les chefs militaires allemands, qui eurent pour tâche d'orienter et de coordonner tant d'efforts, ont fait preuve d'une audace, d'un esprit d'entreprise, d'une volonté de réussir, d'une vigueur dans le maniement des moyens dont leur échec final n'a pas diminué le retentissement. Peut-être cette étude, ou plus exactement l'exposé même des faits qui en sont l'objet, feront-ils apparaître les défauts communs à ces hommes éminents: le goût caractéristique des entreprises démesurées, la passion d'étendre, coûte que coûte, leur puissance personnelle, le mépris des limites tracées par l'expérience humaine, le bon sens et la loi.

Peut-être cette étude donnera-t-elle à penser que, loin de combattre en eux-mêmes, ou tout au moins de dissimuler ces défauts, les chefs allemands les considérèrent comme des forces, les érigèrent en système, et que cette erreur a pesé d'un poids écrasant sur les principales péripéties de la guerre. Peut-être trouvera-t-on dans leurs procédés l'empreinte des théories de Nietzsche sur l'Elite et le Surhomme,[2] adoptées par la génération militaire qui eut à conduire la guerre récente et qui avait atteint l'âge mûr et définitivement fixé sa philosophie vers le début du siècle.

Le Surhomme, avec son caractère exceptionnel, la volonté de puissance, le goût du risque, le mépris des autres que veut lui voir Zarathustra,[3] apparut à ces ambitieux passionnés comme l'idéal qu'ils devaient atteindre; ils se décidèrent volontiers à faire partie de cette formidable élite nietzschéenne qui, en poursuivant sa propre gloire, est convaincue de servir l'intérêt général, qui contraint «la

Tous les grands hommes
d'action furent des méditatifs.[1]

Pendant qu'il travaillait à l'état-major de Pétain, de Gaulle publia, dans la *Revue Militaire Française,*[2] un article intitulé *Rôle historique des Places françaises.* La première partie de cette étude est consacrée à Vauban, le constructeur des «places fortes» du temps de Louis XIV.[3]

> . . . C'est à ce moment,[4] en pleine gloire militaire, en pleine expansion politique, en pleine prospérité intérieure, que le Gouvernement royal choisit pour construire sur le territoire un puissant système de fortifications permanentes. En vingt ans, sous l'impulsion personnelle du Roi, sous le contrôle actif de Louvois,[5] et avec le concours de Chamlay,[6] Vauban conçut, entrepris et construisit l'ensemble des places[7] françaises. Le Gouvernement royal donna à ce travail gigantesque, exécuté sans bruit, le nom systématiquement modeste de «Règlement des Places de la frontière».
>
> Ce fut un chef-d'œuvre, digne en tous points de cette époque classique où le goût du réel, le sens du vrai, la mesure du possible donnaient à la pensée comme à l'action une force harmonieuse et durable; chef d'œuvre au point de vue technique, car le profil et le tracé de Vauban tenaient rigoureusement compte des moyens militaires du siècle; mais chef-d'œuvre, aussi et surtout, par la perfection avec laquelle l'ensemble s'adaptait aux conditions nationales. Pour la première fois, il instituait dans notre pays un système de fortifications remplaçant les organisations locales, consacrant ainsi, en même temps, la réalisation de l'unité française et la conquête des frontières acceptables au Nord, au Nord-Est et à l'Est, à défaut des frontières naturelles.[8] Il revêtait le caractère d'être conçu en dehors de toute hypothèse stratégique spéciale et de se prêter, éventuellement, à la défense du territoire, d'où que vînt la menace.[9] Enfin, il était le fruit d'une étude parfaite du terrain, éclairée par une expérience nationale que de multiples invasions avaient rendue profonde. Ses plus puissants ouvrages étaient appliqués aux fameuses voies qui, au cours des siècles, avaient conduit tant d'ennemis au cœur de la patrie, le plus grand nombre de ces places étant disposé dans le Nord.

Après avoir montré le rôle souvent décisif que les fortifications jouèrent au cours des conflits, en particulier pendant la Grande Guerre, de Gaulle conjure ses contemporains de réfléchir aux enseignements de l'histoire:

> Ainsi la France, au cours de ces trois derniers siècles, s'est vue sauvée plusieurs fois par la fortification permanente et a cruellement déploré, à différentes reprises, de l'avoir négligée. Ainsi la nature du terrain, le tracé de nos frontières, la force et les ambitions de nos voisins, la centralisation extrême de notre vie nationale[10] paraissent imposer, de tous temps, à cette fortification l'économie générale[11] que déjà concevait Vauban, que reprit Gouvion-Saint-Cyr,[12] que Séré de Rivières[13] fit sienne: barrage des voies classiques d'invasion, établissement d'une deuxième ligne de défense entre la capitale et les frontières, Paris mis, tout au moins, à l'abri d'un coup de main. L'accroissement du nombre et de la puissance des moyens n'a jamais ébranlé la valeur de ces principes, la guerre récente vient de la mettre une fois de plus, en évidence.
>
> Une porte a livré passage à tous les malheurs qui frappèrent la France à travers son histoire; c'est la porte par où avaient fui les enseignements du passé.

De Gaulle voyait les Français s'endormir dans une trompeuse sécurité. En 1921, la discussion à la Chambre du projet relatif aux questions militaires n'avait guère soulevé d'intérêt. D'avance le public semblait résigné à ce que l'armée soit une institution coûteuse et routinière. Les questions de défense laissaient indifférent un pays qui avait tant souffert et qui continuait à croire que, désormais, grâce aux sacrifices qu'il avait faits, l'Allemagne était hors d'état de nuire. Rares étaient ceux qui envisageaient l'éventualité d'un nouveau conflit. Et pourtant . . . «Il faut vivre, écrivit de Gaulle à son ami Lucien Nachin, et il est bien probable que pour vivre, il faudra quelque jour combattre, c'est à dire affronter les armes de l'ennemi et lui faire sentir la vigueur des nôtres. Pour ma part je ne renonce pas à m'y préparer.»[14]

Si, en 1925, de Gaulle a tenté d'alerter l'opinion publique sur la nécessité de construire des fortifications, il convient néanmoins de remarquer qu'il n'a pas voulu pour autant réduire l'armée à un rôle purement défensif. Tout comme Vauban, il envisageait les places fortes «en dehors de toute hypothèse stratégique spéciale». Dans sa pensée, il ne s'agissait pas d'immobiliser les troupes derrière des lignes de défense fixes mais, au contraire, de leur fournir des points d'appuis utiles dans leurs mouvements.[15] Les conceptions stratégiques de Gaulle ont évolué mais, cependant, on trouve dès ses premiers articles, le germe des théories qu'il allait exposer moins de dix ans plus tard dans son livre intitulé *Vers l'Armée de Métier*.[16]

Le maréchal Pétain n'avait pas oublié le verdict humiliant des professeurs de l'Ecole de Guerre à l'égard de son protégé. Aussi, en 1927, intervint-il personnellement auprès du directeur de l'Ecole pour que de Gaulle soit invité à donner une série de conférences sur la philosophie du commandement. Trois sujets furent annoncés:

De l'action de guerre
Du caractère
Du prestige

La première conférence eut lieu le 7 avril 1927. Le Maréchal présidait. Tous les professeurs étaient là, par devoir évidemment, plus ou moins irrités qu'on leur ait imposé un conférencier qui, somme toute, n'était à leurs yeux qu'un ancien étudiant orgueilleux et difficile. Pétain escorta l'orateur dans le grand amphithéâtre de l'Ecole de Guerre puis, arrivé au pied de la tribune, il s'arrêta et dit:

«A vous l'honneur; le prestige du professeur est de passer en tête. Et, à partir de ce seuil, le professeur a le droit d'enseigner ce qu'il veut.»

De Gaulle, en grand uniforme, monta sur l'estrade, posa lentement sur la chaire son képi, son sabre, sa montre et ses gants blancs. Pétain le présenta en quelques mots secs:[17] «Messieurs, le capitaine de Gaulle va vous exposer des idées que je vous prie d'écouter avec attention.»

Alors, a rapporté un témoin,

> . . . durant une heure exactement, sans s'aider de la plus petite note, sans connaître de défaillance de mémoire ou commettre le moindre lapsus, le commandant de Gaulle[18] parla de ce ton régulier, grave, pénétrant, dénué d'éclats sonores que les ondes nous ont rendu familier. Dès les premières minutes, l'auditoire passablement intrigué, eut le sentiment que cet homme à la taille si exceptionnelle, se jouait des difficultés, tout en évitant de faire preuve de virtuosité dans l'effort ou de préciosité dans l'expression. Son éloquence, toute de pensée dense, s'adressant plus à l'intelligence qu'à la sensibilité, traduite en phrases concises et courtes, dénotait dès les premiers mots, une maîtrise de grand écrivain. Au reste, on demeurait stupéfait qu'un tel sujet, à l'aridité si évidente, eût permis de pareils développements et tenté un conférencier dont le talent manifeste aurait pu demander à l'histoire ou à la stratégie une occasion de briller moins pleine de périls. Quand la voix se tut, on pouvait penser que cette surprenante performance ne se reproduirait pas. Huit jours plus tard, l'Ecole eut la nouvelle surprise d'entendre le même conférencier traiter, suivant une méthode et dans une forme identiques, de la «Philosophie du commandement», sans que cet exposé complémentaire vienne le moins du monde interférer sur le précédent. Après ce double coup, il demeurait impossible d'oublier la haute stature et la manière du commandant de Gaulle, «cette voix venue de l'extérieur».[19]

A trois reprises de Gaulle avait stupéfait son auditoire. Quelques officiers furent frappés d'admiration mais les autres furent plutôt déroutés . . . Qui donc avait servi de modèle au portrait de l'homme de caractère? Etait-ce Pétain? Alors, quelle flatterie! Etait-ce de Gaulle lui-même? Alors, quelle vanité!

Pour les soldats de carrière, ces paroles avaient quelque chose d'étrange qui côtoyait l'hérésie. A eux qui tenaient l'obéissance aux chefs pour un dogme absolu, voilà qu'à l'Ecole de Guerre on leur présentait des cas d'indiscipline comme exemple... Avait-on bien entendu? Mais au fond, pourquoi se préoccuper? Tout cela était dit de façon superbe mais, ce n'était que des mots!

Et les mots passèrent par dessus les képis.

Notes

1. De Gaulle, *Vers l'Armée de Métier,* p. 26.
2. L'article parut dans le numéro du 1er décembre 1925. Il fut remarqué dans les milieux militaires mais il ne réussit pas à toucher le grand public.
3. Vauban (1633–1707) construisit 33 places fortes et en restaura plus de 300.
4. En 1678, après la signature du traité de Nimègue; Louis XIV était à l'apogée de sa puissance et de sa gloire.
5. Louvois (1641–1691), ministre de Louis XIV. Administrateur remarquable, il se consacra surtout à l'organisation de l'armée.
6. Chamlay (1650–1719), homme de guerre et administrateur des armées
7. Les places — ou places fortes — c'est à dire les forts et villes fortifiées
8. Selon la théorie des frontières naturelles, la frontière nord-est de la France devrait suivre le cours du Rhin jusqu'à la mer. Louis XIV n'a pas réussi à atteindre ces limites mais il a néanmoins agrandi la France au Nord et à l'Est et éloigné la frontière de Paris.
9. Notez que de Gaulle admire les fortifications de Vauban d'autant plus qu'elles étaient utilisables quels que soient les moyens, les techniques et les circonstances du moment.
10. De Gaulle reviendra sur ces idées notamment dans *Vers l'Armée de Métier* et dans *La France et son Armée.*
11. La conception générale
12. Gouvion-Saint-Cyr (1764–1830), ministre de la guerre de Louis XVIII
13. Séré de Rivières (1815–1895), général français. Après la défaite de 1870, il dirigea la construction des fortifications de l'Est.
14. Cité par: Lucien Nachin, *Charles de Gaulle, Général de France,* p. 45.
15. Vers la même époque, de Gaulle a écrit à Lucien Nachin: «Il ne faut pas, à mon humble avis, que l'organisation défensive soit — comme beaucoup le souhaitent — fonction du plan d'opérations. L'organisation défensive, nécessaire en permanence et qui tient aux conditions géographiques, politiques, morales même où se trouve le pays, est une affaire de gouvernement. Le plan d'opérations est l'affaire du commandement. Celui-ci a fait entrer les places (quelle que soit leur forme) dans ses projets, à titre de moyens, exactement comme il fait entrer les effectifs, le matériel, la puissance économique.» Cité par Lucien Nachin, *Ibid.,* p. 48.
16. Voir p. 54.
17. Pétain était souvent surnommé «Pétain-le-Sec» ou «Précis-le-Sec» à cause de la sécheresse de son ton de voix et de ses paroles.
18. Légère erreur, de Gaulle n'était encore que capitaine.
19. Jacques Minart, *Charles de Gaulle, tel que je l'ai connu,* pp. 10–11.

DE L'ACTION DE GUERRE

L'action de guerre revêt essentiellement le caractère de la contingence.[1] Le résultat qu'elle poursuit est relatif à l'ennemi, variable par excellence: l'ennemi peut se présenter d'une infinité de manières; il dispose de moyens dont on ignore la force exacte; ses intentions sont susceptibles de suivre bien des voies. D'ailleurs, le terrain n'est jamais constant; les événements portent l'action dans telle région, puis dans telle autre; encore le terrain, tel qu'il est, offre-t-il les conditions les plus diverses, suivant la direction, la vitesse, la façon dont on s'y engage. Les moyens que l'on commande n'ont aucune valeur absolue: le rendement du matériel, la force morale des troupes varient dans d'énormes limites suivant l'occasion. Les circonstances atmosphériques exercent leur influence inconstante. Ceux qui combattent se trouvent donc perpétuellement en face d'une situation nouvelle et, en partie au moins, imprévue. A la guerre comme à la vie, on pourrait appliquer le: «παντὰ ρει»[2] du philosophe grec; ce qui eut lieu n'aura plus lieu, jamais, et l'action, quelle qu'elle soit, aurait fort bien pu ne pas être ou être autrement.

Ce caractère de contingence, propre à l'action de guerre, fait la difficulté et la grandeur de la conception. Sous une apparence de sommaire simplicité, elle offre à l'esprit humain le plus ardu des problèmes, car, pour le résoudre, il lui faut sortir des voies ordinaires, forcer sa propre nature. C'est qu'en effet, l'intelligence, dont la nature est de saisir et de considérer le constant, le fixe, le défini, fuit le mobile, l'instable, le divers. Bergson[3] nous peint, en même temps qu'il l'analyse, le malaise de l'intelligence lorsqu'elle prend contact avec la réalité mouvante: «Nous sentons bien qu'aucune des catégories de notre pensée ne s'applique exactement aux choses de la vie. En vain, nous poussons le vivant dans tel ou tel de nos cadres; tous les cadres craquent; ils sont trop étroits, trop rigides surtout pour ce que nous voudrions y mettre. Notre raisonnement, si sûr de lui quand il circule à travers les choses inertes, se sent mal à l'aise sur ce nouveau terrain.»

Aussi l'action de guerre offre-t-elle à l'esprit humain une sorte d'obscurité que l'intelligence ne suffit point à percer. C'est en vain qu'elle cherche à soumettre le problème à ses procédés ordinaires d'examen et de jugement. Toujours, quelque éclat la surprend, quelque élément lui échappe, quelque événement la déçoit. Sa clarté porte peu de lumière sur ces causes innombrables et confuses. Sa logique n'a guère de prise sur ces effets entrelacés. Le torrent mobile et trouble des circonstances échappe à ses réseaux comme l'eau traverse le filet.

Mais, si l'intelligence ne suffit point à l'action, il va de soi qu'elle y prend part. Elaborant d'avance les données de la conception, elle les éclaire, les précise et réduit le champ de l'erreur. L'ennemi, certes, est contingent, variable. Aucune étude, aucun raisonnement ne peuvent révéler avec certitude ce qu'il est, ce qu'il sera, ce qu'il fait et ce qu'il va faire. Mais le renseignement, intelligemment recherché, ingénieusement exploité, limite le problème où l'hypothèse ouvre des chemins. Ainsi le jugement possède, en quelque mesure, cette matière solide et déterminée qui lui est nécessaire. A Cannes, quand Annibal[4] se présente aux Romains, il en sait long sur leur compte. Il connaît leur manière ordinaire de combattre. Il a appris que leur armée s'est formée en ordre très serré et en trois échelons, que leur force réside dans leur ordonnance et que rompre celle-ci c'est briser celle-là. Sa manœuvre va donc provoquer les Romains à bouleverser leur formation. . . .

Enfin, comment dénier au savoir du chef une valeur positive? Chacun des éléments qu'il commande a des propriétés particulières, des limites et des besoins qui se chiffrent et se mesurent. Mieux le chef les connaît, plus il a de chances d'adapter leur emploi aux circonstances, de leur demander tout ce qu'ils peuvent donner, mais non l'impossible, et de les pourvoir du nécessaire. Quelle large part prenait dans les plans de Napoléon sa connaissance extraordinaire de son armée! Il portait continuellement dans l'esprit la mesure des quantités et des qualités de chaque élément et, s'il prévoyait aussi justement, c'est, d'abord, qu'il savait beaucoup. Que d'évaluations entraient, pendant la Grande Guerre, dans le moindre plan d'opérations!

Ainsi donc, appliquant aux diverses catégories de variables: l'ennemi, le terrain, les moyens . . . , ses facultés ordinaires d'imagination, de raisonnement, de jugement, de mémoire même, recourant aux procédés d'examen qui lui sont propres: déduction, induction, hypothèse . . . , l'intelligence embrasse ces variables, les étudie, les met en ordre. Bref, dans l'esprit de l'homme qui doit agir, elle prépare la conception, mais elle ne l'enfante pas.

Bergson encore a montré comment, pour prendre avec les réalités un contact direct, il faut que l'esprit humain en acquière l'intuition en combinant l'instinct avec l'intelligence. Si l'intelligence nous procure la connaissance théorique, générale, abstraite de ce qui est, c'est l'instinct qui nous en fournit le sentiment pratique, particulier, concret. Sans le concours de celle-là point d'enchaînements logiques ni de jugements éclairés. Mais sans l'effort de celui-ci point de perception profonde ni d'impulsion créatrice. L'instinct est, en effet, dans notre moi, la faculté qui nous lie de plus près à la nature. Grâce à lui, nous plongeons au plus profond de l'ordre des choses. Nous participons à ce qu'il peut s'y trouver d'obscure harmonie. C'est par l'instinct que l'homme perçoit la réalité des conditions qui l'entourent et qu'il éprouve l'impulsion correspondante. Il se passe, pour le chef de guerre, en matière de conception, un phénomène analogue à celui dont l'artiste est le sujet. Celui-ci ne laisse pas d'user de l'intelligence. Il en tire des leçons, des procédés, un savoir. Mais la création même ne lui est possible que par l'effort d'une faculté instinctive, l'inspiration, et qui, seule, donne le contact direct avec la nature d'où l'étincelle va jaillir. On peut dire de l'art militaire ce que Bacon disait des autres: «C'est l'homme ajouté à la nature.»

• • •

Cependant, si les suggestions de l'instinct sont nécessaires à la conception, elles ne sauraient suffire à lui donner une forme précise. Par nature même, elles sont tout d'une pièce, brutes, parfois confuses. Or le chef commande une unité, c'est-à-dire un système de forces complexes qui a ses propriétés et ses servitudes et qui ne peut développer sa puissance que suivant un certain ordre. C'est ici que l'intelligence reprend tous ses droits. S'emparant des données de l'instinct, elle les élabore, leur attribue une forme déterminée, en fait un tout défini et cohérent. Ce tout, la méthode le rend ensuite applicable, en rangeant les valeurs par ordre d'importance, en répartissant l'exécution dans le temps et dans l'espace, en liant les unes aux autres les diverses opérations et les différentes phases, de telle manière qu'elles soient concurrentes. Juste ou fausse, il faut qu'elle existe, car, sans elle, l'action demeure noyée dans la confusion. C'est dans ce sens qu'on peut dire qu'il vaut mieux avoir une méthode mauvaise plutôt que de n'en avoir aucune.

• • •

Souvent, par contre, l'intelligence n'accepte pas de faire à l'instinct sa part. Dominatrice absolue de la spéculation, elle refuse de partager l'empire de l'action et prétend s'imposer seule. C'est alors que, méconnaissant le caractère de l'action de guerre, l'intelligence tente de lui appliquer une législation fixe et, par-là même, arbitraire. Travaillant dans le solide, elle veut déduire la conception de constantes connues à l'avance, alors qu'il faut, dans chaque cas particulier, l'induire de faits contingents et variables.[5]

Une pareille tendance, il faut le noter, exerce une attraction singulière sur l'esprit français. Curieux et compréhensif, il a besoin de logique, aime enchaîner les faits par des raisonnements, se fie à la théorie plus volontiers qu'à l'expérience. Ces dispositions naturelles, accusées par ce que l'ordre militaire a, nécessairement, d'impérieux et renforcées par le dogmatisme inhérent à l'enseignement, font fleurir, chez nous plus qu'ailleurs, les «doctrines d'écoles», que leur caractère spéculatif et absolu rend à la fois séduisantes et périlleuses et qui nous ont coûté si cher.

• • •

Il est vrai que l'action de guerre est un tout dont chaque échelon ne prend qu'une part. Encore est-il soutenu par les ordres venus d'en haut qui l'orientent et le déterminent. Mais, si complets et précis que soient les ordres, en admettant qu'ils se trouvent donnés et parviennent en temps opportun, ils ne peuvent ni ne doivent tout prescrire. Quand le chef s'est vu fixer la direction, parfois le temps et le lieu de son effort et quand il l'a conçu, il lui reste à le prescrire. Acte moral d'autant plus malaisé qu'il se trouve dans une sorte de contradiction apparente avec la discipline, contradiction souvent aggravée par le tempérament impérieux d'un supérieur qui bride les initiatives et ne laisse aux subordonnés que l'exécution stricte. C'est pourquoi le chef impuissant à décider trouve aisément dans une conception abusive de l'obéissance des sophismes ayant figure d'arguments et qui lui paraissent justifier son abstention.[6] Sous prétexte de ne pas contrarier les intentions d'en haut mais, au fond, pour se couvrir vis-à-vis des autres et à ses propres yeux, il s'applique à ne rien prescrire qui ne lui soit prescrit, soit par l'autorité supérieure, soit, au moins, par le règlement. Et comme celle-là ne peut fixer tous les détails et que celui-ci ne prévoit pas tous les cas d'espèce, il en résulte une lourdeur, une incapacité de saisir l'occasion et de s'adapter aux circonstances qui paralysent l'unité.

• • •

Ainsi l'intelligence, l'instinct, l'autorité du chef font de l'action de guerre ce qu'elle est. Mais que sont ces facultés, sinon la personnalité même, ses ressources, sa puissance? Toutes choses égales d'ailleurs, tant elle vaut, tant vaut l'action. La préparation à la guerre est donc, avant tout, celle des chefs et l'on peut dire, littéralement, qu'aux armées comme aux peuples pourvus de chefs excellents tout le reste sera donné par surcroît.

Cette sélection, que tout le monde approuve en principe, se heurte, dans l'application, à des difficultés nombreuses. On se bat rarement et, sauf pendant certaines périodes troublées — telles que la Révolution, — où la hiérarchie bouleversée, le caractère de la lutte changé radicalement, la volonté générale de renouveau permirent d'improviser un commandement, on fait la guerre avec des chefs recrutés et formés en temps de paix. Il faut convenir que cette dernière condition favorise mal la sélection des personnalités.

Tout d'abord, le recrutement des chefs de valeur devient malaisé quand la paix se prolonge. Le profond ressort de l'activité des meilleurs et des forts est le désir d'acquérir la puissance. Sans doute, aucune puissance n'égale celle du chef de guerre et, tant que la probabilité d'avoir à l'exercer quelque jour apparaît aux âmes vigoureuses, les peuples de traditions militaires parviennent à encadrer leurs troupes de chefs dignes de l'être. Mais, dans une génération qui ne croit plus avoir à combattre, bien peu d'hommes, parmi les meilleurs, s'en tiennent à la carrière des armes, d'autant qu'une époque pacifique n'accorde qu'une situation morale et matérielle restreinte aux soldats qu'elle juge peu utiles.[7] Les volontés fortes, les esprits hardis, les caractères trempés se portent alors naturellement vers les voies qui mènent à la puissance et à la considération.

• • •

En tout cas, une fois recrutés dans l'armée des hommes capables d'être des chefs, il s'agit de discerner leurs mérites et de faire en sorte que les meilleurs atteignent le sommet. Tâche épineuse et malaisée! C'est qu'en effet, si le service du temps de paix permet, jusqu'à un certain point, de juger l'intelligence et même l'autorité de ceux qui commandent, il n'offre guère d'occasions de mesurer l'instinct guerrier. Sans doute, les manœuvres et exercices fournissent une utile matière au coup d'œil et à la décision. Mais cette matière est conventionnelle: elle s'alimente de théories plutôt que de faits, — invérifiables dans de telles fictions, — il y manque la sanction principale, celle des événements et, le plus souvent, rien ne permet d'y distinguer l'aptitude réelle de l'habileté qui n'en est que l'apparence. La capacité d'apprendre est, alors, appréciée plus que l'instinct créateur, l'art de saisir plus que celui d'aller au fond des choses, la plasticité d'esprit plus que la compréhension. Comme le dit Scharnhorst,[8] «les esprits organisés mécaniquement triomphent, en temps de paix, de ceux qui ont du génie et du sentiment.»

D'ailleurs, les personnalités puissantes, organisées pour la lutte, l'épreuve, les grands événements, ne présentent pas toujours ces avantages faciles, cette séduction de surface qui plaisent dans le cours de la vie ordinaire. Les caractères accusés sont, d'habitude, âpres, incommodes, voire farouches.[9] Si la masse convient, tout bas, de leur supériorité et leur rend une obscure justice, il est rare qu'on les aime et, par suite, qu'on les favorise. Le choix qui administre les carrières se porte plus volontiers sur ce qui plaît que sur ce qui mérite.

Notre temps est peu propice à la formation et à la sélection des chefs militaires. L'excès des épreuves récemment endurées a pour conséquences une détente des volontés, une dépression des caractères, une lassitude morale qui détournent l'opinion de l'ordre guerrier et ne laissent pas de troubler jusqu'aux vocations les plus résolues. . . .

DU CARACTERE

Face à l'événement, c'est à soi-même que recourt l'homme de caractère.[10] Son mouvement est d'imposer à l'action sa marque, de la prendre à son compte, d'en faire son affaire. Et loin de s'abriter sous la hiérarchie, de se cacher dans les textes, de se couvrir des comptes rendus, le voilà qui se dresse, se campe et fait front. Non qu'il veuille ignorer les ordres ou négliger les conseils, mais il a la passion de vouloir, la jalousie de décider. Non qu'il soit inconscient du risque ou dédaigneux des conséquences, mais il les mesure de bonne foi et les accepte sans ruse. Bien mieux, il embrasse l'action avec l'orgueil du maître, car s'il s'en mêle, elle est à lui; jouissant du succès pourvu qu'il lui soit dû et lors même qu'il n'en tire pas profit, supportant tout le poids du revers non sans quelque amère satisfaction. Bref, lutteur qui trouve au-dedans son ardeur et son point d'appui, joueur qui cherche moins le gain que la réussite et paie ses dettes de son propre argent, l'homme de caractère confère à l'action la noblesse; sans lui morne tâche d'esclave, grâce à lui jeu divin du héros.

Ce n'est point dire, certes, qu'il la réalise seul. D'autres y participent qui ne sont pas sans mérite d'abnégation ou d'obéissance et prodiguent leurs peines à faire ce qu'on leur dit. Certains contribuent à tracer le plan: théoriciens ou conseillers. Mais c'est du caractère que procèdent l'élément suprême, la part créatrice, le point divin, à savoir le fait d'entreprendre. De même que le talent marque l'œuvre d'art d'un cachet particulier de compréhension et d'expression, ainsi le Caractère imprime son dynamisme propre aux éléments de l'action. De là, le tour personnel que prend celle-ci du moment qu'il y participe. Moralement, il l'anime, il lui donne la vie, comme le talent fait de la matière dans le domaine de l'art.

Cette propriété de vivifier l'entreprise implique l'énergie d'en assumer les conséquences. La difficulté attire l'homme de caractère, car c'est en l'étreignant qu'il se réalise lui-même. Mais, qu'il l'ait ou non vaincue, c'est affaire entre elle et lui. Amant jaloux, il ne partage rien de ce qu'elle lui donne, ni de ce qu'elle lui coûte. Il y cherche, quoi qu'il arrive, l'âpre joie d'être responsable.

La passion d'agir par soi-même s'accompagne, évidemment, de quelque rudesse dans les procédés. L'homme de caractère incorpore à sa personne la rigueur propre à l'effort. Les subordonnés l'éprouvent et, parfois, ils en gémissent. D'ailleurs, un tel chef est distant, car l'autorité ne va pas sans prestige, ni le prestige sans éloignement. Au-dessous de lui, l'on murmure tout bas de sa hauteur et de ses exigences. Mais, dans l'action, plus de censeurs! Les volontés, les espoirs s'orientent vers lui comme le fer vers l'aimant. Vienne la crise, c'est lui que l'on suit, qui lève le fardeau de ses propres bras, dussent-ils s'y rompre, et le porte sur ses reins, quand même ils en seraient brisés. Réciproquement, la confiance des petits exalte l'homme de caractère. Il se sent obligé par cette humble justice qu'on lui rend. Sa fermeté croît à mesure, mais aussi sa bienveillance, car il est né protecteur. Que l'affaire réussisse, il en distribue largement l'avantage et, dans le cas d'un revers, il n'admet pas que le reproche descende plus bas que lui. On lui rend en estime ce qu'il offre en sécurité.

Vis-à-vis des supérieurs, le train ordinaire des choses le favorise mal. Assuré dans ses jugements et conscient de sa force, il ne concède rien au désir de plaire. Le fait qu'il tire de lui-même et non point d'un ordre sa décision et sa fermeté l'éloigne souvent de l'obéissance passive. Il prétend qu'on lui donne sa tâche et qu'on le laisse maître à son bord, exigence insupportable à beaucoup de chefs qui, faute d'embrasser les ensembles, cultivent les détails et se nourrissent de formalités.[11] Enfin, l'on redoute son audace qui ne ménage les routines ni les quiétudes. «Orgueilleux, indiscipliné», disent de lui les médiocres, traitant le pur-sang dont la bouche est sensible comme la bourrique qui refuse d'avancer, ne discernant point que l'âpreté est le revers ordinaire des puissantes natures, qu'on s'appuie seulement sur ce qui résiste et qu'il faut préférer les cœurs fermes et incommodes aux âmes faciles et sans ressort.

Mais, que les événements deviennent graves, le péril pressant, que le salut commun exige tout à coup l'initiative, le goût du risque, la solidité, aussitôt change la perspective et la justice se fait jour. Une sorte de lame de fond pousse au premier plan l'homme de caractère. On prend son conseil, on loue son talent, on s'en remet à sa valeur. A lui, naturellement, la tâche difficile, l'effort principal, la mission décisive. Tout ce qu'il propose est pris en considération, tout ce qu'il demande, accordé. Au reste, il n'abuse pas et se montre bon prince, du moment qu'on l'invoque. A peine goûte-t-il la saveur de sa revanche, car l'action l'absorbe tout entier.

DU PRESTIGE

Notre temps est dur pour l'autorité. Les mœurs la battent en brèche, les lois tendent à l'affaiblir. Au foyer comme à l'atelier, dans l'Etat ou dans la rue, c'est l'impatience et la critique qu'elle suscite plutôt que la confiance et la subordination. Heurtée d'en bas chaque fois qu'elle se montre, elle se prend à douter d'elle-même, tâtonne, s'exerce à contre-temps, ou bien au minimum avec réticences, précautions, excuses, ou bien à l'excès par bourrades, rudesses et formalisme.

• • •

Cette transformation de l'autorité ne peut manquer d'affecter la discipline militaire. Dans l'armée comme ailleurs, on dit que «le respect s'en va». Plutôt, il se déplace. L'homme qui commande, à quelque échelon qu'il soit placé, doit se fier pour être suivi moins à son élévation qu'à sa valeur. Il ne faut plus confondre la puissance et ses attributs.

• • •

Fait affectif, suggestion, impression produite, sorte de sympathie inspirée aux autres, le prestige dépend, d'abord, d'un don élémentaire, d'une aptitude naturelle qui échappent à l'analyse.[12] Le fait est que certains hommes répandent, pour ainsi dire de naissance, un fluide d'autorité dont on ne peut discerner au juste en quoi il consiste et dont même on s'étonne parfois tout en subissant ses effets. Il en va de cette matière comme de l'amour, qui ne s'explique point sans l'action d'un inexprimable charme. Bien mieux, il n'y a pas toujours correspondance entre la valeur intrinsèque et l'ascendant des individus. On voit des gens remarquables par l'intelligence et la vertu et qui n'ont point le rayonnement dont d'autres sont entourés, quoique moins bien doués quant à l'esprit et quant au cœur.

Mais, s'il entre dans le prestige une part qui ne s'acquiert pas, qui vient du fond de l'être et varie avec chacun, on ne laisse pas d'y discerner aussi certains éléments constants et nécessaires. On peut s'assurer de ceux-là, ou, du moins, les développer. Au chef, comme à l'artiste, il faut le don façonné par le métier.

Et, tout d'abord, le prestige ne peut aller sans mystère, car on révère peu ce que l'on connaît trop bien. Tous les cultes ont leurs tabernacles et il n'y a pas de grand homme pour ses domestiques. Il faut donc que dans les projets, la manière, les mouvements de l'esprit, un élément demeure que les autres ne puissent saisir et qui les intrigue, les émeuve, les tienne en haleine. Non, certes, qu'on doive s'enfermer dans une tour d'ivoire, ignorer les subordonnés, leur demeurer inaccessible. Bien au contraire, l'empire sur les âmes exige qu'on les observe et que chacune puisse croire qu'on l'a distinguée. Mais à la condition qu'on joigne à cette recherche un système de ne point livrer, un parti pris de garder par devers soi quelque secret de surprise qui risque à toute heure d'intervenir. La foi latente des masses fait le reste. Dès lors, jugeant le chef capable d'ajouter à l'efficacité des procédés connus tout le poids d'une vertu singulière, la confiance et l'espoir lui font obscurément crédit.

• • •

Au reste, dominer les événements, y imprimer une marque, en assumer les conséquences, c'est bien là ce qu'avant tout on attend du chef. L'élévation d'un homme au-dessus des autres ne se justifie que s'il apporte à la tâche commune l'impulsion et la garantie du caractère. Car enfin, le privilège de la domination, le droit d'ordonner, l'orgueil d'être obéi, les mille égards, hommages et facilités qui entourent la puissance, l'honneur et la gloire dont le chef reçoit la plus large part, pourquoi lui seraient-ils gratuits? Et, comment les payer, sinon par le risque qu'il prend à son compte? L'obéissance ne serait point tolérable si celui qui l'exige n'en devait rien tirer d'effectif. Et qu'en tirera-t-il, s'il n'ose, ne décide et n'entreprend?

La masse s'y trompe d'autant moins que, privée d'un maître, elle a tôt subi les effets de sa turbulence. Les plus habiles marins ne quittent point le port si personne ne règle la manœuvre et quatre hercules réunis ne lèvent pas un brancard s'il ne se trouve quelqu'un pour rythmer leur effort. En face de l'action, la foule a peur, l'appréhension de chacun s'y multiplie à l'infini de toutes les appréhensions des autres. «La peur est le ressort des assemblées.» Ardant du Picq[13] a montré comment elle hante les troupes. C'est pourquoi l'énergie du chef affermit les subordonnés comme la bouée de sauvetage rassure les passagers du navire. On veut savoir qu'elle est là et qu'on peut, s'il y a péril, s'y accrocher de confiance.

Point de prestige, par conséquent, pour les figurants de la hiérarchie:[14] parasites qui absorbent tout et ne rendent rien, timorés grelottant sous leurs couvertures, Maîtres-Jacques[15] qui changent de casaque sans délai ni scrupule. Ceux-là peuvent sauvegarder, souvent, leur carrière de fonctionnaires, leur avancement de militaires ou leur portefeuille de ministres. Ils obtiennent même, au besoin, la déférence convenue que leur accordent l'usage et les règlements... Mais la foi des esprits, la sympathie des ardeurs se refusent à leur astuce glacée. Elles n'appartiennent qu'aux chefs qui s'incorporent avec l'action, font leur affaire des difficultés, mettent au jeu tout ce qu'ils possèdent. Il se dégage de tels personnages un magnétisme de confiance et même d'illusion. Pour ceux qui les suivent, ils personnifient le but, incarnent l'espérance. Le dévouement des petits, concentré sur leur personne, confond le succès de l'entreprise avec l'heur de les satisfaire....

Encore faut-il que ce dessein, où le chef s'absorbe, porte la marque de la grandeur. Il s'agit de répondre, en effet, au souhait obscur des hommes à qui l'infirmité de leurs organes fait désirer la perfection du but, qui, bornés dans leur nature, nourrissent des vœux infinis et, mesurant chacun sa petitesse, acceptent l'action collective pourvu qu'elle tende à quelque chose de grand. On ne s'impose point sans presser ce ressort. Tous ceux dont c'est le rôle de mener la foule s'entendent à l'utiliser. Il est la base de l'éloquence: pas d'orateur qui n'agite de grandes idées autour de la plus pauvre thèse. Il est le levier des affaires: tout prospectus de banquier se recommande du progrès. Il est le tremplin des partis dont chacun ne cesse d'invoquer le bonheur universel. Ce que le chef ordonne doit revêtir, par conséquent, le caractère de l'élévation. Il lui faut viser haut, voir grand, juger large, tranchant ainsi sur le commun qui se débat dans d'étroites lisières. Il lui faut personnifier le mépris des contingences, tandis que la masse est vouée aux soucis de détail. Il lui faut écarter ce qui est mesquin de ses façons et de ses procédés, quand le vulgaire ne s'observe pas. Ce n'est point affaire de vertu et la perfection évangélique ne conduit pas à l'empire. L'homme d'action ne se conçoit guère sans une forte dose d'égoïsme, d'orgueil, de dureté, de ruse. Mais on lui passe tout cela et, même, il en prend plus de relief s'il s'en fait des moyens pour réaliser de grandes choses. Ainsi, par cette satisfaction donnée aux secrets désirs de tous, par cette compensation offerte aux contraintes, il séduit les subordonnés et, lors même qu'il tombe sur la route, garde à leurs yeux le prestige des sommets où il voulait les entraîner. Mais, qu'il se borne au terre à terre, qu'il se contente de peu, c'en est fait! il peut être un bon serviteur, non pas un maître vers qui se tournent la foi et les rêves.

On peut observer, en effet, que les conducteurs d'hommes — politiques, prophètes, soldats — qui obtinrent le plus des autres, s'identifièrent avec de hautes idées et en tirèrent d'amples mouvements. Suivis de leur vivant en vertu des suggestions de la grandeur, plutôt que de l'intérêt, leur renommée se mesure ensuite moins à l'utilité qu'à l'étendue de leur œuvre. Tandis que, parfois, la raison les blâme, le sentiment les glorifie. Napoléon, dans le concours des grands hommes, est toujours avant Parmentier.[16] C'est au point que certains personnages qui ne firent, en somme, que pousser à la révolte et aux excès, gardent cependant devant la postérité comme une sombre gloire quand leurs crimes furent commis au nom de quelque haute revendication.

Réserve, caractère, grandeur, ces conditions du prestige imposent à ceux qui veulent les remplir un effort qui rebute le plus grand nombre. Cette contrainte incessante, ce risque constamment couru éprouvent la personnalité jusqu'aux fibres les plus secrètes. Il en résulte, pour qui s'y astreint, un état de lutte intime, plus ou moins aigu suivant son tempérament, mais qui ne laisse pas à tout moment de lui blesser l'âme comme le cilice[17] à chaque pas déchire le pénitent. On touche là le motif de retraites mal expliquées: des hommes à qui tout réussit et que l'on acclame rejettent soudain le fardeau. En outre, à se tenir en dehors des autres, le chef se prive de ce que l'abandon, la familiarité, l'amitié même ont de douceurs. Il se voue à ce sentiment de solitude qui est, suivant Faguet,[18] «la misère des hommes supérieurs.» L'état de satisfaction, de paix latente, de joie calculée, qu'on est convenu d'appeler le bonheur, est exclusif de la domination.[19] Il faut prendre parti et le choix est cruel. De là ce je ne sais quoi de mélancolique dont se trouve imprégné tout ce qui est auguste: les gens aussi bien que les choses. Devant un antique et noble monument: «C'est triste!» disait quelqu'un à Bonaparte, et celui-ci: «Oui, c'est triste, comme la grandeur!»

Le Fil de l'Epée, Librairie Berger-Levrault, 1932.

Notes

1. La contingence est ce qui varie selon chaque situation particulière.
2. «Tout s'écoule» (ou «tout est fluide»). Célèbres paroles du philosophe Héraclite (576–480 avant J.C.)
3 De Gaulle a beaucoup lu Bergson pour qui il a éprouvé une profonde affinité intellectuelle. Les principales œuvres de Bergson sont: *Essai sur les données immédiates de la conscience* (1889), *Matière et Mémoire* (1896), *L'Evolution créatrice* (1907), *La Conscience et la Vie* (1911), *Les deux sources de la Morale et de la Religion* (1932), *La Pensée et le Mouvant* (1934).
4. Général carthaginois, farouche ennemi de Rome qu'il combattit en Europe et en Afrique (seconde guerre punique). En 216 avant J.C. il remporta à Cannes l'une de ses plus grandes victoires mais peu après il allait éprouver une série de revers.
5. Voir p. 46 et p. 64.
6. Ces mots prennent une importance d'autant plus grande que de Gaulle, en juin 1940, refusera d'exécuter les ordres de ses supérieurs et rentrera en dissidence. Voir p. 99 et suivantes.
7. De Gaulle parlait d'expérience.
8. Scharnhorst (1755–1813), général prussien qui se distingua dans les campagnes contre Napoléon. Il écrivit un ouvrage intitulé: *Manuel pour les Officiers.*
9. Notez les similitudes entre le portrait de l'homme de caractère et la personnalité de l'auteur.
10. La lecture de ce chapitre devient d'autant plus intéressante quand on pense aux événements qui ont suivi la défaite de la France en 1940 et la signature de l'armistice avec l'Allemagne.
11. De Gaulle, là encore, parlait d'expérience. Du temps où il était en garnison à Arras, il avait déjà éprouvé des difficultés à se soumettre aux formalités et aux petites servitudes de la vie militaire.
12. Comparez cette analyse du prestige aux caractéristiques de la personnalité de l'auteur.
13. Ardant du Picq (1821–1870) officier et écrivain militaire français. Il fut tué pendant la guerre de 1870. Il a écrit des ouvrages militaires de premier ordre, malheureusement peu connus, *Etude du combat d'après l'antique* (1868) et *Le combat moderne* (1880).
14. L'auteur aurait sans doute pu citer beaucoup de noms . . .
15. Hommes que l'on peut charger de multiples besognes. Cette expression vient du nom du domestique d'Harpagon dans *l'Avare* de Molière qui était à la fois cocher et cuisinier.
16. Parmentier (1737–1813), philanthrope et agronome français. Pour remédier aux disettes causées par les mauvaises récoltes de blé, il a travaillé à développer la culture de la pomme de terre.
17. Vêtement de mortification
18. Faguet (1847–1916) journaliste et critique littéraire
19. Exclut la domination

GARNISONS

La véritable école du commandement est . . . la culture générale.[1]

Au mois d'octobre 1927, de Gaulle répéta ses trois conférences dans le grand amphithéâtre de la Sorbonne.[2] L'auditoire, composé, cette fois, d'intellectuels et d'universitaires, montra de l'intérêt. Néanmoins, le succès, fut de courte durée. Le conférencier fut vite oublié, d'ailleurs, quelques mois plus tard, promu commandant,[3] il partait en Allemagne commander le 19e bataillon de Chasseurs en garnison à Trèves.[4]

«Le Connétable» se plia difficilement aux contingences de la vie de garnison. Il aurait voulu que son bataillon devienne un corps d'élite.[5] Il introduisit certaines réformes qui ne furent guère appréciées . . . Il organisa des conférences sur l'histoire de l'armée. Pour la plupart des hommes, ce fut peine perdue! Il recommanda la lecture de Bergson[6] aux officiers. Un jour, devant tout le bataillon rangé dans la cour de la caserne, il cita Ibsen, l'un de ses auteurs de prédilection:

«Chasseurs! Ibsen a écrit: Homme de la plaine, pourquoi gravis-tu la montagne? C'est, répondit-il, pour mieux regarder la plaine. Je n'ai compris la plaine qu'en la voyant du haut des sommets.»[7]

Les troupiers n'y comprirent rien. Les uns laissèrent tomber un juron; les autres s'amusèrent des «ibsénités» du Commandant! Où qu'il soit et quoiqu'il fasse, de Gaulle ne passait pas inaperçu! A Trèves on disait à son sujet: «Il se prend pour Dieu le Père!»

Tandis que certains officiers s'égayaient en lançant quelques remarques sarcastiques, de Gaulle portait son regard au delà du petit monde des officiers de carrière. Il voyait à l'horizon s'amonceler les présages d'un nouveau conflit. La majorité des Français se désintéressaient de l'armée; la Chambre faisait réduire les crédits militaires. L'Angleterre se montrait de plus en plus conciliante à l'égard de l'Allemagne; elle voulait avant tout éviter que la France prenne une position prépondérante qui aurait gêné les intérêts britanniques. Les Etats-Unis qui n'avaient pas ratifié le traité de Versailles, ne garantissaient en rien la sécurité française. L'Allemagne exploitait les discordes de ses adversaires; elle se réarmait clandestinement et, par tous les moyens, elle s'évertuait à ne pas payer les dommages de guerre. L'une après l'autre les clauses du traité de Versailles étaient contournées et annihilées. La France, isolée et affaiblie, protestait mais laissait faire. Hitler hypnotisait un groupe déjà considérable de prosélytes: 27 000 en 1925, 108 000 en 1928 et près du double l'année suivante. En 1928 le parti national-socialiste obtenait 12 sièges au Reichstag.[8] L'Anschluss, c'est à dire la réunion de tous les territoires germaniques, était dans l'air. Le cri de ralliement était lancé: «Le même sang appartient à un même Empire».[9]

Comme les héros de Vigny, son poète favori, de Gaulle se sentait seul et incompris. «Dans l'armée, disait-il, les idées sont lourdes à porter.»

Vers la fin de l'année 1928 il confia à son ami Lucien Nachin: «L'armée du Rhin n'en a plus pour longtemps. La force des choses abat ce qui demeure en Europe des barrières convenues et précieuses. Il faut être convaincu que l'Anschluss est proche, puis la reprise par l'Allemagne, de force ou de gré, de ce qui lui fut arraché au profit de la Pologne. Après quoi, on nous réclamera l'Alsace. Cela me paraît écrit comme dans le ciel.»[10]

Une tragédie personnelle contribua à l'assombrir encore davantage. Au début de l'année 1928, un troisième enfant était né chez les de Gaulle: une pauvre mongolienne qui ne sera jamais capable de marcher et qui ne pourra même pas parler. Les parents la garderont toujours auprès d'eux.[11] Elle mourra à vingt ans.

De 1929 à 1931, de Gaulle fut affecté à l'état-major du Levant.[12] Il voyagea mais le pays ne le retint pas.[13] Six mois après son arrivée à Beyrouth, il écrivit à Lucien Nachin:

> Le Levant est un carrefour où tout passe: religions, armées, empires, marchandises, sans que rien ne bouge. Voilà dix ans que nous y sommes. Mon impression est que nous n'y pénétrons guère et que les gens nous sont aussi étrangers, et réciproquement, qu'ils ne le furent jamais. Il est vrai que pour agir, nous avons adopté le pire système dans ce pays, à savoir d'inciter les gens à se lever d'eux mêmes . . . alors qu'on n'a jamais rien réalisé ici, ni les canaux du Nil, ni l'aqueduc de Palmyre, ni une route romaine, ni une oliveraie, sans la contrainte. Pour moi notre destin sera d'en arriver là ou de partir d'ici.[14]

De Gaulle avait quarante ans. Jusque-là, sa carrière avait été belle, régulière dans son ascension, sans être spectaculaire. Allait-il chercher à gagner ses derniers galons dans les troupes coloniales comme tant d'autres officiers de carrière? Non, les pays d'outre-mer ne l'attiraient pas.

Il portait l'uniforme depuis une vingtaine d'années. Il aimait son métier avec passion; il en ressentait les servitudes et la grandeur. Mais, son regard panoramique s'étendait bien plus loin. Il envisageait l'armée en fonction de la patrie toute entière. Or, les pouvoirs gouvernementaux et les milieux militaires coordonnaient fort mal leurs efforts. Dans l'espoir de les amener à harmoniser leur action, il entra au Conseil Supérieur de la Défense Nationale.[15]

De retour à Paris, il publia les trois conférences qu'il avait prononcées à l'Ecole de Guerre. Il les fit suivre de deux autres chapitres. Dans l'un, intitulé *De la Doctrine,* il a analysé les dangers que présentent les systèmes *a priori* et les plans préétablis dans la conduite des opérations militaires. Enfin, dans le dernier, intitulé *Le Politique et le Soldat,* il a étudié les caractères respectifs et les rapports des hommes de guerre et des hommes politiques. Les cinq essais parurent, groupés en un volume, *Le Fil de l'Epée,*[16] chef d'œuvre de la littérature militaire depuis Vigny.

Notes

1. De Gaulle, *Vers l'Armée de Métier*, p. 200.
2. Ces conférences furent données sous l'égide du Cercle Fustel de Coulanges, groupe d'intellectuels qui sympathisaient avec l'Action Française (voir p. 59).
3. De Gaulle était resté capitaine pendant douze ans.
4. Ce bataillon faisait partie des forces françaises qui occupaient la Rhénanie, selon les clauses du traité de Versailles. L'occupation, prévue pour un maximum de 15 années au moins, prit fin de façon anticipée le 30 juin 1930. Néanmoins, même après le départ des troupes d'occupation, l'Allemagne n'avait pas le droit de remilitariser cette zone.
5. Par exemple, il fit faire des manœuvres de nuit. Il en fit faire également en plein hiver. Un jour, après avoir vérifié la solidité de la glace, il voulut faire traverser la Mozelle gelée à son bataillon. A la dernière minute, il reçut l'ordre de décommander cette opération.
6. Il faut reconnaître qu'à cette époque Bergson n'était guère connu du grand public.
7. De Gaulle allait reprendre la même citation à la fin de l'un de ses plus célèbres discours de guerre, celui qu'il prononça à l'Université d'Oxford le 25 novembre 1941.
8. Hitler avait fondé le parti national-socialiste en 1920.
9. Hitler allait réoccuper la zone démilitarisée de la Rhénanie en 1936, l'Autriche en 1938 puis la Tchécoslovaquie . . . et on connait la suite.
10. Cité par: Lucien Nachin, *Charles de Gaulle, Général de France*, pp. 58–59.
11. De Gaulle a aimé cette pauvre malheureuse plus que tout. Quand il rentrait à la maison, il la prenait dans ses bras, il lui chantait des chansons, il essayait de la faire rire . . . Madame de Gaulle a écrit à l'une de ses amies: «Charles et moi, donnerions tout, tout, santé, fortune, avancement, carrière, pourvu qu'Anne soit une petite fille normale.» Cité par: Tournoux, *Pétain et de Gaulle*, p. 135.
12. En 1920 la Syrie avait été placée sous mandat français. Voir p. 124.
13. Les adversaires de la politique algérienne de de Gaulle croiront trouver ici l'une des premières manifestations de son manque d'intérêt pour les questions coloniales.
14. Cité par: Lucien Nachin, *op. cit.*, pp. 58–59.
15. Le Conseil Supérieur de la Défense Nationale avait été créé en 1906 afin de coordonner les efforts des différents ministères intéressés à la défense nationale.
16. *Le Fil de l'Epée* parut chez Berger-Levrault en mai 1932. Sur la première page était imprimée la dédicace suivante: Au Maréchal Pétain. Cet essai, Monsieur le Maréchal, ne saurait être dédié qu'à vous, car rien ne montre mieux que votre gloire, quelle vertu l'action peut tirer des lumières de la pensée.

LE POLITIQUE ET LE SOLDAT

Sur la scène du temps de paix l'homme public tient le principal rôle. Qu'elle l'acclame ou qu'elle le siffle, la foule a des yeux et des oreilles tout d'abord pour ce personnage. Soudain, la guerre en tire un autre des coulisses, le pousse au premier plan, porte sur lui le faisceau des lumières: le chef militaire paraît. Une pièce commence que vont jouer ensemble le politique et le soldat. Dans la cohue des comparses, le tumulte de l'assistance, tout le drame se concentre en ces deux acteurs. Leur dialogue s'enchaîne à ce point que chacun n'a d'à-propos, d'esprit, de succès qu'en fonction du jeu de l'autre. Mais, que l'un manque la réplique et, pour les deux, tout est perdu.

• • •

Le politique s'efforce à dominer l'opinion, celle du monarque, du conseil ou du peuple, car c'est de là qu'il tire l'action. Rien ne vaut pour lui et rien n'est possible qu'au nom de cette souveraine. Or, elle sait gré aux hommes moins d'être utiles que de lui plaire et les promesses l'entraînent plutôt que les arguments. Aussi le politique met-il tout son art à la séduire, dissimulant suivant l'heure, n'affirmant qu'opportunément. Pour devenir le maître, il se pose en serviteur et fait avec ses rivaux enchère d'assurances. Enfin, par mille intrigues et serments, voici qu'il l'a conquise: elle lui donne le pouvoir. A présent, va-t-il agir sans feindre? Mais non! Il lui faut plaire encore, convaincre le prince ou le parlement, flatter les passions, tenir en haleine les intérêts. Sa puissance, si étendue qu'elle soit, demeure précaire. Inconstante compagne, l'opinion le suit d'un pas capricieux, prête à s'arrêter s'il va de l'avant ou à bondir s'il temporise. L'ingrate tient pour rien les services du gouvernant et, dans le succès même, écoute ses adversaires avec complaisance. Mais qu'il erre, elle le hue, qu'il chancelle, elle l'accable. A quoi tient l'empire du politique? Une cabale de cour, une intrigue de conseil, un mouvement d'assemblée le lui arrachent dans l'instant. Jeté à terre, il ne recueille plus qu'injustice. Ainsi, grand ou petit, personnage historique ou politicien sans relief, il va et vient de l'autorité à l'impuissance, du prestige à l'ingratitude publique. Toute sa vie, toute son œuvre ont un caractère instable, agité, tumultueux qui les oppose à celles du soldat.

Celui-ci fait profession d'employer les armes, mais leur puissance doit être organisée. Du jour où il les prend, voilà donc le soldat soumis à la règle: elle ne le quitte plus. Maîtresse généreuse et jalouse, elle le guide, soutenant ses faiblesses et multipliant ses aptitudes, mais aussi elle le contraint, forçant ses doutes et refrénant ses élans. Ce qu'elle exige le fait souffrir jusqu'au fond de sa nature d'homme: renoncer à la liberté, à l'argent, parfois à la vie, quel sacrifice est plus complet? Mais, à ce prix, elle lui ouvre l'empire de la force. C'est pourquoi, s'il gémit souvent de la règle, il la garde, bien mieux: il l'aime et se glorifie de ce qu'elle coûte. «C'est mon honneur!» dit-il.

En sa compagnie, il accède à la puissance, mais par degrés, car une sévère hiérarchie l'encadre. Il reste toujours au soldat quelque grade à convoiter, quelque dignité à atteindre. En revanche, son autorité, là où il l'exerce, est d'une qualité suprême. Soutenue par la rigueur de la discipline, affermie par la tradition, elle use de tout ce que l'ordre militaire donne à celui qui commande de crédit et de prestige. Sous la férule et l'égide de la règle, le long d'une route austère mais sans détours, le soldat marche d'un pas assuré.

Le politique et le soldat apportent donc à la commune entreprise des caractères, des procédés, des soucis très différents. Celui-là gagne le but par les couverts; celui-ci y court tout droit. L'un, qui porte au loin une vue trouble, juge les réalités complexes et s'applique à les saisir par la ruse et par le calcul; l'autre, qui voit clair, mais de près, les trouve simples et croit qu'on les domine pour peu qu'on y soit résolu. Dans le fait du moment le premier pense à ce qu'on va dire, tandis que le second consulte des principes.

De cette dissemblance, résulte quelque incompréhension. Le soldat considère souvent le politique comme peu sûr, inconstant, friand de réclame. L'esprit militaire, nourri d'impératifs, s'étonne de tant de feintes auxquelles est contraint l'homme d'Etat. L'action guerrière, dans sa simplicité terrible, contraste avec les détours propres à l'art de gouverner. Cette mobilité passionnée, ce souci dominant de l'effet à produire, cette apparence d'estimer chez autrui moins son mérite que son influence — traits inéluctables du citoyen qui tient l'autorité de la faveur du peuple — ne laissent pas de troubler le professionnel des armes rompu aux durs devoirs, à l'effacement, au respect des services rendus.

C'est un fait que l'armée accorde malaisément aux Pouvoirs publics une adhésion sans réserves. Sans doute, disciplinée par nature et par habitude, elle ne manque point d'obéir, mais cette subordination n'est guère joyeuse et les témoignages en vont aux fonctions plutôt qu'aux personnes. Il souffle dans les rangs, sous tous les régimes, un esprit d'indépendance que traduit au-dehors la froideur des attitudes . . .

Inversement, le goût du système, l'assurance, la rigidité, dont l'esprit du métier et ses longues contraintes ont fait au soldat comme une seconde nature, paraissent au politique incommodes et sans attraits. Ce qu'il y a d'absolu, de sommaire, d'irrémissible dans l'action militaire indispose un personnage qui vit au milieu de cotes mal taillées,[1] d'intrigues chroniques, d'entreprises révocables. Le gouvernant tient le guerrier pour étroit d'esprit, hautain, peu maniable, sous des aspects de déférence. Il faut dire que, voué aux idées et aux discours, il se défend mal de quelque malaise devant l'appareil de la force, alors même qu'il l'utilise. C'est pourquoi, sauf aux instants de crise où la nécessité fait loi, il favorise dans le commandement non point toujours les meilleurs mais les plus faciles, refoule parfois les chefs militaires aux rangs médiocres dans l'ordre des préséances et, quand la gloire les a consacrés, attend volontiers qu'ils soient morts pour leur rendre pleinement justice.

Ce défaut de sympathie réciproque chez le politique et chez le soldat n'est pas essentiellement fâcheux. Une sorte d'équilibre des tendances est nécessaire dans l'Etat et l'on doit secrètement approuver que les hommes qui le conduisent et ceux qui en manient la force éprouvent les uns pour les autres quelque éloignement. Dans un pays où les militaires feraient la loi on ne peut guère douter que les ressorts du pouvoir, tendus à l'excès, finiraient par se briser; au-dehors, les voisins coaliseraient leurs alarmes. D'autre part, il convient que la politique ne se mêle point à l'armée. Tout ce qui vient des partis: passions affichées, surenchère des doctrines, choix ou exclusion des hommes d'après leurs opinions, a bientôt fait de corrompre le corps militaire dont la puissance tient d'abord à sa vertu.[2]

Encore faut-il qu'on puisse s'entendre. Politiques et soldats ont à collaborer. Qu'ils n'en aient guère le goût, c'est affaire à leur sagesse de s'en accommoder, mais leur devoir est d'agir d'accord: il advient qu'ils y manquent. Alors même qu'un ordre solidement établi, une forte hiérarchie dans l'Etat favorisent l'harmonie, celle-ci ne se réalise pas sans heurts, pour se rompre fréquemment quand le trouble des événements vient porter au comble les ambitions ou les alarmes. On ne compte point les désastres dont leur querelle fut la cause directe et leur malveillance réciproque est à la base de toutes les négligences d'où sortirent les luttes malheureuses; car l'histoire d'une guerre commence en temps de paix.

Ainsi, quelque satisfaction d'ordre logique que trouverait l'esprit, — surtout celui des Français, — dans un règlement détaillé des rapports entre le gouvernement et le commandement pour le temps de guerre, il est sage de s'en passer. L'action, ce sont des hommes au milieu des circonstances. Après avoir fait aux principes la révérence qui convient, il faut laisser ces hommes tirer de leur propre fonds la conduite à tenir dans chaque cas particulier. Peut-être même, comme dit M. Painlevé,[3] «les difficultés seraient-elles accrues si prétendant prévoir les complexités changeantes des événements, on voulait ligoter par des prescriptions étroites la liberté d'action des responsables.»

Est-ce à dire que les soldats et les politiques doivent s'en remettre au hasard du soin de les inspirer et qu'ils n'aient rien à faire pour se préparer à l'éventuel devoir? Ce serait négliger l'essentiel, à savoir la formation des personnalités en vue d'une sorte d'épreuve où, précisément, tout dépend d'elles. Or, cette formation, de nos jours, ne va plus d'elle-même . . . .

C'est qu'en effet, le train des choses d'aujourd'hui ne met guère les politiques et les soldats dans le cas de s'exercer à l'action commune, ni même de se bien connaître. La vie de l'homme public a des obligations si complexes et si pressées qu'elle décourage le goût et ôte le loisir des pensers qui n'ont point d'objet immédiat, et l'existence militaire, pour ce qu'elle a de rigide et de solitaire, prend peu de jour sur le forum. Ce n'est pas qu'obscurément les guides du peuple et les chefs des troupes ne ressentent comme une sorte de mutuelle attirance. En se voyant hâler sans répit, le long des rives opposées du fleuve, la nef de leurs ambitions, ces passionnés d'autorité éprouvent les uns pour les autres la sourde estime des forts pour les forts. Mais quoi? Ils demeurent sur la grève. Leurs désirs, leurs soucis, leurs actes ont trop peu de ressemblance pour qu'il leur vienne, d'habitude, le mouvement de se rapprocher. Ils n'en trouvent point, d'ailleurs, l'occasion, sauf en quelques commissions ou conférences où les guerriers, qualifiés d' «experts», s'en tiennent à leur technique, et dans les cérémonies publiques où chacun à son rang entend les discours ou suit les funérailles.

On pourrait concevoir, il est vrai, qu'un Etat prévoyant voulût préparer une élite politique, administrative et militaire, par des études faites en commun, à diriger, le cas échéant, l'effort guerrier de la nation. Outre de plus grandes chances d'accord entre les différents pouvoirs, dans le cas d'un conflit, une telle institution aurait, sans doute, l'avantage d'éclairer en temps de paix les discussions et les lois qui concernent la puissance militaire du pays.[4] Car il est de fait qu'en la matière, et faute d'une doctrine établie d'après la figure morale et physique de la France, nous procédons, trop fréquemment, comme un peuple né d'hier.

Mais les hautes vues, la sagesse suprême d'où procède l'entente du soldat et du politique, ils ne les tireront d'une science apprise pas plus que d'un règlement. C'est d'intuition qu'il s'agit et de caractère, que nul décret, nul enseignement ne sauraient inspirer, mais bien le don, la réflexion et, surtout, cette ardeur latente à jouer le rôle d'où sortent les puissantes capacités. Car, en dernier ressort, c'est là qu'on doit en venir: on ne fait rien de grand sans de grands hommes, et ceux-ci le sont pour l'avoir voulu. Disraëli[5] s'accoutumait dès l'adolescence à penser en premier ministre. Dans les leçons de Foch,[6] encore obscur, transparaissait le généralissime.

Que les politiques et les soldats veuillent donc, malgré les servitudes et les préjugés contradictoires, se faire au dedans la philosophie qui convient et l'on reverra, s'il le faut, de belles harmonies. Certes, il importe peu que s'y essaient les médiocres, qui chercheraient dans les difficultés à s'en garantir plutôt qu'à les dominer. Mais, puissent être hantés d'une telle ardeur les ambitieux de premier rang, — artistes de l'effort et levain de la pâte, — qui ne voient à la vie d'autre raison que d'imprimer leur marque aux événements et qui, de la rive où les fixent les jours ordinaires, ne rêvent qu'à la houle de l'Histoire! Ceux-là, en dépit du tumulte et des illusions du siècle, qu'ils ne s'y laissent pas tromper: il n'y a pas dans les armes de carrière illustre qui n'ait servi une vaste politique, ni de grande gloire d'homme d'Etat que n'ait dorée l'éclat de la défense nationale.

Le Fil de L'Epée, Librairie Berger-Levrault, 1932.

Notes

1. De compromis peu satisfaisants
2. Afin de tenir l'armée à l'écart de la politique, le gouvernement de la troisième République ne donnait pas le droit de vote aux militaires. L'armée avait reçu le surnom de «la grande muette». En 1944, de Gaulle mit fin à cette situation et donna aux militaires les mêmes droits civiques qu'aux civils.
3. Paul Painlevé (1863–1933), mathématicien, philosophe et homme d'état français. Il fut pendant plusieurs années ministre de la guerre.
4. Dans ce but, de Gaulle créera, en 1945, l'Ecole nationale d'administration. Voir p. 206.
5. Disraëli (1804–1881), écrivain et homme d'état britannique. Bien que d'origine israélite et étrangère, il devint chef du parti conservateur et fut élu premier ministre en 1874.
6. Foch (1851–1929), général français. Il fut le principal artisan de la victoire de la Marne (1914). En 1918 il fut nommé généralissime des troupes alliées sur le front occidental et promu maréchal. Le 11 novembre 1918, il reçut la capitulation allemande.

L'ARMEE DE METIER

Rien ne prévaut
contre l'esprit du temps.[1]

Depuis 1918, le désir suprême des Français, c'était la paix. La Grande Guerre avait laissé le pays exsangue. Le quart du territoire avait été ravagé, près de deux millions de combattants avaient péri; la moitié des hommes de 18 à 32 ans étaient morts. On avait souffert le martyre dans l'espoir de mettre fin à toutes les guerres. Dès que les combats cessèrent, on entreprit de désarmer l'Allemagne systématiquement. Néanmoins, le traité de Versailles[2] ne répondit qu'imparfaitement aux vœux de la nation. La France n'obtint pas les garanties qu'elle aurait voulues et, par conséquent, elle fut incapable de faire respecter les accords internationaux. Bientôt, à l'euphorie de la victoire succéda une vague de lassitude et d'amertume.

Alors que les politiciens se discréditaient, l'armée française demeurait auréolée de gloire; les théories de ses généraux victorieux étaient présentées dans les écoles militaires comme des dogmes absolus. De tous les chefs, le plus prestigieux était le maréchal Pétain,[3] «le vainqueur de Verdun». De Gaulle a maintes fois répété à son sujet: «C'est un grand homme.»[4] Pendant la guerre, Pétain s'était élevé contre la tactique de l'offensive à tout prix.[5] «L'audace, disait-il, c'est de savoir n'être pas trop audacieux.» Dès 1914, il avait compris que la France, démographiquement faible, ne pouvait espérer remporter la victoire qu'en économisant ses effectifs. «Pas de bataille à coups d'hommes», répétait-il. A ceux qui se montraient impatients de tenter une percée dans les lignes ennemies, Pétain répondait: «Le feu tue». Du fait qu'il avait vaincu en s'accrochant tenacement au terrain, Pétain s'était arrêté à une conception rigoureusement défensive de la stratégie[6] et, docilement, le corps militaire s'y était conformé.

D'ailleurs, une telle conception convenait à l'opinion publique. La France n'envisageait aucune guerre de conquêtes; sa natalité était faible,[7] son économie chancelante[8] et les ravages de 14–18 encore partout visibles. Les partis de gauche menaient une propagande antimilitariste. Le moral de l'armée se dégradait. De toute façon, la France, dans son ensemble, avait conscience d'être la nation démocratique et pacifique par excellence, protectrice des faibles et apôtres de la civilisation. A quelques rares exceptions près, les Français croyaient que leurs responsabilités militaires se limitaient à la garde de leurs frontières et à la défense de leurs colonies.

Or, à partir de 1930, les menaces s'accumulèrent. Après avoir rompu ses engagements l'un après l'autre, l'Allemagne conduisait son réarmement à sa guise. Le parti national-socialiste rassemblait les chômeurs et les mécontents en une force belliqueuse.[9] Le 30 janvier 1933, Hitler devenait Chancelier du Reich.[10] Entretemps, en France, le Cartel des Gauches issu des élections de 1932,[11] faisait réduire les crédits militaires.

Photo Keystone

Le maréchal Pétain (second à partir de la gauche). A gauche le général Gamelin, futur généralissime.

En 1934, devant la montée des périls, le lieutenant colonel de Gaulle publia *Vers l'Armée de Métier.*[12] L'ouvrage souleva quelques commentaires dans les milieux militaires mais il marqua peu. Sept cent cinquante exemplaires furent vendus.[13] Par contre, il fut immédiatement traduit et étudié en Allemagne et, en 1935 une traduction russe parut en U.R.S.S.[14]

Dans cette œuvre prophétique l'auteur sonnait l'alerte et conjurait la nation d'adopter un programme révolutionnaire de redressement. Il demandait que l'on forme, de toute urgence, une armée de choc, mécanisée et cuirassée. Cette armée devait être constituée exclusivement par des techniciens d'élite. En cas de conflit, elle agirait, sans délai, comme une sorte de «bélier stratégique». Grâce à sa mobilité et à sa rapidité, elle briserait les premiers chocs et permettrait aux troupes de réserve de s'organiser.

La thèse de «l'armée de métier» ne fut pas prise au sérieux. Selon le général Nachin, «la forme en était jugée excellente mais on n'attribuait au fond que la valeur d'un paradoxe». Nul n'est prophète en son pays, dirat-on . . . En réalité, de Gaulle n'a pas été le premier à réclamer l'emploi des engins cuirassés. Les pionniers des chars furent, en France le général Estienne[15] et en Angleterre le général Fuller. Lancés pour la première fois sur le front en mars 1917, les chars avaient puissamment contribué aux victoires décisives de 1918.[16]

Mais, en 1934, l'état-major était devenu soupçonneux, sinon hostile, à l'égard des techniques nouvelles. Pétain qui avait réclamé des chars en 1917–1918, ne parlait désormais plus que de front continu et de guerre défensive. Il avait déjà 80 ans. A un conflit de doctrines s'ajoutait un conflit de générations. Devant l'apathie des militaires, de Gaulle décida de se tourner vers les hommes politiques.

Contrairement à la majorité des officiers de carrière, de Gaulle fréquentait les milieux intellectuels.[17] Il connaissait des écrivains, des avocats et des journalistes de premier plan. En dépit de la véhémence des débats idéologiques, il demeurait néanmoins en dehors de tout parti politique. Il n'a jamais adhéré à l'Action Française[18] car, tout en admirant son chef spirituel Charles Maurras, il n'a jamais souscrit à son programme de restauration monarchique. A cette époque, il se rapprochait plus volontiers des démocrates chrétiens mais, à vrai dire, il était déjà fondamentalement hostile à tout esprit de parti. Comme il le dira lui-même quelques années plus tard, «dans le mouvement incessant du monde, toutes les doctrines, toutes les écoles, toutes les révoltes n'ont qu'un temps. Le communisme passera. Mais la France ne passera pas.»[19]

Pourtant, afin de toucher les milieux politiques, de Gaulle était bien obligé de tenir compte de l'existence des partis. Au mois de décembre 1934, l'un de ses amis le présenta au ministre Paul Reynaud.[20] Voici ce que ce dernier a écrit à propos de leur première rencontre:

> Je vis entrer dans mon cabinet un haut lieutenant-colonel de chasseurs à pied. Il y avait, dans les mouvements de ce grand corps, une tranquille assurance que confirmait le regard de ses yeux bruns profondément enchassés dans leurs orbites.
>
> Je tentai de me dérober lorsqu'il me dit qu'il me demandera de défendre son projet à la Chambre s'il arrivait à me convaincre . . .
>
> Mais une fois engagé dans la démonstration, parlant d'un ton uni, avec une voix d'une douceur surprenante dans ce grand corps, il imposait sa conviction. Lorsqu'il tendait en avant la pointe de son visage, en écartant lentement ses deux avant-bras, on le sentait pénétré d'une évidence irrésistible. Il était imprégné de ce mot de Hamlet qu'il avait écrit en exergue de son livre *Le Fil de l'Epée:* «Etre grand, c'est soutenir une grande querelle».
>
> . . . De Gaulle énonce le fait nouveau qui, seul, peut donner à la France l'armée de ses besoins.
>
> Il s'agit d'un corps de divisions cuirassées, armée de choc de 100 000 hommes, ayant une vitesse foudroyante et une puissance de feu double de celle de toute l'armée française de 1914. Un ouragan qui passe.
>
> Ce corps cuirassé serait toujours apte au combat. Constitué — comme l'Air et la Marine — de militaires servant par contrat, il aurait une force constante . . .
>
> La démonstration était faite avec une telle puissance et une telle clarté que j'étais gagné par l'homme et par son projet.[21]

Photo E. C. Armées

Les chars. «Un instrument de manœuvre répressif et préventif, voilà de quoi nous devons nous pourvoir.»

A la Chambre des Députés, les débats relatifs aux questions militaires devenaient sans cesse plus acharnés. Face à la nouvelle armée allemande, la France manquait d'effectifs. Fallait-il prolonger jusqu'à deux ans la durée du service militaire? Fallait-il augmenter les crédits militaires? Les partis de gauche s'y opposaient farouchement.

Le 15 mars 1935, Paul Reynaud s'adressa à la Chambre pendant la séance de nuit. Du haut des galeries réservées au public, de Gaulle suivait la scène. L'orateur rappela aux députés leur responsabilité en matière de défense nationale, ensuite, il leur rappela que la France avait signé des pactes d'assistance avec plusieurs pays étrangers.[22] «Il faut, dit-il, avoir l'armée de sa politique.»[23] La France n'avait qu'une solution, c'était de se constituer une armée de choc capable de briser une offensive foudroyante. Il termina par ces paroles prophétiques: «. . . car, si l'assailli n'a pas des ripostes aussi rapides que l'assaillant, tout sera perdu.»[24]

L'appel fut répété à plusieurs reprises mais il ne remporta aucun succès. «Les crédits militaires, ouverts en 1936, furent employés à compléter le système existant, mais non à le modifier.»[25] La gauche antimilitariste[26] mais également les modérés s'accordaient pour repousser l'idée d'une «armée de métier».[27] Les uns redoutaient la pression qu'un tel groupe risquerait d'exercer sur le gouvernement, les autres craignaient qu'il se forme un schisme entre l'armée dite «de métier» et l'armée du peuple. La majorité des Français étaient persuadés que, en cas de guerre, le salut de la patrie dépendrait de l'héroïsme de ses soldats, et de tous ses soldats. D'ailleurs, ajoutait-on, à quoi pourrait bien servir une armée conçue pour l'offensive, alors qu'on venait de construire, à grands frais, une ligne de fortifications considérées comme imprenables?[28] Le général Maurin, ministre de la Guerre, condamna irrévocablement les théories de de Gaulle en disant: «Comment peut-on croire que nous songions à l'offensive quand nous avons dépensé des milliards pour établir une barrière fortifiée? Serions-nous assez fous pour aller, en avant de cette barrière, à je ne sais quelle aventure?»[29] Evidemment, la Chambre n'allait pas envisager un projet que l'état-major rejetait *a priori*!

De Gaulle avait commis la faute capitale de la part d'un militaire: il s'était mis à «faire de la politique». Sa carrière faillit en être brisée.[30]

A la fin de 1935, l'Allemagne avait mis sur pied trois divisions Panzer qui étaient constituées presque exactement selon les principes exposés dans *Vers l'Armée de Métier*.[31] Le 7 mars 1936, les troupes allemandes franchirent le Rhin, pénétrèrent dans la zone dite «démilitarisée» et, en quarante-huit heures, atteignirent la frontière. D'un coup d'audace, devant ses généraux et ses diplomates stupéfaits, Hitler avait gagné la première partie. «La France ne bougera pas», leur avait-il dit. Si invraisemblable que cette hypothèse ait pu paraître, tant en Allemagne qu'ailleurs, elle se vérifia.

> En jouant pareil jeu, il pouvait d'un seul coup tout perdre. Il gagna tout . . . Puisque nous n'étions prêts qu'à tenir notre frontière en nous interdisant à nous-mêmes de la franchir en aucun cas, il n'avait pas à attendre une riposte de la France. Le Fuhrer en était sûr. Le monde entier le constata.[32]

L'année suivante, à Berlin, une panzerdivision complète défila, accompagnée par une escadrille d'aviation.

La publication de *Vers l'Armée de Métier* demeure un événement capital dans l'histoire des doctrines militaires. L'ironie du destin a voulu que le clan d'Hitler le comprenne plus vite que l'état-major français.[33]

Notes

1. De Gaulle, *Vers l'Armée de Métier,* p. 53.
2. Selon le traité de Versailles (28 juin 1919), l'Allemagne ne devait pas entretenir une armée supérieure à 100 000 hommes; elle ne devait fabriquer ni sous-marins, ni avions de guerre, ni bateaux de guerre, ni matériel de guerre lourd; la Rhénanie ainsi qu'une bande de 50 kilomètres de large à l'est du Rhin devaient demeurer entièrement démilitarisées.
3. Pétain s'était illustré tout particulièrement dans la défense de Verdun. Il fut élevé à la dignité de maréchal le 21 novembre 1918 dans la ville de Metz.
4. Après la seconde guerre mondiale, même une fois devenu Président de la République, de Gaulle continuera à exprimer son admiration pour le Pétain de la Grande Guerre.
5. Cette tactique employée au commencement de la Grande Guerre avait causé des pertes effroyables. Pendant les dix premiers jours de la guerre, 300 000 hommes furent mis hors de combat, prisonniers ou morts.
6. Bien que Pétain jouissait d'une vitalité exceptionnelle pour son âge, ses facultés intellectuelles avaient des moments de faiblesse. De Gaulle a dit à son sujet: «Le pauvre Maréchal est mort en 1925. Son corps est là, son esprit est parti. Mais le vainqueur de Verdun est en place. Il ne décrochera pas. A son âge, n'est-ce pas, on ne décroche pas . . .» Cité par: Tournoux, *Pétain et de Gaulle,* p. 201.
7. A partir de 1935, le nombre annuel des naissances est devenu inférieur au nombre des décès.
8. La balance commerciale était nettement déficitaire. En 1935 les exportations de la France ne couvraient que 65% de ses importations.
9. Ce parti fondé à Munich en 1920, comptait trois millions d'adhérents en 1933.
10. Aux élections de 1933, le parti des Nazis avait obtenu 44% des voix. Il triompha nettement parce que les autres voix étaient partagées entre plusieurs groupes.
11. Aux élections de 1932, le Cartel des Gauches avait obtenu 44% des voix. En 1936, le Front Populaire (Communistes, Socialistes et autres Gauches) obtint 46% des voix.
12. Le livre parut chez Berger-Levrault. Quelques mois auparavant, de Gaulle avait exposé l'ensemble de sa thèse dans un article également intitulé «Vers l'Armée de Métier» (*Revue Politique et Parlementaires,* 10 mai 1935).
13. 1 500 exemplaires avaient été imprimés. Bien qu'il n'ait pas eu une grande distribution, le livre fit l'objet de quelques commentaires élogieux. Citons, en particulier, l'article de Daniel Halévy dans *La Revue des deux mondes* (1er octobre 1934), «Un livre sur l'armée de métier». «L'auteur, écrivit Daniel Halévy, sait à fond de quoi il s'agit, car il est soldat, un des plus jeunes colonels de l'armée. Et ce qu'il sait, il sait le dire, car il est écrivain né . . . J'admire que, traitant d'un tel sujet, jamais ne lui échappe un accent inhumain . . . Il lui suffit de savoir que sa profession est à sa place, son emploi dans l'histoire des peuples, pour l'aimer et la pratiquer. Il n'exalte pas la guerre; à quoi bon? Il suffit qu'elle existe pour qu'elle exige d'être faite.»
14. La traduction russe fut imprimée par les Editions militaires soviétiques en 1935. Elle fut tirée à 8 000 exemplaires.

15. En 1920, le général Estienne avait lui-même réclamé la constitution d'un corps spécialisé de 100 000 hommes. Pendant la Grande Guerre, les chars n'avaient pas été groupés en un corps indépendant; on les avait surtout employés pour franchir les obstacles.

16. En Allemagne, Guderian, le créateur des divisions Panzer, avait tiré ses conclusions de la déroute infligée aux troupes allemandes par les chars français et anglais. Dans ses *Mémoires,* Ludendorff a écrit à propos de l'attaque franco-anglaise du 8 août 1918: «Au matin, les Français et les Anglais attaquent entre Albert et Mareuil avec de fortes escadres de chars. Les divisions qui tenaient sur ce point se laissent complètement enfoncer . . . L'emploi en masse des chars est notre plus redoutable ennemi.»

17. Il connaissait notamment Emile Mayer, l'avocat Jean Auburtin, les écrivains Daniel-Rops et Jean Guitton.

18. L'Action Française était un mouvement d'extrême droite dont le but était de rétablir la monarchie française. Ses principaux animateurs étaient Charles Maurras et Léon Daudet. L'Action Française a exercé une profonde influence dans les milieux intellectuels de l'entre-deux-guerres.

19. De Gaulle, *Mémoires de Guerre,* I, p. 290. A propos de la diversité des partis et des opinions, de Gaulle a souvent dit avec humour: «La France nous enterrera tous!»

20. Paul Reynaud, avocat de profession, était devenu le spécialiste des questions économiques et financières.

21. Paul Reynaud, *Mémoires,* I, pp. 421–422.

22. Paul Reynaud a insisté sur cette idée dans l'espoir de convaincre les députés socialistes.

23. Paul Reynaud, *op. cit.,* p. 427.

24. *Ibid.,* p. 430.

25. De Gaulle, *Mémoires de Guerre,* I, p. 27.

26. En septembre 1936, de Gaulle s'adressa à Léon Blum, le leader du parti socialiste. Il termina son appel en faveur de l'armée de métier par cette phrase qu'il répétera plusieurs fois par la suite: «La défense nationale incombe au gouvernement.» Plus tard, Léon Blum a reconnu qu'il s'était laissé tromper par des illusions pacifistes et qu'il avait contribué à rendre la France incapable de défendre le principe de sécurité collective dont elle était l'apôtre. Il a même avoué: «Si le système de de Gaulle avait prévalu, la France aurait eu deux années au moins, d'avance, au lieu de quatre années de retard . . . et ainsi le désastre eût été conjuré . . .» Léon Blum, *Mémoires* (1940–1945), p. 111.

27. Paul Reynaud, ainsi que d'autres personnes, ont pensé que le choix du titre avait été maladroit. En effet, ce titre antagonisait la gauche qui y voyait la menace d'un coup d'état réactionnaire, mais aussi la droite qui s'indignait que l'on renie le principe de l'égalité de tous devant le service militaire. Toutefois, en choisissant ce titre, de Gaulle a voulu mettre en relief le caractère technique et autonome du corps cuirassé. Il a dit à ce sujet: «Il ne faut pas avoir peur des mots.»

28. La Ligne Maginot, construite entre 1926 et 1930 sous la direction du ministre de la guerre André Maginot, couvrait la frontière est et nord-est de la France jusqu'au Luxembourg. Elle ne couvrait pas la frontière franco-belge.

29. Cité par: Paul Reynaud, *op. cit.*, p. 434.

30. A l'issue d'une séance du Conseil Supérieur de la Défense Nationale, le général Maurin menaça de Gaulle de l'envoyer en Corse et lui dit: «Adieu de Gaulle, là où je suis vous n'avez plus votre place.» De Gaulle fut rayé du tableau d'avancement pour le grade de colonel et n'y fut remis que grâce à l'intervention de Paul Reynaud.

31. Le spécialiste allemand des divisions cuirassées était Heinz Guderian. Il avait fait triompher ses idées grâce à l'appui d'Hitler. Les chefs nazis connaissaient les théories de de Gaulle. Philippe Barrès a rapporté la conversation suivante qu'il eut avec Ribbentrop (futur ministre des affaires étrangères du Reich) en 1934:

> — Nos fortifications vous ennuient? demandai-je.
> Mais lui hâtivement:
> Non! Non! La Ligne Maginot, nous la franchirons avec des tanks; c'est une question de quantité et de volonté; notre spécialiste le général Guderian, l'a prouvé. Et je crois même savoir que votre meilleur technicien est de son avis . . .
> — Qui est, interrompis-je, notre meilleur technicien?
> Il s'écria, comme d'une vérité évidente:
> — Gaulle, le colonel de Gaulle . . . Est-ce donc qu'il est si peu connu chez vous?
> Je ne relevai pas la question, car, faut-il l'avouer? j'ignorais alors jusqu'au nom du colonel de Gaulle. Mais quelle ne fut pas ma surprise à l'entendre prononcer de nouveau peu de semaines plus tard et cette fois dans l'entourage immédiat d'Hitler.

Philippe Barrès, *Charles de Gaulle,* pp. 13–14. Voir le tableau comparé d'une division cuirassée selon de Gaulle et selon Guderian, p. 265.

32. De Gaulle, *Mémoires de Guerre,* I, p. 26.

33. En janvier 1935 de Gaulle publia dans la *Revue Hebdomadaire* un article intitulé: *Comment faire une armée de métier.* Dans cet article il répondait à quelques unes des objections de ses adversaires et il précisait quelle devait être l'organisation et la mission de l'armée de métier. Et il ajoutait: «Trois milliards, tel est, au grand total, l'ordre de grandeur des dépenses qu'entraînerait la création de l'instrument de manœuvres spécialisés.»

VERS L'ARMEE DE METIER

Comme la vue d'un portrait suggère à l'observateur l'impression d'une destinée, ainsi la carte de France révèle notre fortune...

Fâcheuse quant au relief, la frontière du Nord-Est ne l'est pas moins par son tracé saillant. L'adversaire qui frappe à la fois en Flandre, dans l'Ardenne, en Lorraine, en Alsace, à la porte de Bourgogne, porte des coups concentriques. Vainqueur en un point, il fait écrouler tout le système de la défense française. Les premiers pas en avant le portent sur la Seine, l'Aube, la Marne, l'Aisne ou l'Oise, dont il n'a plus, dès lors, qu'à descendre le cours facile pour atteindre la France au cœur, à Paris, leur confluent.

Cette trouée dans l'enceinte est l'infirmité séculaire de la patrie. Par là, la Gaule romaine vit les Barbares se ruer sur ses richesses. C'est là que la monarchie contint péniblement la pression de l'Empire.[1] Là, Louis le Grand défendit sa puissance contre l'Europe coalisée.[2] La Révolution faillit y périr. Napoléon y succomba. En 1870, le désastre et la honte ne prirent pas d'autre chemin. Dans ce mortel boulevard nous venons d'ensevelir le tiers de notre jeunesse. En dehors même des crises guerrières, de quel poids a pesé sur la France l'inquiétude d'une mauvaise frontière! Combien de projets avortés, d'espérances déçues, d'échecs dans nos entreprises, faute d'une bonne clôture au domaine! L'empire de la mer perdu, notre expansion sous hypothèque, les alliances qu'on paie trop cher, les chantages subis, les abandons par force acceptés, et dans le peuple, sans cesse obsédé par la même menace, le trouble, les divisions, les dégoûts.

Au reste, ce chronique danger ne cesse pas de grandir à mesure que le temps s'écoule. Que Paris fût là où il est, cela importait peu, sans doute, à un Carolingien.[3] Un Capétien s'en inquiétait davantage. Un Valois y pensait sans trêve. Un Bourbon ne le pouvait souffrir. La France du XIXe siècle en subit l'écrasante servitude. Que fut-ce pendant la Grande Guerre! Que serait-ce demain? Il n'y a pas deux cents kilomètres entre Paris et l'étranger, six jours de marche, trois heures d'auto, une heure d'avion. Un seul revers aux sources de l'Oise, voilà le Louvre à portée du canon. Or, le rôle de Paris, comment le qualifier, sinon avec Valéry «d'immense» et de «singulier»? Cette agglomération, dont le rayon n'a pas trois lieues, régit toute l'existence de la nation. De sept Français, l'un y habite et les six autres dépendent de ce qu'on y pense et de ce qu'on y fait. Doctrines, pouvoirs, réputations, modes, argent, fruits du sol, produits de l'industrie y affluent ou s'en répandent par les courants de la pensée, du sentiment et du transport que la capitale collecte ou distribue. Son salut ou sa perte sont bien près d'être équivalents au salut ou à la perte de l'Etat. Chaque fois qu'au dernier siècle Paris fut pris, la résistance de la France ne se prolongea point d'une heure. Notre défense nationale est, par essence, celle de Paris.

• • •

...entre Gaulois et Germains, les victoires alternatives n'ont rien tranché ni rien assouvi. Parfois, épuisés par la guerre, les deux peuples semblent se rapprocher, comme s'appuient l'un sur l'autre des lutteurs chancelants. Mais, sitôt remis, chacun se prend à guetter l'adversaire. Une pareille instabilité tient à la nature des choses. Pas d'obstacle géographique pour départager les deux races. L'osmose perpétuelle qui en est résultée eut, certes, pour conséquence de multiplier les influences réciproques, mais aussi rend arbitraire toute limite des champs d'action. Où qu'elle passe, la frontière franco-allemande est la lèvre d'une blessure. D'où qu'il souffle, le vent qui la balaie est gonflé d'arrière-pensées.

L'opposition des tempéraments avive cette amertume. Ce n'est point que chacun méconnaisse la valeur de l'autre et ne se prenne à rêver, parfois, aux grandes choses qu'on pourrait faire ensemble. Mais les réactions sont si différentes qu'elles tiennent les deux peuples en état constant de méfiance. Ce Français, qui met dans son esprit tant d'ordre, et si peu dans ses actes, ce logicien qui doute de tout, ce laborieux nonchalant, ce casanier qui colonise, ce fervent de l'alexandrin,[4] de l'habit à queue, du jardin royal, qui tout de même pousse la chanson, se débraille et salit les pelouses, ce Colbert collègue de Louvois,[5] ce jacobin[6] qui crie: «Vive l'Empereur!», ce politicien qui fait l'union sacrée, ce battu de Charleroi[7] qui donne l'assaut sur la Marne, bref ce peuple mobile, incertain, contradictoire, comment le Germain pourrait-il le rejoindre, le comprendre et s'y reposer? Inversement, nous inquiète l'Allemagne, force de la nature à laquelle elle tient au plus près, faisceau d'instincts puissants mais troubles, artistes-nés qui n'ont point de goût, techniciens restés féodaux, pères de famille belliqueux, restaurants qui sont des temples, usines dans les forêts, palais gothiques pour les nécessités, oppresseurs qui veulent être aimés, séparatistes obéissant au doigt et à l'œil, chevaliers du myosotis[8] qui se font vomir leur bière, route que Siegfried le Limousin[9] voit épique le matin, romantique vers midi, guerrière le soir, océan sublime et glauque d'où le filet retire pêle-mêle des monstres et des trésors, cathédrale dont la nef polychrome, assemblant de nobles arceaux, emplie de sons nuancés, organise en symphonie pour les sens, pour la pensée, pour l'âme, l'émotion, la lumière et la religion du monde, mais dont le transept obscur, retentissant d'une rumeur barbare, heurte les yeux, l'esprit et le cœur.

• • •

Un instrument de manœuvre répressif et préventif, voilà de quoi nous devons nous pourvoir. Instrument tel qu'il puisse déployer du premier coup une extrême puissance et tenir l'adversaire en état de surprise chronique. Ces conditions de brutalité et de soudaineté, le moteur donne le moyen d'y satisfaire, lui qui s'offre à porter ce que l'on veut, où il le faut, à toutes les vitesses, pourvu toutefois qu'il soit manié très bien.

Demain, l'armée de métier roulera tout entière sur chenilles. Chaque élément des troupes et des services évoluera par monts et par vaux sur véhicules appropriés.

Pas un homme, pas un canon, pas un obus, pas un pain qui ne doivent être ainsi portés à pied d'œuvre. Une grande unité, levant le camp au point du jour, sera le soir à cinquante lieues de là. Il ne lui faudra qu'une heure pour venir, de 15 kilomètres, et à travers tous terrains, prendre face à l'ennemi son dispositif de combat, ou pour disparaître, en rompant le contact, hors de portée des feux et des jumelles. Mais cette vitesse vaudrait peu si l'on ne pouvait la prolonger par une telle puissance de feu et de choc que le rythme du combat s'accorde avec celui des évolutions. A quoi bon se déplacer aussi rapidement dans les coulisses du champ de bataille, s'il faut se trouver ensuite immobilisé? Or, la technique moderne donne la solution du problème grâce au moteur cuirassé. En poussant dans cette voie sans cesse élargie, on évitera aux troupes d'élite la stabilisation des fronts qui a faussé la guerre récente du point de vue de l'art et, par suite, dans le rapport des pertes et des résultats.

Six divisions de ligne, motorisées et chenillées tout entières, blindées en partie, constitueront l'armée propre à créer l' «événement». Organisme auquel son front, sa profondeur, ses moyens de se couvrir et de se ravitailler permettront d'opérer par lui-même. L'une quelconque des six grandes unités sera, d'autre part, dotée de tout ce qu'il faut, en fait d'armes et de services, pour mener le combat de bout en bout, du moment que d'autres l'encadrent...[10]

Sans doute, la guerre moderne, comme la vie économique, implique une spécialisation croissante. Et le fait que le combattant doit être entraîné à remplir très exactement une fonction particulière peut sembler comporter une certaine monotonie dans son instruction. Il n'y a là qu'apparence, car au combat nul ne fait rien d'efficace sans être en liaison avec beaucoup d'autres, dont il est nécessaire qu'il connaisse le rôle. Demain, le bon fantassin sera, certes, tireur d'élite, — et de plusieurs sortes d'armes, — mais encore observateur, pionnier, signaleur, radio, canonnier, conducteur d'auto, expert en camouflage. L'instruction des professionnels s'opposera, par sa variété, au drill de Frédéric[11] ou aux «écoles» des vieux règlements autant que la vie du chauffeur, menant sa puissante voiture sur des routes toujours nouvelles, diffère du morne labeur de l'esclave tourneur de meule.

• • •

Certes, il faudra que l'ordre militaire modifie ses méthodes en conséquence. Le système de dressage anonyme et global, seul applicable aux éléments fournis par le service obligatoire, ne vaudrait rien pour les volontaires. Au lieu de la contrainte sommaire, c'est un perpétuel concours qu'il s'agira d'instituer. Point de «progressions» monotones, mais de périodiques championnats dont les résultats feront les réputations et commanderont les récompenses. Au régime mol et vague de la bonne volonté d'en bas, de la satisfaction d'en haut, l'on substituera celui des concours, challenges et palmarès. Ainsi, grâce à l'amour-propre sportif, on jettera dans l'instruction guerrière les plus modernes ferments d'activité.

• • •

Il est frappant de constater que les périodes de l'Histoire, où le Commandement fit preuve, dans son ensemble, des plus hautes qualités, furent aussi celles où l'ordre purement didactique exerça sur lui la moindre influence. Les grandes généraux de l'Antiquité, qui nous racontent leurs exploits, ne se réfèrent jamais à des enseignements reçus. Dans l'*Anabase* de Xénophon,[12] dans les *Commentaires* de César, pas la moindre allusion à des principes, mais uniquement l'exposé des circonstances et des décisions. De quoi donc s'inspiraient Gustave-Adolphe,[13] le prince Eugène,[14] Luxembourg,[15] Maurice de Saxe,[16] sinon de leur propre talent? La pléiade des généraux qui, pendant la Révolution et l'Empire, emportèrent tant de succès, ne disposait pas même d'un règlement. Fait remarquable, les chefs de la Grande Guerre qui révélèrent les plus complètes capacités avaient, auparavant, montré à l'égard des doctrines officielles une notoire indépendance. Assurément, les uns et les autres possédaient la connaissance des moyens et aussi ce recours de l'intuition qui réside dans l'expérience. Mais l'étincelle créatrice, jaillissant dans chaque cas d'espèce, ne leur venait point d'un code. Ils ne devaient qu'à eux-mêmes la genèse de leurs actions.

Pour préparer des maîtres à mener demain des troupes entièrement différentes des lourdes masses de la Grande Guerre, un changement va s'imposer dans la manière d'instruire les chefs. Celle-ci, au lieu de s'inspirer surtout de l'acquis, enseigné en corps de doctrine par des chaires bien surveillées, devra prendre pour loi le développement des personnalités. Ce n'est point, évidemment, qu'il convienne dans les exercices d'encourager l'outrecuidance ni d'exalter l'arbitraire. L'action militaire, quelle qu'en soit la forme, comporte d'abord l'étude des éléments du problème, laquelle requiert une discipline d'esprit exclusive de la fantaisie. D'ailleurs, les moyens ont des propriétés déterminées, dont le respect dans l'emploi est une condition inflexible. Enfin, chaque entreprise guerrière procède d'une mission qui ne se choisit ni ne se discute. Mais la synthèse qui suit cette analyse, au lieu qu'elle soit suggérée par des critères *a priori,* le chef ne doit plus la chercher ailleurs que dans son propre fonds. Exercer l'imagination, le jugement, la décision, non point dans un certain sens mais pour eux-mêmes et sans autre but que de les rendre forts et libres, telle sera la philosophie de la formation des chefs.

Toutefois, la profondeur de la réflexion, l'aisance dans la synthèse, l'assurance du jugement, sans lesquelles les connaissances professionnelles ne seraient que vain manège, ceux qui en portent le germe le développeraient mal s'ils l'appliquaient seulement aux catégories militaires. La puissance de l'esprit implique une diversité qu'on ne trouve point dans la pratique exclusive du métier, pour la même raison qu'on ne s'amuse guère en famille. La véritable école du Commandement est donc la culture générale. Par elle la pensée est mise à même de s'exercer avec ordre, de discerner dans les choses l'essentiel de l'accessoire, d'apercevoir les prolongements et les interférences, bref de s'élever à ce degré où les ensembles apparaissent sans préjudice des nuances. Pas un illustre capitaine qui n'eût le goût et le sentiment du patrimoine de l'esprit humain. Au fond des victoires d'Alexandre, on retrouve toujours Aristote.

Vers l'Armée de Métier, Librairie Berger-Levrault, 1938.

Notes

1. Le Saint Empire romain germanique
2. Notamment pendant la Guerre de la Succession d'Espagne (1700–1713)
3. Les Carolingiens ont régné du VIIIe au Xe siècle. Les Capétiens (directs) ont régné du Xe au XIVe siècle, les Valois du XIVe jusqu'à la fin du XVIe et les Bourbons de la fin du XVIe jusqu'à la fin de la monarchie.
4. Vers classique de douze pieds
5. Colbert et Louvois, ministres de Louis XIV remarquables l'un et l'autre pour leur amour de l'ordre et du travail
6. Les Jacobins furent des révolutionnaires exaltés.
7. Voir p. 19.
8. Allusion à une ancienne légende allemande selon laquelle le myosotis est le symbole du souvenir
9. Héros d'une légende germanique
10. Voir la composition d'une division blindée selon de Gaulle, p. 265.
11. Fréderic II roi de Prusse
12. Historien et chef militaire athénien
13. Roi de Suède (1496–1560)
14. Général des armées impériales (1663–1736)
15. Remarquable chef des armées de Louis XIV
16. Remarquable capitaine des armées de Louis XV

LA FRANCE ET SON ARMEE

— Qui servez-vous?
— Capitaine, nous servons la France. Les hommes passent, un régime en emporte un autre. Mais elle reste, et c'est par son armée qu'elle reprendra sa place.[1]

Après la publication de *Vers l'Armée de Métier,* de Gaulle fut tenu à l'écart par de nombreuses personnalités militaires. On lui reprochait de se mêler de politique,[2] de publier sans en avoir demandé l'autorisation à ses supérieurs; on lui reprochait ses «hérésies» en matière de doctrine militaire, et, naturellement, son attitude hautaine, orgueilleuse, arriviste, etc. . .

Les rapports entre Pétain et de Gaulle s'étaient peu à peu distancés. Pétain vieillissait mais il demeurait jaloux de son autorité. Il avait des absences de mémoire. «La vieillesse est un naufrage», dira de Gaulle à son sujet. Depuis 1925, date de la publication de l'article sur le *Rôle historique des Places françaises,* les conceptions militaires des deux hommes étaient allées en divergeant. Avec *Vers l'Armée de Métier,* elles étaient devenues irréconciliables.[3] Bientôt, une brouille personnelle allait consommer la rupture.

Depuis longtemps le Maréchal employait des subalternes pour écrire ses articles et ses discours. De Gaulle avait été l'un de ses «nègres»[4] favoris. Pétain admirait son style. «Il sait habiller les idées d'un manteau somptueux. Il excelle à manier le verbe juste», disait-il.[5] Sur la demande de Pétain, de Gaulle avait écrit — entre autres — une histoire de l'armée française. Lorsque Pétain envisagea la publication de l'ouvrage, de Gaulle demanda à ce que son nom figure à côté de celui du grand patron . . . Pétain se fâcha. Il entendait se présenter comme l'auteur unique du livre sinon, il ne voulait plus en entendre parler . . . Bref, il se désintéressa du projet mais de Gaulle conserva une copie du manuscrit et attendit le moment opportun.

Entretemps, de Gaulle fut promu colonel. Sans doute dans l'intention de le tenir éloigné de Paris, le ministère de la Guerre l'envoya commander le 507e régiment de chars à Metz. Bien entendu, il ne s'agissait pas d'un corps cuirassé constitué selon les principes de *Vers l'Armée de Métier.* Il s'agissait uniquement d'un ancien régiment de cavalerie que l'on avait transformé discrètement afin que l'état-major n'ait pas l'air de revenir sur sa décision antérieure . . . En guise d'au revoir, on dit au «Connétable»: «Vous nous avez assez embêtés avec le char-papier. Nous allons voir ce que vous tirerez du char-métal!»[6]

De Gaulle avait des chars. Etait-il enfin satisfait? Loin de là. Il ne disposait pas d'une division cuirassée organisée en masse autonome. Il n'avait qu'un simple régiment d'une centaine de chars légers, incorporé

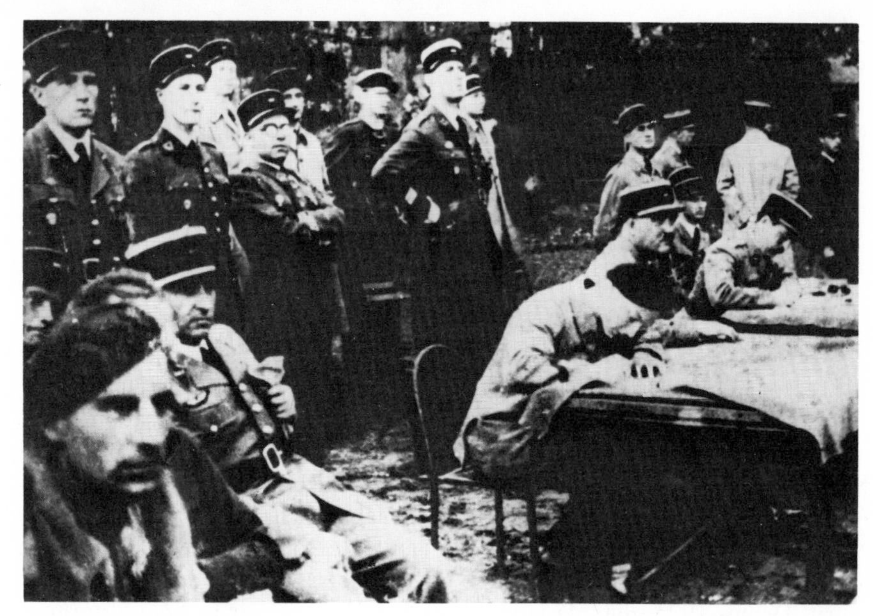

Photo E. C. Armées

1937, les grandes manœuvres de l'Est. Le poing sur la hanche, le colonel de Gaulle scrute l'horizon menaçant.

dans un corps de troupe et, par conséquent, dépourvu de liberté d'action. Néanmoins, «le colonel motor» se livrait — en gants blancs — à des manœuvres intensives. Un jour, après une démonstration spectaculaire exécutée devant plusieurs centaines d'officiers, le général Giraud, commandant du corps d'armée à Metz, admonesta le colonel indocile: «Vous, mon petit Gaulle (sic), tant que je commanderai le corps d'armée, vous . . .»[7]

La situation internationale allait en s'aggravant. Au mois de mars 1938, Hitler pénétrait en Autriche, défilait à Vienne avec une division cuirasseé[8] et proclamait le rattachement de l'Autriche au Reich. Stupéfaites, la France et l'Angleterre constataient le fait accompli. De Gaulle éprouvait l'amère satisfaction d'avoir vu juste.[9] Il envisageait d'écrire un livre qui célébrerait la destinée à la fois tragique et glorieuse de l'armée et qui formerait, au XXe siècle, le pendant de *Servitude et grandeur militaire* de Vigny.[10]

Faute de temps, le livre ne fut pas écrit. Néanmoins, sur les instances de Daniel-Rops,[11] de Gaulle publia au mois de septembre 1938, *La France et son Armée* dont il avait rédigé l'ensemble du texte pendant qu'il travaillait à l'état-major de Pétain. Le Maréchal se fâcha. La dédicace l'ulcérait:

A
Monsieur
Le Maréchal Pétain
Qui a voulu que ce livre fût écrit . . .[12]

Certes, Pétain avait voulu que le livre soit écrit . . . mais sous un autre nom! La rupture était désormais irréparable. Les événements des années à venir allaient lui donner des proportions gigantesques.

Il est impossible de douter que *La France et son Armée* soit l'œuvre exclusive de de Gaulle. Cette somptueuse tapisserie qui s'étend sur près de 2 000 ans, présente l'histoire de deux personnages: la France et le soldat. Les silhouettes des grands chefs se détachent sur le fond. Elles n'occupent la scène qu'un instant car, dans un mouvement constant, sous une multitude d'accoutrements, servant des régimes divers, le véritable héros est le soldat. C'est à lui que l'auteur a voulu rendre hommage au moment où, une fois de plus, le sort du pays allait dépendre de lui.

Notes

1. De Gaulle, «Le Flambeau», *Revue Militaire française,* 1er avril 1927.
2. Les militaires étaient censés rester en dehors de la vie politique. Jusqu'en 1944, ils n'ont pas eu le droit de vote.
3. En 1939, dans la préface d'un ouvrage du général Chauvineau intitulé *Une invasion est-elle encore possible?,* Pétain s'est élevé contre les principes de l'armée de métier sans, toutefois, mentionner le nom de de Gaulle. «L'armée de métier est surtout un instrument offensif; la qualité de son matériel et de son recrutement en font, pour son auteur, un outil irrésistible. Il y aurait quelque imprudence à adopter ses conclusions . . .»
4. Personne qui écrit un ouvrage pour le compte de quelqu'un d'autre.
5. Cité par: Tournoux, *Pétain et de Gaulle,* p. 170.
6. Cité par: Tournoux, *Ibid.,* p. 182.
7. Il faut noter que de Gaulle était le subordonné de Giraud et que ce dernier n'entendait pas se faire donner des leçons . . . Giraud l'appelait toujours «Gaulle».
8. Le lendemain, les journalistes français essayèrent d'amuser leurs lecteurs en racontant que les chars d'Hitler étaient tombés en panne le long de la route.
9. A la fin de l'année 1937, de Gaulle a écrit à son ami Lucien Nachin: «Après quelques expériences de détail, je suis plus convaincu que jamais du bien-fondé des idées que j'ai essayé de répandre et qui, hélas! ont jusqu'à présent été entendues par les Allemands beaucoup plus volontiers que par mes compatriotes. La manœuvre, l'attaque ne peuvent plus être demandées sur terre qu'à des chars. L'âge de l'infanterie est terminé, sauf comme arme défensive . . . Nous entrons dans l'ère des armées de métier. Tous les préjugés du monde n'arrêteront pas le mouvement.» Cité par: Lucien Nachin, *Charles de Gaulle, Général de France,* p. 88.
10. Parmi les auteurs favoris de de Gaulle à cette époque, on trouve: Vigny, Chateaubriand, Pascal, Descartes, Saint-Simon, Vauvenargues. Ce choix indique une prédilection pour les écrivains au caractère sombre et méditatif.
11. Daniel-Rops dirigeait la collection «Présences». Les volumes de cette collection devaient être écrits par des hommes capables d'apporter un témoignage direct sur leur propre métier.
12. Cette préface a été supprimée à partir de la seconde édition du livre.

LA FRANCE ET SON ARMEE

La France fut faite à coups d'épée. Nos pères entrèrent dans l'Histoire avec le glaive de Brennus.[1] Ce sont les armes romaines qui leur portèrent la civilisation. Grâce à la hache de Clovis,[2] la patrie reprit conscience d'elle-même après la chute de l'Empire.[3] La fleur de lys, symbole d'unité nationale, n'est que l'image d'un javelot à trois lances.

Mais, s'il faut la force pour bâtir un Etat, réciproquement l'effort guerrier ne vaut qu'en vertu d'une politique. Tant que le pays fut couvert de la broussaille féodale,[4] beaucoup de sang coula aux sables stériles. Du jour où fut réalisée la conjonction d'un pouvoir fort et d'une armée solide, la France se trouva debout.

• • •

Puisqu'il faut que le chevalier impose sa force et son droit à la masse des pauvres diables et qu'en revanche il ne peut compter être toujours soutenu par de réticents vassaux, il doit s'armer de manière à défier seul les coups. Le voilà donc cuirassé, devant, derrière, sur les côtés. Une matelassure de cuir, plaquée d'écailles de métal, le revêt du col jusqu'aux pieds; sur la tête, un heaume épais; au bras, un gros bouclier. Peu à peu, l'art du forgeron substituera l'armure articulée à cette «broigne»[5] et à ses accessoires. En moyenne, cent livres d'acier qui rendent l'homme presque invulnérable mais aussi l'écrasent et le nouent. Quant aux armes, celles de hast,[6] telles que javelots, framées,[7] francisques,[8] jadis familières aux Gaulois et aux Francs, n'auraient plus d'effet sur les carapaces. Le chevalier manie la masse, le fléau, la hache d'armes, la lance rivée à la hanche, l'énorme épée dont il s'escrime des deux mains. Un fort cheval porte le tout, bardé de fer lui aussi. Le guerrier et sa monture font comme une «grand'tour carré».

L'armée, il est vrai, compte d'autres éléments que ces forteresses mobiles. Les chevaliers ont besoin d'auxiliaires. Il faut à chacun d'eux des gens qui lui portent et fourbissent ses armes, s'occupent des bagages, soignent les chevaux, qui au combat l'éclairent, puisqu'il est sous le casque presque aveugle et quasi-sourd, le remettent en selle s'il tombe, l'assistent quant il est démonté . . . .

. . . Jusqu'alors, la force des armes était le monopole de la Chevalerie. Du moment où celle-ci se trouve diminuée, le système de guerre qui en dépend exclusivement perd de son efficacité. D'autant que cette époque novatrice transforme l'armement aussi bien que les mœurs. Déjà, l'arbalète,[9] rapportée d'Asie, et partout répandue en dépit de l'interdiction du concile de Latran, permet à des fantassins exercés de tenir tête à la chevalerie. Il ne s'agit plus d'arcs ni de flèches en bois qui n'entament point le métal, mais bien de durs «carreaux»[10] de fer, décochés par un arc d'acier tendu à la manivelle, dirigés par une glissière et perçant bonnement l'armure. Et voici qu'à l'aurore du quatorzième siècle le canon fait son entrée dans le monde. Sans doute, les premières bombardes, tubes de fonte bourrés de mitraille de fer, n'ont qu'une portée faible et une précision médiocre. Telles quelles, pourtant, elles tonnent, crachent le feu, épouvantent les chevaux et tuent fort bien bêtes et gens. Encore un peu et, chargées à boulets, elles seront en état de faire brèche dans les donjons.

• • •

Quarante mille cavaliers, dix mille fantassins français, rencontrent à Azincourt[11] les quinze mille hommes qui restent aux Anglais après la prise coûteuse d'Harfleur. La bataille va se dérouler dans une plaine de labours, étroite, détrempée, limitée par des bois où la lourde chevalerie ne se soucie point d'entrer et que l'ennemi a garni d'archers. Vu l'exiguïté du terrain, le connétable d'Albret veut disperser l'armée sur trois corps en profondeur. Mais tout le monde exige de faire partie du premier où l'entassement est bientôt incroyable. Par surcroît, les chevaliers, qui redoutent canons et arbalètes, ont à ce point renforcé leurs armures qu'ils peuvent à peine manier la lance et l'épée. «Ils étaient, dit Lefebvre de Saint-Rémy, chargés de cottes d'acier très longues et moult pesantes et, par-dessus, harnais et, de plus, bachinets . . .»[12] Quant aux archers et aux bombardes, refoulés à l'arrière, on ne s'en servira pas.

Dans le corps de tête, paralysé par sa densité même, les deux ailes parviennent, cependant, à se porter en avant. Mais, en longeant les lisières des bois, les chevaliers reçoivent dans le flanc et dans le dos les flèches des archers anglais et subissent des pertes graves. La ligne ennemie, qu'ils abordent en désordre, n'a pas de peine à les refouler. Ces gens, en refluant, viennent se jeter dans le corps de bataille. Alors, l'infanterie anglaise passe à l'attaque de front et sur les flancs. Dans l'armée française, qui n'est plus qu'une foule tassée et mélangée d'hommes et de chevaux, les grands coups d'épée des soldats de métier déchaînent la panique. Bientôt, c'est une fuite désordonnée. Sept mille des nôtres sont tués, trois mille demeurent prisonniers de l'ennemi qui n'a pas perdu six cents hommes.

• • •

Cette fois encore, le redressement sera opéré par des moyens de fortune. Orléans, seule place qui reste au roi, n'est défendu que par cinq cents routiers et par les bourgeois. A Patay,[13] l'armée française compte au plus cinq mille combattants de toutes sortes et provenances. L'attaque de Rouen, en 1432, est menée par une poignée d'aventuriers soucieux surtout de butin. Les chefs Xaintrailles, Dunois, la Hire, Boussac, s'en tiennent donc aux affaires de détail, tactique qui prolonge la guerre et multiplie les ruines, mais du moins permet d'attendre que le pays se ressaisisse. Ce que l'épopée de Jeanne d'Arc présente de plus merveilleux, c'est justement le fait que ses coups sont portés dans des conditions telles que le sentiment des populations s'y associe et s'en exalte. A Orléans, à Jargeau, à Beaugency,[14] l'attitude du peuple, soulevé par un enthousiasme tout à fait nouveau et imprévu, surprend les Anglais, les décourage, contribue à les faire battre. Désormais, ils ne seront plus que des «meschante défense». Le sacre du roi à Reims[15] généralise le réveil du patriotisme....

• • •

Il faut dire que la lourdeur des armées de ce temps étouffe l'art sous les servitudes. L'arquebuse pèse cinquante livres, sans compter les balles et la poudre. La pique de dix pieds n'est pas moins lourde. En outre, le fantassin[16] porte au côté l'épée ou la dague, souvent le casque en tête et, sur le corps, force matelassures de cuir et d'acier. Compte tenu des vivres, du manteau, parfois du bouclier et, dans des cas, de l'outil, on voit combien peinent en marche les pauvres gens de l'infanterie. Sous l'armure, la gendarmerie est relativement peu mobile. C'est toute une affaire pour les chevaux, chargés comme ils le sont, que de sauter une clôture. L'artillerie va cahin-caha sur les chemins carrossables. Mais, à travers champs, canons et fourgons s'embourbent. En outre, les hommes d'armes, non plus que les mercenaires, ne consentent à se priver de tout. Aussi les troupes sont-elles suivies de chariots innombrables, «tant pour les choses de bouche que de bataille». Le fait que les armées ne quittent point les routes, — lesquelles sont rares et mal entretenues, — donne aux places qui les commandent une importance capitale. De là des sièges lents et coûteux. Une lutte chronique s'engage entre l'artillerie et la fortification. Celle-ci adoptant, sous l'influence des ingénieurs italiens, un profil rasant qui offre peu de prise au canon, celle-là croissant en puissance et en précision pour faire brèche dans les murailles.

• • •

La politique de l'Ancien Régime est celle des circonstances; se gardant d'abstractions mais goûtant les réalités, préférant l'utile au sublime, l'opportun au retentissant, cherchant, pour chaque problème particulier, la solution non point idéale mais pratique, peu scrupuleuse quant aux moyens, grande, toutefois, par l'observation d'une juste proportion entre le but poursuivi et les forces de l'Etat.

Ces caractères de la politique marquent l'armée qui en est l'instrument. L'empirisme, à défaut de lois, préside au recrutement et à l'organisation. Des faits, et non des théories, entretiennent la discipline et l'honneur. Le bon sens, l'expérience, la recherche de l'occasion, guident, sans souci des formules, la stratégie et la tactique.

• • •

Le même empirisme guide le pouvoir royal dans le choix des officiers. La noblesse a le goût et la tradition de la guerre. Les conditions sociales lui confèrent l'habitude de commander. Les mœurs, qui attribuent aux aînés les biens et les charges des familles, y disposent au service les cadets. Du reste, la France de Louis XIV sort d'une suite de crises, où l'indocilité et l'ambition des nobles ont mis en péril l'autorité du roi et l'unité nationale; le gouvernement a les meilleures raisons pour pousser cette classe à combattre les ennemis de la France. Enfin, les nobles ont des richesses, dont toute l'armée profitera, si l'on sait s'y prendre. C'est parmi eux que l'on recrute la plupart des officiers.

• • •

Pour discipliner la troupe, Louvois[17] s'applique à la faire vivre dans des conditions qui favorisent la subordination. A tous les corps, jusque-là vêtus à la fantaisie des colonels, il impose l'uniforme du roi. Il exige que l'armement des unités soit conforme à l'ordonnance. Mesurant l'inconvénient et l'incommodité des quartiers pris chez l'habitant, il fait construire les premières casernes et prescrit de les édifier à la périphérie des villes. A Paris, Lourcine, La Pépinière, La Courtille, Babylone, Le Roule, Courbevoie, datent de ce temps. Il ordonne des changements de garnison fréquents et, pour que ces déplacements s'opèrent sans désordre, il trace des routes d'étapes avec gîtes d'avance désignés. Il oblige les troupes à s'instruire, crée des inspecteurs de l'infanterie, de la cavalerie, de l'artillerie, qui passent des revues, assistent aux exercices et aux manœuvres. Il institue le pas cadencé et réglemente le maniement d'armes. La solde, naguère fixée par un soi-disant accord entre le capitaine et la recrue, est rendue uniforme, et les commissaires des guerres ont à s'assurer qu'elle est payée. Les magasins que Louvois organise, avant chaque période d'opérations, et les quartiers qu'il fait d'avance préparer, transforment les conditions d'existence du soldat en campagne. Celui-ci, qui reçoit des distributions régulières et voit son logement fait, est d'autant moins porté à la désertion et à la maraude.

• • •

En campagne, Napoléon se montre, passe des heures aux avant-postes, visite les bivouacs, traverse les parcs, mais à l'improviste, ce qui fait croire qu'il est partout et que rien ne lui échappe. Après le combat, il parcourt le champ de bataille, salue les troupes, s'occupe des blessés, récompense sans délai ceux qu'on lui signale et toujours de saisissante façon. Morvan,[18] qui fait revivre le «Soldat Impérial», nous peint le maître, au soir d'Abensberg, inspectant la division Legrand: «Général, quel régiment a le plus souffert? — Le 26e léger.» Il y va: «Colonel, présentez-moi le plus brave de vos officiers.» On fait venir le lieutenant Guyot: «Je vous nomme baron et je vous donne quatre mille livres de rente en dotation. Quel est le plus brave soldat?» Un chef de bataillon pousse devant lui le grenadier Baïonnette: «Je te nomme chevalier de la Légion d'Honneur et voici un titre pour 1 500 francs de rente.» L'Empereur s'éloigne, laissant le régiment bouleversé par l'émotion.

Du reste, il entend que le prestige de l'armée frappe les populations. C'est dans ce dessein qu'il organise, à Paris surtout, d'éclatantes parades dont les soldats sont éblouis presque autant que les badauds. Au Champ-de-Mars ou sur la place du Carrousel, il fait défiler dans leurs beaux uniformes les corps de la garnison. D'abord, l'infanterie de ligne, en habit bleu à la française sur la veste et la culotte blanches, aux guêtres noires et chapeau à trois cornes, précédée de ses grenadiers grandis par le bonnet à poil. Puis, l'infanterie légère, vêtue de bleu sombre à parements jonquille. Ensuite, l'artillerie, tout en noir. Vient la cavalerie: carabiniers avec la chenille rouge au casque, cuirassiers en habit rouge et or, dragons bleus, chasseurs habillés de vert, hussards à aigrette et sabretache portant en sautoir la pelisse à brandebourg. Enfin, voici la Garde!...

Il est vrai que cette magnificence est un décor qui tombe en campagne, découvrant la misère des combattants. Mais, leur misère même, Napoléon entend l'ennoblir. Les veuves et les orphelins des soldats tués à l'ennemi ont droit à une pension. Le total de reste, est peu considérable, car les conscrits sont rarement mariés. Après Austerlitz,[19] l'Empereur accorde deux cents francs de rente, après

Wagram[20] cinq cents francs, aux familles de ceux qui sont morts et adopte leurs enfants: «Les garçons, écrit-il, seront élevés à mes frais à Rambouillet et les filles à Saint-Germain.» Il remet en honneur l'institution des Invalides, que la Révolution a laissée à l'abandon, accorde aux bénéficiaries une large dotation . . .

Ainsi, Napoléon anime de son propre souffle les forces morales des soldats. Honneur, discipline, récompenses et même justice, tout procède de lui, se ramène à lui, resplendit de sa gloire. Le devoir comme l'ambition, l'effort comme le mérite, soumis à son seul arbitrage, n'ont plus d'autre objet que de le satisfaire. Sa pensée remplit les esprits: «Est-il content? Ne l'est-il pas?» Voilà pour l'armée la grande affaire et dont on discute à tous les échelons. Une troupe vaut deux fois plus qui combat sous ses yeux. Sur le champ de bataille les blessés le saluent, les mourants se raniment pour l'acclamer. Tout ce qu'il y a d'ardeur dans les âmes n'a qu'une expression: «Vive l'Empereur!»

• • •

Sa chute fut gigantesque, en proportion de sa gloire. Celle-ci et celle-là confondent la pensée. En présence d'une aussi prodigieuse carrière, le jugement demeure partagé entre le blâme et l'admiration. Napoléon a laissé la France écrasée, envahie, vidée de sang et de courage, plus petite qu'il ne l'avait prise, condamnée à de mauvaises frontières, dont le vice n'est point redressé, exposée à la méfiance de l'Europe, dont, après plus d'un siècle, elle porte encore le poids; mais, faut-il compter pour rien l'incroyable prestige dont il entoura nos armes, la conscience donnée, une fois pour toutes, à la nation de ses incroyables aptitudes guerrières, le renom de puissance qu'en recueillit la patrie et dont l'écho se répercute encore? Nul n'a plus profondément agité les passions humaines, provoqué des haines plus ardentes, soulevé de plus furieuses malédictions; quel nom, cependant, traîne après lui plus de dévouements et d'enthousiasmes, au point qu'on ne le prononce pas sans remuer dans les âmes comme une sourde ardeur? Napoléon, a épuisé la bonne volonté des Français, fait abus de leurs sacrifices, couvert l'Europe de tombes, de cendres et de larmes; pourtant, ceux-là mêmes qu'il fit tant souffrir, les soldats, lui furent les plus fidèles, et de nos jours encore, malgré le temps écoulé, les sentiments différents, les deuils nouveaux, des foules, venues de tous les points du monde, rendent hommage à son souvenir et s'abandonnent, près de son tombeau, au frisson de la grandeur.

Tragique revanche de la mesure, juste courroux de la raison; mais, prestige surhumain du génie et merveilleuse vertu des armes!

• • •

. . . Du jour où l'on dut choisir entre la ruine et la raison, Pétain[21] s'est trouvé promu. Excellent à saisir en tout l'essentiel, le pratique, il domine sa tâche par l'esprit. En outre, par le caractère, il la marque de son empreinte. Entre ce personnage lucide et l'action sans surenchères que requièrent, désormais, le combat et les combattants, l'harmonie est si complète qu'elle semble un décret de nature. D'ailleurs, la confiance prend parti pour un maître dont on sait qu'il a dédaigné la fortune des serviteurs. Puissance de l'esprit critique sauvegardé des faveurs banales. Grandeur de l'indépendance, qui reçoit l'ordre, capte le conseil, mais se ferme aux influences. Prestige du secret, ménagé par la froideur voulue, l'ironie vigilante, et jusque par l'orgueil dont s'enveloppe cette solitude.

La France et son Armée, Librairie Plon, 1938.

Notes

1. Héros gaulois dont l'existence est en grande partie légendaire
2. Chef guerrier et roi des Francs (481–511)
3. De l'Empire romain
4. Du temps de la féodalité les possessions des seigneurs étaient nombreuses et enchevêtrées. Dans la plupart des régions le pouvoir du roi était plus théorique que réel.
5. Vêtement de cuir renforcé de plaques de métal
6. Armes montées sur une hampe de bois comme, par exemple la lance ou le javelot
7. Sorte de lance
8. Hache employée par les Francs
9. Arc perfectionné qui permet un tir précis. L'Eglise en interdit l'emploi contre les Chrétiens au second concile de Latran (1139).
10. Gros morceau de fer à quatre faces
11. L'une des défaites françaises pendant la Guerre de Cent Ans (1415)
12. Pièce de l'armure qui couvrait la tête, le visage et le cou
13. Victoire remportée par Jeanne d'Arc sur les Anglais (1429)
14. Victoires françaises sur les Anglais
15. Sacre du roi Charles VII
16. Soldat d'infanterie
17. Voir p. 33.
18. Auteur de chroniques
19. Victoire de Napoléon sur les Russes et les Autrichiens (2 décembre 1805)
20. Victoire de Napoléon sur les Autrichiens (1809)
21. Pétain s'est élevé contre la tactique de l'offensive à tout prix. Voir p. 53.

L'EPREUVE

. . . L'armée est un instrument. A l'Etat de l'inspirer, de la pourvoir, de l'employer! La doctrine, l'efficacité, la destination militaires dépendent de la politique.[1]

De Gaulle était à Metz, au mois de septembre 1939, lorsque survint l'agression allemande contre la Pologne et l'entrée en guerre de l'Angleterre puis de la France.[2] La mobilisation se déroula dans le calme et la résignation;[3] au fond, beaucoup de personnes espéraient que, grâce à quelque arrangement pacifique, on ne serait pas obligé de combattre. Après une attaque éphémère contre les lignes allemandes,[4] l'armée des alliés passa huit mois, stationnée dans l'est de la France, dans une inactivité presque totale. On espérait que cette «drôle de guerre» finirait . . . avant l'été.

En quelques jours la résistance polonaise s'était écroulée sous le choc des divisions Panzer et des escadrilles de Stukas.[5] C'était la Blitzkrieg (la guerre éclair), conduite selon les principes exposés dans *Vers l'Armée de Métier*. Sans illusions, de Gaulle savait qu'Hitler attendait le moment favorable pour foudroyer le front occidental. Certes, la France avait mobilisé au maximum et intensifié ses productions de guerre. En 1938 le Conseil Supérieur de la Guerre avait décidé de créer deux divisions cuirassées (la première fut prête au début de 1940 et la seconde environ deux mois plus tard); en mars 1940, on entreprit de constituer deux autres divisions cuirassées; la 4e qui devait être prête vers le 15 mai 1940, allait être confiée à de Gaulle. Toutefois, ces divisions, médiocrement équipées, ne comprenaient que 120 chars (de Gaulle en aurait voulu 500) et, au lieu de constituer une force de frappe rapide et autonome, elles étaient englobées dans divers secteurs de l'armée et égrenées sur plusieurs centaines de kilomètres. «Ce que j'ai n'est rien, écrivit de Gaulle à Léon Blum à propos de son unité. Le cœur serré, je joue mon rôle dans une atroce mystification. Je n'ai pas sous mes ordres de division cuirassée, pour la bonne raison qu'il n'en existe pas une seule. Les quelques douzaines de chars qui sont attachés à mon commandement sont une poussière. Je crains que l'enseignement de la Pologne, pourtant si clair, n'ait été récusé de parti pris. On ne veut pas que ce qui a été réussi là-bas soit exécutable ici. Croyez-moi: tout reste à faire chez nous, et si nous ne réagissons pas à temps, nous perdrons misérablement cette guerre, nous la perdrons par notre faute.»[6]

Lorsque, en décembre 1939, de Gaulle présenta ses chars au président Lebrun qui était venu inspecter le front, celui-ci lui dit:

«Vos idées me sont connues. Mais, pour que l'ennemi les applique, il me semble bien qu'il soit trop tard.»

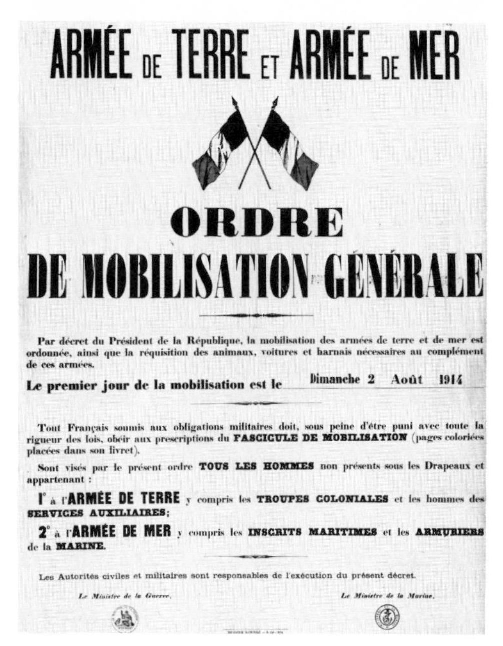

ARMÉE DE TERRE ET ARMÉE DE MER

ORDRE
DE MOBILISATION GÉNÉRALE

Par décret du Président de la République, la mobilisation des armées de terre et de mer est ordonnée, ainsi que la réquisition des animaux, voitures et harnais nécessaires au complément de ces armées.

Le premier jour de la mobilisation est le Dimanche 2 Août 1914

Tout Français soumis aux obligations militaires doit, sous peine d'être puni avec toute la rigueur des lois, obéir aux prescriptions du **FASCICULE DE MOBILISATION** (pages coloriées placées dans son livret).

Sont visés par le présent ordre **TOUS LES HOMMES** non présents sous les Drapeaux et appartenant :

1° à l'**ARMÉE DE TERRE** y compris les **TROUPES COLONIALES** et les hommes des **SERVICES AUXILIAIRES**;

2° à l'**ARMÉE DE MER** y compris les **INSCRITS MARITIMES** et les **ARMURIERS** de la **MARINE**.

Les Autorités civiles et militaires sont responsables de l'exécution du présent décret.

Le Ministre de la Guerre. *Le Ministre de la Marine.*

2 septembre 1939. La mobilisation générale.

Photo Bibl. Nat. Paris

Décembre 1939. Sur le front de l'Est, pendant «la drôle de guerre», le colonel de Gaulle présente ses chars au Président de la République Albert Lebrun.

Photo E. C. Armées

«C'est pour nous qu'il était trop tard»,[7] écrira de Gaulle dans ses *Mémoires de Guerre*. Néanmoins, au mois de janvier il lança un ultime appel sous la forme d'un mémorandum polycopié: *L'avènement de la force mécanique*.[8] Ce texte, adressé à environ 80 personnalités politiques et militaires, ne produisit à peu près aucune réaction.[9]

> . . . Si l'ennemi n'a pas su constituer déjà une force mécanique suffisante pour briser nos lignes de défense, tout commande de penser qu'il y travaille. Les succès éclatants qu'il a remportés en Pologne grâce aux moteurs combattants ne l'encouragent que trop à pousser largement et à fond dans la voie naturelle. Or, il faut savoir que la position Maginot,[10] quelques renforcements qu'elle ait reçus et qu'elle puisse recevoir, quelques quantités d'artillerie et d'infanterie qui l'occupent ou s'y appuient, est susceptible d'être franchie. C'est là, d'ailleurs, à la longue, le sort reservé à toutes les fortifications . . .
>
> . . . La rupture des organisations fortifiées peut, de fait des moteurs combattants, revêtir un caractère de surprise, un rythme, des conséquences tactiques et stratégiques, sans aucun rapport avec les lentes opérations menées jadis en vertu du canon.
>
> Il en résulte que le défenseur qui s'en tiendrait à la résistance sur place des éléments du type ancien serait voué au désastre. Pour briser la force mécanique, seule la force mécanique possède une efficacité certaine. La contre-attaque massive d'escadrilles aériennes et terrestres, dirigée contre un adversaire plus ou moins dissocié par le franchissement des ouvrages, voilà donc l'indispensable recours de la défensive moderne . . .
>
> Ne nous y trompons pas! Le conflit qui est commencé pourrait bien être le plus étendu, le plus complexe, le plus violent de tous ceux qui ravagèrent la terre. La crise politique, économique, sociale, morale, dont il est issu, revêt une telle profondeur et présente un tel caractère d'ubiquité qu'elle aboutira fatalement à un bouleversement complet de la situation des peuples et de la structure des Etats.[11] Or, l'obscure harmonie des choses procure à cette révolution un instrument militaire — l'armée des machines — exactement proportionné à ses colossales dimensions. Il est grand temps que la France en tire la conclusion. Comme toujours, c'est du creuset des batailles que sortira l'ordre nouveau et il sera finalement rendu à chaque nation suivant les œuvres de ses armes.[12]

Au mois de mars 1940, la défaite de la Finlande par l'U.R.S.S. provoqua une crise ministérielle et Paul Reynaud devint Président du Conseil avec une voix de majorité. Reynaud aurait voulu placer l'homme de «l'armée de métier» à la tête du Comité de Guerre mais des intrigues parlementaires l'en empêchèrent. Ecœuré, de Gaulle regagna le front.

«Cinq semaines après, éclatait la foudre.»[13] Le samedi 10 mai, à quatre heures du matin, la Wehrmacht lance contre la Belgique, la Hollande et le Luxembourg 80 divisions — dont 10 divisions cuirassées — accompagnées de forces aériennes massives.

Le 11 de Gaulle est nommé commandant de la 4e division cuirassée — encore inexistante.[14] Le 15 les divisions Panzer défoncent le front français entre Namur et Sedan. La brutalité de l'attaque paralyse la résistance.[15] Le 15 l'armée hollandaise dépose les armes. De Gaulle reçoit l'ordre d'arrêter les troupes de Guderian[16] qui menacent Laon. «Allez, de Gaulle, lui dit le général Georges. Pour vous qui avez depuis longtemps les conceptions que l'ennemi applique, voilà l'occasion d'agir.»

De Gaulle part avec une division improvisée. L'équipement est incomplet; il n'existe pas de matériel de transmission radiophonique; la plupart des hommes n'ont reçu aucune préparation technique.[17] Le 16 il va en reconnaissance:

Juin 1940, le ministère Paul Reynaud, dernier ministère de la Troisième République. Reynaud, à l'extrême gauche, au fond, un nouveau sous-secrétaire d'Etat, gants blancs, deux étoiles neuves à son képi.

Photo A.F.P.

> Alors, au spectacle de ce peuple éperdu et de cette déroute militaire, au récit de cette insolence méprisante de l'adversaire, je me sens soulevé d'une fureur sans bornes. Ah! c'est trop bête! La guerre commence infiniment mal. Il faut donc qu'elle continue. Il y a, pour cela, de l'espace dans le monde. Si je vis, je me battrai où il faudra, tant qu'il faudra, jusqu'à ce que l'ennemi soit défait et lavée la tache nationale. Ce que j'ai pu faire, par la suite, c'est ce jour-là que je l'ai résolu.[18]

Du 17 au 20 de Gaulle contre-attaque le corps blindé de Guderian. L'ennemi subit de lourdes pertes et ralentit.[19] Les combats reprennent dans la région d'Abbeville.[20] Le 25 de Gaulle est promu général de brigade à titre temporaire. Il réussit une percée de 14 kilomètres dans les positions ennemies et fait 400 prisonniers. Brève éclaircie.

Le 27 mai la Belgique demande l'armistice; les troupes anglaises commencent à se rembarquer à Dunkerque.[21] Le 5 juin les troupes allemandes rompent le front de la Somme. Le 6 au matin de Gaulle apprend qu'il vient d'être nommé sous-secrétaire d'Etat à la Guerre.[22] Le jour même, il arrive à Paris: visage sombre, gants blancs à la main et deux étoiles neuves à son képi. Sa carrière politique commence au moment où l'armée française subit le plus grand désastre de son histoire.

Le 8, avant d'effectuer sa première mission à Londres, il se met en rapport avec le général Weygand,[23] nouveau commandant en chef des opérations:

Tandis que les organismes de liaison arrangeaient les entretiens que je devais avoir dans la capitale britannique, je fus, le 8 juin, prendre contact avec le général Weygand au château de Montry. Je trouvai le Commandant en chef calme et maître de lui. Mais quelques instants de conversation suffirent à me faire comprendre qu'il était résigné à la défaite et décidé à l'armistice. Voici, presque textuellement, ce que fut notre dialogue, dont les termes sont — et pour cause! — restés gravés dans mon esprit.[24]

«Vous le voyez, me dit le Commandant en chef, je ne m'étais pas trompé quand je vous ai, il y a quelques jours, annoncé que les Allemands attaqueraient sur la Somme le 6 juin. Ils attaquent, en effet. En ce moment, ils passent la rivière. Je ne puis les en empêcher.

— Soit! ils passent la Somme. Et après?

— Après? C'est la Seine et la Marne.

— Oui. Et après?

— Après? Mais c'est fini!

— Comment? Fini? Et le monde? Et l'Empire?» Le général Weygand éclata d'un rire désespéré.

«— L'Empire? Mais c'est de l'enfantillage! Quant au monde, lorsque j'aurai été battu ici, l'Angleterre n'attendra pas huit jours pour négocier avec le Reich.» Et le

Commandant en chef ajouta en me regardant dans les yeux: «Ah! si j'étais sûr que les Allemands me laisseraient les forces nécessaires pour maintenir l'ordre!...»

La discussion eût été vaine. Je partis, après avoir dit au général Weygand que sa manière de voir était à l'opposé des intentions du gouvernement...

Le dimanche 9 juin, à Londres, de Gaulle rencontre Churchill:

M. Churchill me reçut à Downing Street. C'était la première fois que je prenais contact avec lui. L'impression que j'en ressentis m'affermit dans ma conviction que la Grande-Bretagne, conduite par un pareil lutteur, ne fléchirait certainement pas. M. Churchill me parut être de plain-pied avec la tâche la plus rude, pourvu qu'elle fût aussi grandiose. L'assurance de son jugement, sa grande culture, la connaissance qu'il avait de la plupart des sujets, des pays, des hommes, qui se trouvaient en cause, enfin sa passion pour les problèmes propres à la guerre, s'y déployaient à leur aise. Par-dessus tout, il était, de par son caractère, fait pour agir, risquer, jouer le rôle, très carrément et sans scrupule. Bref, je le trouvai bien assis à sa place de guide et de chef. Telles furent mes premières impressions.

La suite ne fit que les confirmer en me révélant, en outre, l'éloquence propre à M. Churchill et l'usage qu'il savait en faire. Quel que fût son auditoire: foule, assemblée, conseil, voire interlocuteur unique, qu'il se trouvât devant un micro, à la tribune, à table, ou derrière un bureau, le flot original, poétique, émouvant, de ses idées, arguments, sentiments lui procurait un ascendant presque infaillible dans l'ambiance dramatique où haletait le pauvre monde. En politique éprouvé, il jouait de ce don angélique et diabolique pour remuer la lourde pâte anglaise aussi bien que pour frapper l'esprit des étrangers. Il n'était pas jusqu'à l'humour dont il assaisonnait ses gestes et ses propos et à la manière dont il utilisait tantôt la bonne grâce et tantôt la colère qui ne fissent sentir à quel point il maîtrisait le jeu terrible où il était engagé.

Les incidents rudes et pénibles qui se produisirent à maintes reprises entre nous, en raison des frictions de nos deux caractères, de l'opposition de certains intérêts de nos pays respectifs, des abus que l'Angleterre commit au détriment de la France blessée, ont influé sur mon attitude à l'égard du Premier Ministre, mais non point sur mon jugement. Winston Churchill m'apparut, d'un bout à l'autre du drame, comme le grand champion d'une grande entreprise et le grand artiste d'une grande Histoire.

Mémoires de Guerre, I, L'Appel, Librairie Plon, 1954.

Quelques heures après cet entretien, on apprend que Paris est directement menacé par les blindés allemands. De Gaulle rentre à Paris les mains vides. Le 10, «journée d'agonie»,[25] les services gouvernementaux quittent la capitale et se replient sur la Loire. L'Italie déclare la guerre à la France.

A partir du 11, les administrations errent d'un château à l'autre. La désorganisation contribue à épuiser la résistance nerveuse. Le 12 on apprend que les dernières lignes de défense françaises sont disloquées par les blindés allemands; la Ligne Maginot est percée. De Gaulle fait un voyage éclair à Rennes. Au cours d'un conseil de guerre improvisé, il étudie les possibilités de défense de la Bretagne. Aussitôt après, il rejoint le gouvernement. Le Conseil des ministres se tient au château de Cangé près de Tours. Dans une atmosphère de stupeur, le général Weygand déclare que l'armistice est inévitable. Le maréchal Pétain (84 ans) exhale son pessimisme. Cette «gloire nationale» avait été appelée à la vice-présidence du Conseil au commencement du désastre.

Le 13, à la Préfecture de Tours, a lieu le dernier Conseil suprême interallié. Certains Français envisagent l'armistice. Churchill fait preuve d'une «compréhension apitoyée» mais il exige que, dans ce cas, la flotte française gagne les ports britanniques. Reynaud prétend qu'il est possible de poursuivre la lutte en réorganisant la défense et le gouvernement en Afrique du Nord. Pétain et Weygand répètent que l'armistice est inéluctable. De Gaulle, sombre et taciturne, songe que la guerre mondiale ne fait que commencer.[26]

Le soir, après le départ des Anglais, le Conseil des ministres se déroule dans une atmosphère d'orage. Les partisans de l'armistice se font plus pressants. Le maréchal Pétain leur apporte le prestige de sa personnalité.

«Le devoir du gouvernement est, dit-il, quoi qu'il arrive, de rester dans le pays, sous peine de n'être plus reconnu pour tel . . . Le renouveau français, il faut l'attendre en restant sur place plutôt que d'une conquête de notre territoire par des canons alliés, dans des conditions et dans un délai impossibles à prévoir . . . L'armistice est à mes yeux la condition nécessaire de la pérennité de la France éternelle.»

Aucune décision n'est prise. Le gouvernement restera irrémédiablement divisé sur la question de l'armistice.

L'exode continue. Le 14 les troupes allemandes occupent Paris. Le gouvernement arrive à Bordeaux. De Gaulle repart pour Londres en passant par la Bretagne.[27]

Dans la capitale britannique il s'occupe, entre autres choses, de questions relatives au transport du matériel et des troupes.[28] Il assiste à une réunion du Cabinet britannique. Au cours de cette réunion, on envisage un projet gigantesque: l'union totale de la France et de l'Angleterre. Les deux pays fusionneraient leurs institutions, leurs ressources, leurs armes, etc. . .[29] Par téléphone de Gaulle communique le projet à son gouvernement, espérant que ce coup de théâtre pourrait encore ranimer la résistance française. Mais, dans le chaos général, l'idée n'est même pas prise au sérieux. Au Conseil des Ministres on lance des réflexions telles que: «Non, la France ne veut pas devenir un dominion.»

Le 16 dans la soirée, lorsqu'il atterrit à Bordeaux, de Gaulle apprend que Reynaud vient de démissionner et que le maréchal Pétain est devenu Président du Conseil.[30] Il paraît certain que le nouveau gouvernement va demander l'armistice.[31]

Dans ses *Mémoires de Guerre,* de Gaulle a glissé rapidement sur les dernières heures qu'il a passées à Bordeaux. Bien des années plus tard, à un ami qui cherchait à sonder la genèse de sa grande décision, de Gaulle n'a confié que ces quelques mots: «Mais, ce fut terrible.»

Dans la nuit du 16 au 17, plusieurs personnes l'ont aperçu errant au milieu d'une indescriptible confusion de véhicules et de réfugiés. Il n'est plus membre du gouvernement et craint d'être arrêté. Les circonstances ne laissent plus le temps de réfléchir. La raison ne dispose plus de données concrètes. De toutes parts les événements devancent les calculs. Le lendemain matin, lorsqu'il s'envole pour Londres avec une simple petite valise, de Gaulle n'emporte aucun plan d'opération. Il ne fait qu'obéir à son instinct qui lui dit de poursuivre la lutte.

Notes

1. Ecrit par de Gaulle dans la préface de: *Le silence de Douaumont* de Patrick.
2. Le 3 septembre 1939 l'Angleterre puis la France déclarèrent la guerre à l'Allemagne.
3. La France mobilisa 5 000 000 d'hommes. Notons que l'Allemagne était capable de mobiliser 12 000 000 d'hommes. Le budget militaire de l'Allemagne était deux fois supérieur à celui de la France et de l'Angleterre réunies.
4. Dans l'espoir de soulager les Polonais, les troupes françaises tentèrent une offensive dans le Warndt entre le 9 et le 30 septembre.
5. Attaquée le 1er septembre par les troupes allemandes, la Pologne capitula le 28 septembre. Dès le 9 l'ennemi avait déjà atteint Varsovie. En quatre semaines les Polonais perdirent 200 000 morts et 450 000 prisonniers.
6. Cité par: Léon Blum, *Mémoires* (1940–1945), p. 116.
7. De Gaulle, *Mémoires de Guerre,* I, p. 32.
8. Le mémorandum a apporté la justification et la preuve concrète des théories que de Gaulle avait développées pendant les quinze années précédentes.
9. Le général Duffieux, inspecteur général des chars et de l'infanterie, termina son rapport sur le mémorandum en ces termes: «J'estime que ses conclusions sont à rejeter.»
10. La position le long de la Ligne Maginot. Voir p. 59.
11. En 1939 le conflit était encore relativement localisé. Remarquons la vision synthétique et planétaire de de Gaulle.
12. Le texte du memorandum est reproduit dans: de Gaulle, *Trois Etudes.*
13. De Gaulle, *Mémoires de Guerre,* I, p. 39.
14. Les trois premières divisions cuirassées se sont trouvées dispersées ou démolies avant même de pouvoir combattre.
15. En cinq jours, du 10 au 15 mai, la Wehrmacht réussit à envahir la Hollande, la presque totalité de la Belgique et à percer le front français des Ardennes.
16. Heinz Guderian, organisateur des divisions cuirassées allemandes, auteur d'un ouvrage, *Achtung! Panzer* (1937) qui présente des analogies avec *Vers l'Armée de Métier.*
17. La majorité des hommes provenaient d'anciens régiments de cavalerie.
18. De Gaulle, *Mémoires de Guerre,* I, p. 43.

19. A ce sujet, Guderian a écrit dans ses mémoires: «Nous connaissions l'existence de la quatrième division cuirassée française, unité de formation récente et commandée par le général de Gaulle. Elle s'était manifestée depuis le 16 mai . . . Les jours suivants, de Gaulle nous demeura fidèle et réussit le 19 mai à faire irruption avec quelques chars jusqu'à deux kilomètres de mon P.C. (poste de commande) avancé . . . Je vécus quelques heures d'inquiétude jusqu'à ce que ces menaçants visiteurs eussent fait demi tour.» Guderian, *Souvenirs d'un soldat* (traduction Plon), pp. 97–98.

20. Pour cette opération, de Gaulle ne disposait plus que de 140 chars.

21. A Dunkerque environ 200 000 hommes furent rembarqués; parmi eux il y avait moins de 50 000 Français.

22. Après le départ de de Gaulle, la division continua à combattre jusqu'à l'armistice sous le commandement du général La Font.

23. Le 17 mai, au moment où la situation était déjà fort critique, le Président du Conseil Paul Reynaud avait remplacé le généralissime Gamelin par Maxime Weygand.

24. Le général Weygand a qualifié sa conversation avec de Gaulle d' «entretien cornélien».

25. De Gaulle, *Mémoires de Guerre,* I, p. 65.

26. A propos de cette journée, Churchill a rapporté la scène suivante: «At the end of our talk, M. Reynaud took us into the adjoining room, where MM. Herriot and Jeanneney, the Presidents of the Chamber and Senate respectively, were seated. Both these French patriots spoke with passionate emotion about fighting on to the death. As we went down the crowded passage into the courtyard, I saw General de Gaulle standing stolid and expressionless at the doorway. Greeting him, I said in a low tone, in French: «L'homme du destin». He remained impassive.» Churchill, *The Second World War,* II, pp. 182–183.

27. Certaines personnes espéraient que l'on pourrait encore défendre le «réduit breton». Devant la rapidité de l'invasion allemande, ce projet ne fut jamais mis à exécution.

28. Il s'agissait de rassembler des navires anglais pour permettre l'évacuation vers l'Afrique du Nord de 800 000 soldats français et de 100 000 tonnes de matériel. De Gaulle voulait également décider le gouvernement britannique à envoyer de toute urgence des troupes et de l'aviation car, depuis le rembarquement de Dunkerque, les Anglais ne participaient presque plus aux opérations. Peine perdue.

29. Voici ce qu'annonçait la déclaration d'union: «Désormais la France et la Grande-Bretagne ne seront plus deux nations, mais une nation franco-britannique indissoluble . . . Une constitution de l'Union sera rédigée, prévoyant des organes communs chargés de la politique économique et financière et de la Défense de l'Union. Chaque citoyen français jouira immédiatement de la nationalité anglaise . . . etc.»

30. Le Président du Conseil Paul Reynaud venait d'être mis en minorité par les partisans de l'armistice. Aussitôt, le Président de la République avait chargé le maréchal Pétain de constituer un nouveau gouvernement. On savait que Pétain était décidé à rester en France quoiqu'il arrive et à faire cesser les combats. Le ministère Pétain fut constitué en quelques heures. Il va sans dire que de Gaulle n'en faisait pas partie . . .

31. Pétain s'est adressé à l'ennemi le 17 juin à 0 heure 45.

Il faut dire que, de toute manière, le Maréchal tenait la partie pour perdue. Ce vieux soldat, qui avait revêtu le harnois au lendemain de 1870, était porté à ne considérer la lutte que comme une nouvelle guerre franco-allemande. Vaincus dans la première, nous avions gagné la deuxième, celle de 1914–1918, avec des alliés sans doute, mais qui jouaient un rôle secondaire. Nous perdions maintenant la troisième. C'était cruel, mais régulier. Après Sedan et la chute de Paris,[1] il n'était que d'en finir, traiter et, le cas échéant, écraser la Commune,[2] comme, dans les mêmes circonstances, Thiers[3] l'avait fait jadis. Au jugement du vieux maréchal, le caractère mondial du conflit, les possibilités des territoires d'outre-mer, les conséquences idéologiques de la victoire d'Hitler, n'entraient guère en ligne de compte. Ce n'étaient point là des choses qu'il eût l'habitude de considérer.

Malgré tout, je suis convaincu qu'en d'autres temps, le maréchal Pétain n'aurait pas consenti à revêtir la pourpre dans l'abandon national. Je suis sûr, en tout cas, qu'aussi longtemps qu'il fut lui-même, il eût repris la route de la guerre dès qu'il put voir qu'il s'était trompé, que la victoire demeurait possible, que la France y aurait sa part. Mais, hélas! les années, par-dessous l'enveloppe, avaient rongé son caractère. L'âge le livrait aux manœuvres de gens habiles à se couvrir de sa majestueuse lassitude. La vieillesse est un naufrage. Pour que rien ne nous fût épargné, la vieillesse du maréchal Pétain allait s'identifier avec le naufrage de la France.

• • •

J'allai voir M. Paul Reynaud.[4] Je le trouvai sans illusion sur ce que devait entraîner l'avènement du Maréchal et, d'autre part, comme soulagé d'un fardeau insupportable. Il me donna l'impression d'un homme arrivé à la limite de l'espérance. Ceux-là seuls qui en furent témoins peuvent mesurer ce qu'a représenté l'épreuve du pouvoir pendant cette période terrible. A longueur des jours sans répit et des nuits sans sommeil, le Président du Conseil sentait peser sur sa personne la responsabilité entière du sort de la France. Car, toujours, le Chef est seul en face du mauvais destin. C'est lui qu'atteignaient tout droit les péripéties qui marquèrent les étapes de notre chute: percée allemande à Sedan, désastre de Dunkerque, abandon de Paris, effondrement à Bordeaux. Pourtant, il n'avait pris la tête du gouvernement qu'à la veille même de nos malheurs, sans nul délai pour y faire face et après avoir, depuis longtemps, proposé la politique militaire qui aurait pu les éviter. La tourmente, il l'affronta avec une solidité d'âme qui ne se démentit pas. Jamais, pendant ces journées dramatiques, M. Paul Reynaud n'a cessé d'être maître de lui. Jamais on ne le vit s'emporter, s'indigner, se plaindre. C'était un spectacle tragique qu'offrait cette grande valeur, injustement broyée par des événements excessifs.

Au fond, la personnalité de M. Paul Reynaud répondait à des conditions où il eût été possible de conduire la guerre dans un certain ordre de l'Etat et sur la base de données traditionnellement acquises. Mais tout était balayé! Le chef du gouvernement voyait autour de lui s'effondrer le régime, s'enfuir le peuple, se retirer les alliés, défaillir les chefs les plus illustres. A partir du jour où le gouvernement avait quitté la capitale, l'exercice même du pouvoir n'était plus qu'une sorte d'agonie, déroulée le long des routes, dans la dislocation des services, des disciplines et des consciences. Dans de telles conditions, l'intelligence de M. Paul Reynaud, son courage, l'autorité de sa fonction, se déployaient pour ainsi dire à vide. Il n'avait plus de prise sur les événements déchaînés.

Pour ressaisir les rênes, il eût fallu s'arracher au tourbillon, passer en Afrique, tout reprendre à partir de là. M. Paul Reynaud le voyait. Mais cela impliquait des mesures extrêmes: changer le Haut-commandement, renvoyer le Maréchal et la moitié des ministres, briser avec certaines influences, se résigner à l'occupation totale de la Métropole, bref, dans une situation sans précédent, sortir à tous risques du cadre et du processus ordinaires.

M. Paul Reynaud ne crut pas devoir prendre sur lui des décisions aussi exorbitantes de la normale et du calcul. Il essaya d'atteindre le but en manœuvrant. De là, en particulier, le fait qu'il envisagea un examen éventuel des conditions de l'ennemi, pourvu que l'Angleterre donnât son consentement. Sans doute, jugeait-il que ceux-là mêmes qui poussaient à l'armistice reculeraient quand ils en connaîtraient les conditions et qu'alors s'opérerait le regroupement de toutes les valeurs pour la guerre et le salut. Mais le drame était trop rude pour que l'on pût composer. Faire la guerre sans ménager rien ou se rendre tout de suite, il n'y avait d'alternative qu'entre ces deux extrémités. Faute, pour M. Paul Reynaud, de s'être tout à fait identifié à la première, il cédait la place à Pétain qui adoptait complètement la seconde.

Il faut dire qu'au moment suprême le régime n'offrait aucun recours au chef du dernier gouvernement de la IIIe République.[5] Assurément, beaucoup des hommes en place répugnaient à la capitulation. Mais les pouvoirs publics, foudroyés par le désastre dont ils se sentaient responsables, ne réagissaient aucunement. Tandis qu'était posé le problème, dont dépendaient pour la France tout le présent et tout l'avenir, le Parlement ne siégeait pas, le gouvernement se montrait hors d'état de prendre en corps une solution tranchée, le Président de la République s'abstenait d'élever la voix, même au sein du Conseil des ministres, pour exprimer l'intérêt supérieur du pays. En définitive, cet anéantissement de l'Etat était au fond du drame national. A la lueur de la foudre, le régime paraissait, dans son affreuse infirmité, sans nulle mesure et sans nul rapport avec la défense, l'honneur, l'indépendance de la France.

Tard dans la soirée, je me rendis à l'hôtel où résidait Sir Ronald Campbell, Ambassadeur d'Angleterre, et lui fis part de mon intention de partir pour Londres.

Le général Spears,[6] qui vint se mêler à la conversation, déclara qu'il m'accompagnerait. J'envoyai prévenir M. Paul Reynaud. Celui-ci me fit remettre, sur les fonds secrets, une somme de 100 000 francs. Je priai M. de Margerie[7] d'envoyer sans délai à ma femme et à mes enfants, qui se trouvaient à Carantec, les passeports nécessaires pour gagner l'Angleterre, ce qu'ils purent tout juste faire par le dernier bateau quittant Brest. Le 17 juin à 9 heures du matin, je m'envolai, avec le général Spears et le lieutenant de Courcel[8] sur l'avion britannique qui m'avait transporté la veille. Le départ eut lieu sans romantisme et sans difficulté.

Nous survolâmes La Rochelle et Rochefort. Dans ces ports brûlaient des navires incendiés par les avions allemands. Nous passâmes au-dessus de Paimpont, où se trouvait ma mère, très malade.[9] La forêt était toute fumante des dépôts de munitions qui s'y consumaient. Après un arrêt à Jersey, nous arrivâmes à Londres au début de l'après-midi. Tandis que je prenais logis et que Courcel, téléphonant à l'Ambassade et aux missions, les trouvait déjà réticentes, je m'apparaissais à moi-même, seul et démuni de tout, comme un homme au bord d'un océan qu'il prétendrait franchir à la nage.

Mémoires de Guerre, I, L'Appel, Librairie Plon, 1954.

Notes

1. Défaites de la guerre franco-prussienne de 1870
2. Insurrection du peuple de Paris à la suite de la défaite de 1870
3. Homme d'état et historien. Il fut élu président par l'Assemblée nationale en 1871. Il mit fin à la Commune et fit libérer le territoire avant la date prévue par le traité de Francfort.
4. Il a vu Reynaud dès son retour à Bordeaux c'est à dire, le 16 juin, tard dans la soirée.
5. Comparez ces lignes avec ce que de Gaulle dira plus tard à propos des institutions de la IVe et de la Ve République. Voir notamment: pp. 237–239.
6. Spears était le délégué personnel de Churchill auprès du Président du Conseil français. Il a été surnommé: «les yeux et les oreilles de Churchill». Cet homme parfaitement bilingue était, d'heure en heure, au courant des délibérations du Conseil des ministres. Malheureusement, son caractère imaginatif l'a souvent entraîné à travestir la vérité. Dans ses mémoires, il a voulu se présenter comme un véritable héros; il a prétendu, notamment, que ce fut grâce à lui que de Gaulle a réussi à quitter Bordeaux le 17 au matin.
7. Chef du Cabinet diplomatique du Président du Conseil
8. Jeune Français qui avait été placé auprès de de Gaulle comme officier d'ordonnance à partir du 6 juin 1940.
9. Elle allait mourir d'une maladie de cœur le 16 juillet 1940. Il paraîtrait qu'elle entendit elle-même l'appel lancé par son fils le 18 juin. Elle aurait dit aux rares personnes qui l'ont entourée pendant ses derniers jours: «C'est bien comme ça. Je reconnais Charles. C'est absolument ce qu'il fallait faire . . .». Mais aussi: «Mon Dieu! pourvu qu'il ne se soit pas trompé! . . . J'espère qu'il réussira . . . Je prie tous les jours pour cela.»

LE 18 JUIN 1940

L'histoire est la rencontre
d'un événement et d'une volonté.[1]

Le 18 juin 1940, de Gaulle a fait son entrée dans l'histoire. L'Appel qu'il a lancé ce jour-là de la B.B.C. de Londres a eu un tel retentissement que, parfois, on a tendance à oublier qu'il s'inscrit logiquement dans le cours de sa vie.

Arrivé à Londres le 17 vers neuf heures du matin, de Gaulle s'est rendu chez Churchill dans l'après-midi. Des nouvelles désastreuses tombaient à flots. A une heure, les éditions spéciales des journaux annonçaient la capitulation de la France. Le maréchal Pétain venait, en effet, de parler aux Français en ces termes:

> A l'appel de Monsieur le Président de la République, j'assume à partir d'aujourd'hui la direction du Gouvernement . . .
>
> . . . C'est le cœur serré que je vous dis aujourd'hui qu'il faut cesser le combat.[2]
>
> Je me suis adressé cette nuit à l'adversaire pour lui demander s'il est prêt à rechercher avec nous, entre soldats, après la lutte et dans l'honneur, les moyens de mettre un terme aux hostilités . . .[3]

La France cessait le combat . . . mais les conditions d'armistice n'étaient pas encore connues. Un revirement — quoique peu probable — était possible c'est pourquoi, d'accord avec Churchill, de Gaulle décida d'attendre jusqu'au lendemain pour s'adresser aux Français.

Le 18 juin, un peu avant six heures, on vit arriver aux studios de la B.B.C. un «grand homme immense avec de grandes bottes brillantes, qui marchait en faisant d'immenses enjambées et parlait d'une voix très grave.»[4] Quelques minutes plus tard, seul avec un technicien, de Gaulle commença à lire d'une voix blanche et heurtée «les mots irrévocables».[5]

L'APPEL

Les chefs qui, depuis de nombreuses années, sont à la tête des armées françaises ont formé un gouvernement.[6]

Ce gouvernement, alléguant la défaite de nos armées, s'est mis en rapport avec l'ennemi pour cesser le combat.

Certes, nous avons été, nous sommes, submergés par la force mécanique,[7] terrestre et aérienne, de l'ennemi.

Infiniment plus que leur nombre, ce sont les chars, les avions, la tactique des Allemands qui nous font reculer. Ce sont les chars,[8] les avions, la tactique des Allemands qui ont surpris nos chefs au point de les amener là où ils en sont aujourd'hui.

Mais le dernier mot est-il dit? L'espérance doit-elle disparaître? La défaite est-elle définitive? Non!

Croyez-moi, moi qui vous parle en connaissance de cause et vous dis que rien n'est perdu pour la France. Les mêmes moyens qui nous ont vaincus peuvent faire venir un jour la victoire.

Car la France n'est pas seule! Elle n'est pas seule! Elle n'est pas seule! Elle a un vaste Empire derrière elle. Elle peut faire bloc avec l'Empire britannique qui tient la mer et continue la lutte. Elle peut, comme l'Angleterre, utiliser sans limites l'immense industrie des Etats-Unis.[9]

Cette guerre n'est pas limitée au territoire malheureux de notre pays. Cette guerre n'est pas tranchée par la bataille de France. Cette guerre est une guerre mondiale. Toutes les fautes, tous les retards, toutes les souffrances, n'empêchent pas qu'il y a, dans l'univers, tous les moyens pour écraser un jour nos ennemis. Foudroyés aujourd'hui par la force mécanique, nous pourrons vaincre dans l'avenir par une force mécanique supérieure. Le destin du monde est là.

Moi, général de Gaulle,[10] actuellement à Londres, j'invite les officiers et les soldats français qui se trouvent en territoire britannique ou qui viendraient à s'y trouver, avec leurs armes ou sans leurs armes, j'invite les ingénieurs et les ouvriers spécialistes des industries d'armement qui se trouvent en territoire britannique ou qui viendraient à s'y trouver, à se mettre en rapport avec moi.

Quoi qu'il arrive, la flamme de la résistance française ne doit pas s'éteindre et ne s'éteindra pas.[11]

Demain, comme aujourd'hui, je parlerai à la radio de Londres.

Cet appel se dresse comme un événement capital lorsqu'on l'envisage dans la perspective historique néanmoins, au moment où il fut émis, il passa presque inaperçu. La moitié du territoire métropolitain était envahi,[12] les communications étaient disloquées, l'ennemi brouillait les émissions anglaises, les installations électriques étaient partout hors d'usage; deux millions de Français étaient prisonniers ou encerclés; la moitié de la popula-

Phot. Bibl. Nat. Paris

L'Appel.

tion civile errait sur les routes à la recherche d'un asile et, comme l'a si bien dit l'amiral Laborde, ce jour-là, les Français avaient «bien autre chose à faire» qu'à écouter les émissions de Londres.[13] Dans les régions déjà occupées, la presse ne fit aucune allusion au message de de Gaulle puisque, sitôt arrivés, les Allemands l'avaient placée sous leur contrôle. Dans les régions du sud qui étaient encore «libres», trois ou quatre journaux signalèrent que le général de Gaulle venait de parler à la B.B.C. mais, apparemment, leur bref compte-rendu ne retint guère l'attention des lecteurs.[14]

Le 18 juin 1940, c'est par hasard que l'appel a été capté par quelques personnes qui, pour la plupart, n'avaient jamais entendu parler de de Gaulle. L'atmosphère de mystère qui l'enveloppa, favorisa son retentissement. Bientôt, il fut répété en secret, distribué clandestinement et, comme tous les textes qui se transmettent de bouche en bouche, il subit des modifications. On y incorpora la célèbre phrase: «La France a perdu une bataille! Mais la France n'a pas perdu la guerre.» En réalité, ces mots n'apparurent qu'à partir du mois d'août sur les affiches placardées sur les

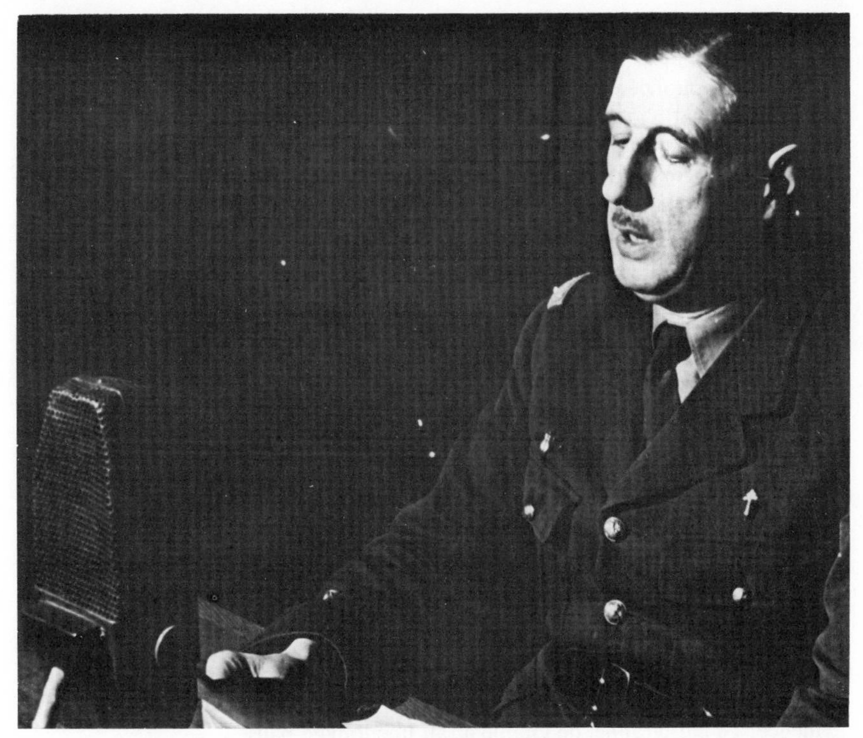

Photo E. C. Armées

Au micro de la B.B.C. «Tous les huit jours environ, je parlais moi-même avec l'émouvante impression d'accomplir pour des millions d'auditeurs qui m'écoutaient dans l'angoisse à travers d'affreux brouillages, une espèce de sacerdoce.»

murs de Londres. Ce n'était d'ailleurs qu'une erreur sans importance. Les Français avaient fort bien saisi le sens général du message.

Du 18 juin jusqu'à la Libération, un homme, presque inconnu au départ, est devenu l'incarnation de la renaissance nationale. «Nous connaissions si peu le général de Gaulle dans notre prison hexagonale,[15] a écrit Wladimir d'Ormesson, que nous ne savions même pas comment il était fait! Etait-il grand, petit, blond, brun, frêle, fort? . . . Mystère.»[16] Dans la plupart des familles françaises on a écouté en cachette les paroles qui arrivaient les plus souvent brouillées par les parasites ennemis.[17] «Ici Londres, le général de Gaulle vous parle . . .» Ces mots donnaient les ailes de l'espérance à des millions d'hommes et de femmes. Le chef lointain a été enveloppé d'un halo de légende; on l'a comparé à Foch, à Clémenceau, à Jeanne d'Arc . . . Que n'a-t-on pas dit sur son nom qui semblait le prédestiner . . . «Une part de rêve demeure dans les rapports que nous entretenons avec lui, écrira Mauriac en 1964. Le mythe qu'il fut pour nous pendant les quatre années de la résistance ne s'est jamais tout à fait dissipé.»[18]

Notes

1. Paroles prononcées en diverses occasions par de Gaulle.
2. Le Maréchal n'avait communiqué à personne le texte de son message avant de le lire à la radio. Les mots: «... il faut cesser le combat», brisèrent immédiatement le dernier ressort de la résistance française. Certains membres du gouvernement essayèrent vainement de demander que l'on poursuive la lutte jusqu'à l'armistice. Là où l'on se battait encore, les Allemands firent distribuer des tracts qui reproduisaient plus ou moins exactement le texte du message de Pétain.
3. L'armistice n'allait être signé que le 22 juin.
4. Ces mots d'Elizabeth Barker, employée de la B.B.C. sont rapportés par Henri Amouroux dans son livre intitulé: *Le 18 juin,* p. 362.
5. Aucun enregistrement sonore n'a été fait de l'appel.
6. Il s'agit du maréchal Pétain (Président du Conseil) ainsi que du général Weygand (ministre de la Défense nationale), de l'amiral Darlan (ministre de la Marine), du général Colson (ministre de la Guerre) et du général Pujo (ministre de l'Air). Cinq militaires sur dix-sept ministres!
7. De Gaulle a employé les termes dont il s'était servis dans *Vers l'Armée de Métier* puisque la bataille de France venait d'apporter une confirmation tragique à ses conceptions militaires.
8. Notez l'insistance. Elle était parfaitement justifiée.
9. C'est la guerre à l'échelle planétaire dont il parlait déjà en 1939.
10. Les personnes qui ont entendu l'appel ont remarqué que, avant de commencer ce paragraphe, de Gaulle a fait une longue pause.
11. Notez le caractère purement militaire de l'appel du 18 juin.
12. Les forces allemandes avaient atteint Metz, Lyon, Orléans, Cherbourg, Rennes...
13. Rapporté par Henri Amouroux, *op. cit.,* p. 366.
14. *Ibid.*
15. La forme générale de la France fait penser à un hexagone.
16. Wladimir d'Ormesson, *Les vraies confidences,* p. 132.
17. Les autorités allemandes interdisaient, sous peine d'emprisonnement, d'écouter les émissions anglaises. Voir à ce sujet: Henri Amouroux, *La vie des Français sous l'occupation.*
18. Mauriac, *De Gaulle,* p. 12.

LONDRES

Photo E. C. Armées

C'était à moi d'assumer
la France.[1]

Le 18 juin de Gaulle avait parlé en tant que chef militaire. Le lendemain, désavouant les hommes qui renonçaient à défendre le pays, il parla au nom de la France. D'un coup il rompit avec la discipline militaire et les institutions gouvernementales.[2] A presque 50 ans, ce soldat de métier entra en dissidence parce qu'il avait conscience qu'il lui incombait de recueillir la patrie abandonnée.

> A l'heure où nous sommes, tous les Français comprennent que les formes ordinaires du pouvoir ont disparu.
>
> Devant la confusion des âmes françaises, devant la liquéfaction d'un gouvernement tombé sous la servitude ennemie, devant l'impossibilité de faire jouer nos institutions, moi, Général de Gaulle, soldat et chef français, j'ai conscience de parler au nom de la France.
>
> Au nom de la France, je déclare formellement ce qui suit:
>
> Tout Français qui porte encore les armes a le devoir absolu de continuer la résistance.
>
> Déposer les armes, évacuer une position militaire, accepter de soumettre n'importe quel morceau de terre française au contrôle de l'ennemi, ce serait un crime contre la patrie . . .
>
> A l'heure qu'il est, je parle avant tout pour l'Afrique du Nord française, pour l'Afrique du Nord intacte . . .
>
> Il ne serait pas tolérable que la panique de Bordeaux ait pu traverser la mer.
>
> Soldats de France, où que vous soyez, debout![3]

Dès le 22 juin, un «Comité national français provisoire» était constitué. Le lendemain le gouvernement britannique déclarait que le gouvernement de Bordeaux était «dans un état d'assujettissement complet à l'ennemi» et, par conséquent, incapable de représenter un pays indépendant. Un seconde déclaration précisait: «Le Gouvernement de Sa Majesté déclare qu'il reconnaîtra un Comité français . . . et qu'il traitera avec lui sur toute matière relative à la poursuite de la guerre, tant que le Comité continuera à représenter les éléments français qui sont résolus à lutter contre l'ennemi commun.»[4] Le 28 du même mois, le gouvernement britannique reconnaissait le général de Gaulle comme le «chef de tous les Français libres, où qu'ils se trouvent, qui se rallient à lui pour la défense de la cause alliée.»

A ses débuts la France Libre n'avait aucun moyen. L'Ambassade de France lui refusait toute assistance. Elle était logée dans trois petites pièces pauvrement meublées qui lui avaient été prêtées. Les secrétaires étaient bénévoles. Tout manquait; il y avait à peine quelques shillings en caisse.[5]

Bref, la France Libre dépendait entièrement de la bonne volonté britannique mais, cependant, elle entendait demeurer indépendante. Comme Eugène Mannoni l'a si bien dit, «de Gaulle, en 1940, n'a rien, semble-t-il, et se proclame tout.»[6]

Le gouvernement anglais avança les fonds indispensables à la mise en marche d'une administration et d'une force militaire.[7] Toutefois, malgré cet embryon d'organisation, les premiers volontaires ne furent guère nombreux; une semaine après l'appel du 18 juin, ils n'étaient que quelques centaines alors que plus de 20 000 Français se trouvaient à Londres. De Gaulle avait espéré que le fait qu'il avait été sous-secrétaire d'Etat jusqu'à l'arrivée de Pétain, aurait facilité les ralliements. Or, il n'en fut rien. A de rares exceptions près, ceux qui s'enrôlèrent étaient des matelots, des ouvriers, des gens simples.[8] Quelle impression le Général a-t-il donc fait sur les Français qui se présentaient à son bureau?

> Je vis un homme d'un autre temps, a rapporté Pierre Bourdan.[9] De très haute stature, portant l'uniforme et des leggings, il se tenait excessivement droit. Mais cette rectitude soulignée par le rejet de la tête en arrière et par la chute des bras, qui épousaient exactement le buste et les hanches, paraissait être chez lui une position commode et naturelle . . . C'est dans le port de la tête, indiciblement distant, et dans l'expression du visage, que l'on sentait de la raideur. Les traits évoquaient tout d'abord un dessin médiéval. On eût voulu les encadrer par le heaume et la mentonnière de mailles . . . Ce qui caractérisait ses yeux, c'est qu'ils ne reflétaient rien du monde extérieur. Leur expression ne pouvait pas varier suivant les présences et les atmosphères. Leur regard était comme prédestiné . . . Le feu intérieur, ici, était réfléchi, introspectif. Il ne pouvait y avoir d'échange que voulu, et selon une direction préméditée.[10]

Quelques jours plus tard, le colonel Passy[11] arriva.

> Pendant que je me présente à lui selon le mode prévu par les règlements militaires, écrit-il, sa forme immense se détend et se lève pour m'accueillir. Il me fait répéter mon nom: «Capitaine Dewavrin», puis me pose une série de brèves questions d'une voix nette, incisive, un peu brutale:
>
> — Etes-vous d'active ou de réserve?
> — Active, mon Général.
> — Breveté?
> — Non.
> — Votre origine?
> — Ecole Polytechnique.
> — Que faisiez-vous avant la mobilisation?
> — Professeur de fortification à l'Ecole spéciale Militaire de Saint-Cyr . . .

— Bien. Vous serez chef des 2e et 3e bureaux de mon état-major. Au revoir. A bientôt.

La conversation est terminée. Je salue et je sors. L'accueil a été glacial et je n'ai vu chez le Général que son regard gris et perçant, sa volonté tenace plus apparente encore dans sa parole que dans ses gestes; peut-être aussi un peu de superbe ou de mépris, mais ce pouvait tout aussi bien être une forme de timidité. C'était d'ailleurs le cas, comme je le découvris par la suite, phénomène commun à nombre de gens du Nord de la France, qui, dans des contacts qu'ils ont avec des inconnus, cachent sous des dehors brutaux ou cassants, tout à la fois leur émotivité et leur gêne instinctive.[12] Aussi ne faut-il pas nous étonner que beaucoup d'officiers, un peu perdus dans la tourmente qui suivit l'armistice, soient sortis complètement glacés de leur première et souvent unique rencontre avec le général de Gaulle.[13]

L'installation était précaire. La situation politique l'était encore plus. De nombreux Français qui se trouvaient en Angleterre, demeurèrent à l'écart de la France Libre; certain regagnèrent la France, d'autres partirent en Amérique.[14] Il faut reconnaître que le gouvernement du maréchal Pétain présentait les apparences de la légalité. Le 10 juillet 1940, une majorité imposante des membres de la Chambre et du Sénat rassemblés à Vichy avaient donné les pleins pouvoirs au Maréchal.[15] La personnalité du vainqueur de Verdun inspirait la confiance ou, tout au moins, le respect. Le nouveau régime était reconnu à peu près universellement. Une trentaine de puissances étrangères établirent un consulat à Vichy; sept autres (dont les Etats-Unis,[16] l'U.R.S.S. et le Vatican) y établirent une ambassade. Par contre, de Gaulle qui prétendait incarner la France n'avait aucun mandat. Il n'était pas le représentant du gouvernement légal, il n'était même pas le représentant d'un groupement officiel. D'ailleurs, par principe, les Français se méfient d'un militaire qui se mêle de politique.

Après l'appel du 18 juin, le gouvernement du Maréchal avait demandé à de Gaulle de rentrer sans délai. Le lendemain, l'ordre fut répété. Un communiqué signala que le général de Gaulle qui avait pris la parole à Londres, ne faisait plus partie du gouvernement. Ces paroles eurent d'ailleurs le résultat inverse de celui qu'on désirait à Vichy; elles attirèrent l'attention publique sur de Gaulle et contribuèrent à sa popularité! Le 22 juin, la promotion au grade de général à titre temporaire, fut annulée. Le déliquant reçut l'injonction de se constituer prisonnier à la prison Saint-Michel à Toulouse . . .[17] Enfin, le 2 août, le tribunal militaire de Clermont-Ferrand le condamna à mort par contumax.[18] Pour de Gaulle cette condamnation était dépourvue de toute valeur puisque, à ses yeux, ceux qui l'avaient prononcée ne représentaient plus légitimement la France. «Je tiens l'acte des hommes de Vichy comme nul et non avenu, a-t-il écrit. Eux et moi, nous nous expliquerons après la victoire.»[19]

Le schisme était total.

Selon les termes de l'armistice franco-allemand, les colonies et les territoires de l'Empire pouvaient demeurer sous l'autorité française à condition qu'ils restent neutres jusqu'à la fin des hostilités.[20] De Gaulle avait espéré entraîner le ralliement de nombreuses personnalités civiles et militaires des territoires d'outre-mer mais, en juin-juillet 1940, rares furent ceux qui entrèrent en dissidence pour suivre la France Libre.[21] A ce moment-là, tant en France qu'aux colonies, «aucun homme public n'éleva la voix pour condamner l'armistice.»[22]

Le chef de la France Libre avait devant lui des tâches gigantesques. Il fallait qu'il rassemble les Français qui se trouvaient à l'étranger et aux colonies; il fallait qu'il fasse le ralliement spirituel de ceux qui étaient soumis à l'autorité des Allemands ou du gouvernement fantoche de Vichy; il fallait qu'il se fasse reconnaître comme le chef légitime de la France combattante par les gouvernements étrangers enfin, il fallait qu'il recrée une armée de terre, une marine et une aviation car . . . la France Libre était en guerre; c'était là sa raison d'être.

De Gaulle s'est lancé dans une entreprise qui, envisagée d'un point de vue rationnel, aurait paru chimérique. Néanmoins, il s'y est lancé sciemment et intégralement parce que, toute sa vie, il s'était identifié avec la France. Des circonstances sans précédent dans l'histoire ne lui conféraient-elles pas une légitimité spirituelle? D'ailleurs, l'arrivée des premiers volontaires, les premiers ralliements, les messages qui lui parvenaient et le cours même des événements, ne tardèrent pas à lui apporter la confirmation de sa mission.

Notes

1. De Gaulle, *Mémoires de Guerre,* I, p. 94.
2. Le raidissement de l'attitude de de Gaulle a été dû au fait que, le 19 juin, le gouvernement du maréchal Pétain se montrait décidé à signer l'armistice. Entre le 18 et le 19 juin, l'ambassadeur de France à Londres et le gouvernement britannique avaient envoyé une mission de parlementaires afin de proposer l'envoi de bateaux anglais pour transporter en Afrique du Nord des troupes françaises et une partie de leur matériel. Les membres de la mission sont revenus avec l'impression générale que, quelles que soient les conditions, le gouvernement au pouvoir était déterminé à accepter l'armistice. Voir le compte rendu de cette mission par René Pleven cité dans: Tournoux, *Pétain et de Gaulle,* pp. 426–441.
3. Discours prononcé à la radio de Londres le 19 juin 1940
4. Cité par: de Gaulle, *Mémoires de Guerre* (Librairie Plon), I, p. 270.
5. Sur les problèmes financiers de la France Libre voir: Pierre Denis, *Souvenirs de la France Libre.*
6. Eugène Mannoni, *Moi, Général de Gaulle,* p. 55.
7. Les fonds avancés par le gouvernement britannique furent entièrement remboursés par la France avant même la fin des hostilités.
8. «De Gaulle ne trouva auprès de lui que les obscurs et les inconnus: dans l'ordre militaire plus de soldats que d'officiers, et plus d'officiers subalternes que de supérieurs; dans l'ordre civil, des hommes sans renommée et souvent sans expérience. On lui reprocha vingt fois, par la suite, de ne pas s'être

entouré d'hommes plus expérimentés. Eh! que n'étaient-ils là? . . . Oui, dans la grande défaillance de 1940, presque partout le caractère se montra chez les plus humbles et les moins nantis. «Ils peuvent se rallier à de Gaulle, s'écria un jour un diplomate en parlant de ses jeunes collaborateurs. Eux, ils n'ont rien à perdre!» Terrible parole qui condamne les élites devenues uniquement attentives à leur propre conservation . . .» Soustelle, *Envers et contre tout,* pp. 52–53.

9. Pierre Bourdan, pseudonyme de Pierre Maillaud. Notez qu'un grand nombre des volontaires des Forces Françaises Libres employèrent un pseudonyme afin de ne pas compromettre leur famille demeurée en France. Pierre Bourdan s'est rallié dès le 19 juin 1940.

10. Pierre Bourdan, *Carnet des jours d'attente,* pp. 33–35.

11. Colonel Passy, pseudonyme d'André Dewavrin. Quand Passy se présenta, le 1er juillet 1940, les bureaux de la France Libre étaient déjà installés à St. Stephen's House, sur les quais de la Tamise, non loin de Big Ben.

12. De nombreuses personnes qui ont connu le Général dans l'intimité ont également été frappées par la gentillesse de ses attentions et par sa réserve un peu timide.

13. Passy, *Souvenirs,* 2e bureau Londres, pp. 33–34.

14. René Mayer rentra en France, Jean Monnet et André Maurois partirent aux Etats-Unis, l'ambassadeur Roger Cambon partit en Amérique du Sud, etc.

15. Sur les 666 membres des deux chambres qui s'étaient rassemblés à Vichy, 569 d'entre eux votèrent en faveur d'une loi dont l'article unique remettait les pouvoirs au maréchal Pétain, 80 parlementaires votèrent contre, 17 s'abstinrent.

16. L'ambassadeur des Etats-Unis, l'amiral Leahy, ami personnel de Roosevelt, demeura à Vichy jusqu'en 1942. Le personnel de l'ambassade comprenait environ 25 personnes. Voir à ce sujet: Leahy, *I Was There.*

17. Comme le «colonel» de Gaulle ne s'était pas constitué prisonnier, il fut condamné à quatre ans de prison et à cent francs d'amende.

18. En 1947, lorsqu'une commission d'enquêtes demanda à Pétain de s'expliquer sur cette condamnation, celui-ci répondit: «De Gaulle a été condamné parce qu'il a quitté la France sans l'autorisation du gouvernement. Il a été condamné à mort, mais il n'a pas été exécuté; ça n'a pas été plus loin, parce que c'est moi qui ai arrêté l'affaire . . . J'étais décidé à ne pas donner suite à cette affaire-là. Il me l'a rendu d'ailleurs. Si mon procès a été arrêté par la suite, je suis convaincu que c'est de Gaulle qui est intervenu.» Cité par: Raissac, *Un combat sans merci,* p. 207.

19. La photocopie de cette note manuscrite de de Gaulle est reproduite dans le premier volume des *Souvenirs* du colonel Passy.

20. Selon les conventions de l'armistice, la France ne pouvait pas avoir dans son Empire plus de 300 000 hommes sous les armes. Son armée était d'ailleurs exclusivement destinée à maintenir l'ordre. Dès le 16 juillet 1940 (moins d'un mois après la signature de l'armistice), Hitler a commencé à demander des bases dans les colonies françaises.

21. Parmi les premières personnalités qui se rallièrent à la France Libre, citons: le professeur René Cassin, René Pleven, Maurice Schumann, le général Catroux (ancien gouverneur de l'Indochine), le capitaine d'Argenlieu, le capitaine Kœnig, l'amiral Muselier.

22. De Gaulle, *Mémoires de Guerre,* I, p. 93.

LA FRANCE LIBRE

Poursuivre la guerre? Oui, certes! Mais pour quel but et dans quelles limites? Beaucoup, lors même qu'ils approuvaient l'entreprise, ne voulaient pas qu'elle fût autre chose qu'un concours donné, par une poignée de Français, à l'Empire britannique demeuré debout et en ligne. Pas un instant, je n'envisageai la tentative sur ce plan-là. Pour moi, ce qu'il s'agissait de servir et de sauver, c'était la nation et l'Etat.

Je pensais, en effet, que c'en serait fini de l'honneur, de l'unité, de l'indépendance, s'il devait être entendu que, dans cette guerre mondiale, seule la France aurait capitulé et qu'elle en serait restée là... A quoi bon fournir d'auxiliaires les forces d'une autre puissance? Non! Pour que l'effort en valût la peine, il fallait aboutir à remettre dans la guerre, non point seulement des Français, mais la France.

Cela devait comporter: la réapparition de nos armées sur les champs de bataille, le retour de nos territoires à la belligérance, la participation du pays lui-même à l'effort de ses combattants, la reconnaissance par les puissances étrangères[1] du fait que la France, comme telle, aurait continué la lutte, bref, le transfert de la souveraineté, hors du désastre et de l'attentisme, du côté de la guerre et, un jour, de la victoire.

• • •

Quant à moi, qui prétendais gravir une pareille pente, je n'étais rien, au départ. A mes côtés, pas l'ombre d'une force, ni d'une organisation. En France, aucun répondant et aucune notoriété. A l'étranger, ni crédit, ni justification. Mais ce dénuement même me traçait ma ligne de conduite. C'est en épousant, sans ménager rien, la cause du salut national que je pourrais trouver l'autorité. C'est en agissant comme champion inflexible de la nation et de l'Etat qu'il me serait possible de grouper, parmi les Français, les consentements, voire les enthousiasmes, et d'obtenir des étrangers respect et considération. Les gens qui, tout au long du drame, s'offusquèrent de cette intransigeance ne voulurent pas voir que, pour moi, tendu à refouler d'innombrables pressions contraires, le moindre fléchissement eût entraîné l'effondrement. Bref, tout limité et solitaire que je fusse, et justement parce que je l'étais, il me fallait gagner les sommets et n'en descendre jamais plus.

La première chose à faire était de hisser les couleurs. La radio s'offrait pour cela. Dès l'après-midi du 17 juin, j'exposai mes intentions à M. Winston Churchill. Naufragé de la désolation sur les rivages de l'Angleterre, qu'aurais-je pu faire sans son concours? Il me le donna tout de suite et mit, pour commencer, la B. B. C. à ma disposition. Nous convînmes que je l'utiliserais lorsque le gouvernement Pétain aurait demandé l'armistice. Or, dans la soirée même, on apprit qu'il l'avait fait. Le lendemain, à 18 heures, je lus au micro le texte que l'on connaît.[2] A mesure que s'envolaient les mots irrévocables, je sentais en moi-même se terminer une vie, celle que j'avais menée dans le cadre d'une France solide et d'une indivisible armée. A quarante-neuf ans, j'entrais dans l'aventure, comme un homme que le destin jetait hors de toutes les séries.

Pourtant, tout en faisant mes premiers pas dans cette carrière sans précédent, j'avais le devoir de vérifier qu'aucune autorité plus qualifiée que la mienne ne voudrait s'offrir à remettre la France et l'Empire dans la lutte. Tant que l'armistice ne serait pas en vigueur, on pouvait imaginer, quoique contre toute vraisemblance, que le gouvernement de Bordeaux choisirait finalement la guerre. N'y eût-il que la plus faible chance, il fallait la ménager. C'est pour cela que, dès mon arrivée à Londres, le 17 après midi, je télégraphiai à Bordeaux pour m'offrir à poursuivre, dans la capitale anglaise, les négociations que j'avais commencées la veille au sujet du matériel en provenance des Etats-Unis, des prisonniers allemands[3] et des transports vers l'Afrique.

La réponse fut une dépêche me sommant de rentrer sans délai. Le 20 juin, j'écrivis à Weygand, qui avait pris dans la capitulation le titre étonnant de «Ministre de la Défense nationale», pour l'adjurer de se mettre à la tête de la résistance et l'assurer, s'il le faisait, de mon obéissance entière. Mais cette lettre devait m'être, quelques semaines plus tard, retournée par son destinataire avec une mention dont le moins qu'on puisse dire est qu'elle marquait sa malveillance. Le 30 juin, «l'Ambassade de France» me notifiait l'ordre de me constituer prisonnier à la prison Saint-Michel à Toulouse pour y être jugé par le Conseil de guerre. Celui-ci m'infligeait, d'abord, quatre ans de prison. Puis, sur appel *a minima* exigé par le «ministre», me condamnait à la peine de mort.

• • •

Ainsi, parmi les Français comme dans les autres nations, l'immense concours de la peur, de l'intérêt, du désespoir, provoquait autour de la France un universel abandon. Si nombre de sentiments restaient fidèles à son passé, si maints calculs s'attachaient à tirer parti des lambeaux que lui laissait le présent, nul homme au monde, qui fût qualifié, n'agissait comme s'il croyait encore à son indépendance, à sa fierté, à sa grandeur. Qu'elle dût être, désormais, serve, honteuse, bafouée, tout ce qui comptait sur la terre tenait le fait pour acquis. Devant le vide effrayant du renoncement général, ma mission m'apparut, d'un seul coup, claire et terrible. En ce moment, le pire de son histoire, c'était à moi d'assumer la France.

Mais il n'y a pas de France sans épée. Constituer une force de combat, cela importait avant tout. Je m'y employai aussitôt. Certains éléments militaires se trouvaient en Angleterre. C'étaient, d'abord, les unités de la Division légère alpine qui, après avoir fait brillamment campagne en Norvège[4] sous les ordres du général Béthouart, avaient été ramenées en Bretagne au milieu de juin et s'y étaient rembarquées en même temps que les dernières troupes anglaises. C'étaient, d'autre part, des navires de la marine de guerre, — au total près de 100 000 tonnes, —

réfugiés de Cherbourg, de Brest, de Lorient, avec, à bord, outre leurs équipages, maints isolés et auxiliaires, le tout formant un effectif d'au moins 10 000 marins. C'étaient, encore, plusieurs milliers de soldats blessés naguère en Belgique et hospitalisés en Grande-Bretagne. Les missions militaires françaises avaient organisé le commandement et l'administration de tous ces éléments, de manière à les maintenir sous l'obédience de Vichy et à préparer le rapatriement général.

Le seul fait de prendre contact avec ces fractions multiples et dispersées comportait, pour moi, de grandes difficultés. Je ne disposais, tout d'abord, que d'un nombre infime d'officiers, presque tous subalternes, remplis d'une immense bonne volonté, mais impuissants à forcer l'appareil de la hiérarchie. Ce qu'ils pouvaient faire, et qu'ils firent, c'était de la propagande auprès des gradés et hommes qu'ils parvenaient à rencontrer. Le rendement devait être faible. Huit jours après mon appel du 18 juin, le nombre des volontaires campés dans la salle de l'Olympia, que les Anglais nous avaient prêtée, ne montait qu'à quelques centaines.

• • •

Cependant, des volontaires isolés atteignaient chaque jour l'Angleterre. Ils venaient généralement de France, amenés par les derniers navires qui en étaient régulièrement partis, ou évadés sur de petits bateaux dont ils avaient pu se saisir, ou encore parvenus à grand-peine à travers l'Espagne en échappant à la police de ce pays, qui enfermait ceux qu'elle prenait dans le camp de Miranda.[5] Des aviateurs, dérobant des appareils aux consignes de Vichy, réussissaient à quitter l'Afrique du Nord pour atterrir à Gibraltar. Des marins de commerce, que les hasards de la navigation et, parfois, l'évasion d'un navire, — comme par exemple le *Capo Olmo,* commandant Vuillemin, — avaient conduits hors des ports français, réclamaient un poste de combat. Des Français vivant à l'étranger venaient demander du service. Ayant réuni à White City 2 000 blessés de Dunkerque,[6] convalescents dans les hôpitaux anglais, j'obtins 200 engagements. Un bataillon colonial, qui se trouvait à Chypre, détaché de l'Armée du Levant, se rallia spontanément avec son chef, le commandant Lorotte. Dans les derniers jours de juin, abordait en Cornouaille une flottille de bateaux de pêche amenant au général de Gaulle tous les hommes valides de l'Ile de Sein.[7] Jour après jour, le ralliement de ces garçons resplendissants d'ardeur et dont beaucoup, pour nous rejoindre, avaient accompli des exploits, affermissait notre résolution. Sur ma table s'entassaient des messages venus de tous les points du monde et m'apportant, de la part d'individus ou de petits groupes, d'émouvantes demandes d'engagement. Mes officiers et ceux de la mission Spears déployaient des prodiges d'insistance et d'ingéniosité pour arranger leur transport.

Tout à coup, un événement lamentable vint suspendre le courant. Le 4 juillet, la radio et les journaux annonçaient que la flotte britannique de la Méditerranée avait, la veille, attaqué l'escadre française au mouillage à Mers-el-Kébir.[8] En même temps, nous étions informés que les Anglais avaient occupé par surprise les navires de guerre français réfugiés dans les ports de Grande-Bretagne, débarqué de force et interné, — non sans incidents sanglants, — les états-majors et les équipages. Enfin, le 10, était publiée la nouvelle du torpillage, par des avions anglais, du cuirassé *Richelieu* ancré en rade de Dakar. Les communiqués officiels et les feuilles publiques de Londres tendaient à présenter cette série d'agressions comme une sorte de

Photo E. C. Armées

Le 14 juillet 1940. «Français! Sachez-le! Vous avez encore une armée de combat.»

victoire navale. Il était clair que, pour le gouvernement et l'Amirauté britanniques, l'angoisse du péril, les relents d'une vieille rivalité maritime, les griefs accumulés depuis le début de la bataille de France et venus au paroxysme avec l'armistice conclu par Vichy, avaient éclaté en une de ces sombres impulsions par quoi l'instinct refoulé de ce peuple brise quelquefois toutes les barrières.

• • •

Pourtant, nous reprîmes notre tâche. Le 13 juillet, je me risquai à annoncer: «Français! Sachez-le! Vous avez encore une armée de combat.» Le 14 juillet, je passai à Whitehall, au milieu d'une foule saisie par l'émotion, la revue de nos premiers détachements, pour aller ensuite à leur tête déposer une gerbe tricolore à la statue du maréchal Foch. Le 21 juillet, j'obtins que plusieurs de nos aviateurs prissent part à un bombardement de la Ruhr et fis publier que les Français Libres avaient repris le combat. Entre-temps, tous nos éléments, suivant l'idée émise par d'Argenlieu,[9] adoptèrent comme insigne la Croix de Lorraine.[10] Le 24 août, le roi George VI venait rendre visite à notre petite armée. A la voir, on pouvait reconnaître que «le tronçon du glaive» serait fortement trempé. Mais, mon Dieu, qu'il était court!

Fin juillet, le total de nos effectifs atteignait à peine 7 000 hommes. C'était là tout ce que nous pourrions recruter en Grande-Bretagne même, ceux des éléments militaires français qui n'avaient pas rallié étant, maintenant, rapatriés. A grand-peine, nous récupérions les armes et le matériel qu'ils avaient laissés sur place et dont, souvent, s'étaient emparés, soit les Anglais, soit d'autres alliés. Quant aux navires, nous n'étions en mesure d'en armer que quelques-uns, et c'était un crèvecœur que de voir naviguer les autres sous pavillon étranger. Peu à peu et malgré tout, prenaient corps nos premières unités, pourvues de moyens disparates, mais formées de gens résolus.

• • •

Mais la France Libre, à sa naissance, ne rencontrait pas encore cette sorte d'adversaires que suscite le succès. Elle se débattait seulement dans les misères qui sont le lot des faibles. Nous travaillions, mes collaborateurs et moi, à Saint-Stephens House, sur l' «Embankment» de la Tamise, dans un appartement meublé de quelques tables et chaises. Par la suite, l'administration anglaise mit à notre disposition, à Carlton Gardens, un immeuble plus commode où s'installa notre siège principal. C'est là que déferlait sur nous, jour après jour, la vague des déceptions. Mais c'est là, aussi, que venait nous soulever au-dessus de nous-mêmes le flot des encouragements.

Car, de France, affluaient les témoignages. Par les voies les plus ingénieuses, parfois avec l'accord des censeurs, des gens simples nous envoyaient des lettres et des messages. Telle cette photo, prise le 14 juin place de l'Etoile à l'arrivée des Allemands, montrant un groupe de femmes et d'hommes abîmés dans la douleur autour du tombeau du Soldat inconnu, et envoyée le 19 juin avec ces mots: «De Gaulle! nous vous avons entendu. Maintenant, nous vous attendrons!» Telle cette image d'une tombe, couverte des fleurs innombrables que des passants y avaient jetées; cette tombe étant celle de ma mère, morte à Paimpont, le 16 juillet, en offrant à Dieu ses souffrances pour le salut de la patrie et la mission de son fils.

Ainsi pouvions-nous mesurer quelle résonance trouvait, dans les profondeurs du peuple, notre refus d'accepter la défaite. En même temps, nous avions la preuve que, sur tout le territoire, on écoutait la radio de Londres et que, par là, un puissant moyen de guerre était à notre disposition. D'ailleurs, les Français vivant à l'étranger donnaient le même écho du sentiment national. Beaucoup se mettaient en rapport avec moi comme je le leur avais demandé et se groupaient pour aider la France Libre...

En Angleterre même, l'estime et la sympathie entouraient les Français Libres. Le roi, d'abord, voulut les leur marquer. Chacun des membres de sa famille en fit autant. D'autre part, les ministres et les autorités ne manquaient jamais l'occasion de témoigner leurs bons sentiments. Mais on ne saurait imaginer la généreuse gentillesse que le peuple anglais lui-même montrait partout à notre égard. Toutes sortes d'œuvres se fondaient pour aider nos volontaires. On ne pouvait compter les gens qui venaient mettre à notre disposition leur travail, leur temps, leur argent. Chaque fois qu'il m'arrivait de paraître en public, c'était au milieu des plus réconfortantes manifestations.[11] Quand les journaux de Londres annoncèrent que Vichy me condamnait à mort et confisquait mes biens, nombre de bijoux furent déposés à Carlton Gardens par des anonymes et plusieurs douzaines de veuves inconnues envoyèrent l'alliance de leur mariage afin que cet or pût servir à l'effort du général de Gaulle.

Il faut dire qu'une atmosphère vibrante enveloppait alors l'Angleterre. On attendait, d'un instant à l'autre, l'offensive allemande et, devant cette perspective, tout le monde se fortifiait dans une exemplaire fermeté. C'était un spectacle proprement admirable que de voir chaque Anglais se comporter comme si le salut du pays

Photo E. C. Armées

Les premiers ralliements.

tenait à sa propre conduite. Ce sentiment universel de la responsabilité semblait d'autant plus émouvant qu'en réalité c'est de l'aviation que tout allait dépendre.

Que l'ennemi parvînt, en effet, à saisir la maîtrise du ciel, c'en serait fait de l'Angleterre! La flotte, bombardée par l'air, n'empêcherait pas les convois germaniques de passer la mer du Nord. L'armée, forte à peine d'une douzaine de divisions très éprouvées par la bataille de France et dépourvues d'armement, serait hors d'état de repousser les débarquements . . .

. . . Les Anglais, dans leur ensemble, se préparaient à la lutte à outrance. Chacun et chacune entraient dans le réseau des mesures de défense. Tout ce qui était: construction d'abris, distribution des armes, des outils, du matériel, travaux des usines et des champs, services, consignes, rationnement, ne laissait rien à désirer au point de vue de l'ardeur et de la discipline. Seuls manquaient les moyens, dans ce pays qui avait, lui aussi, longtemps négligé de se mettre en garde. Mais tout se passait comme si les Anglais entendaient suppléer, à force de dévouement, à ce qui leur faisait défaut. L'humour, d'ailleurs, n'y manquait pas. Une caricature de journal représentait la formidable armée allemande parvenue en Grande-Bretagne, mais arrêtée sur la route, avec ses chars, ses canons, ses régiments, ses généraux, devant une barrière de bois. Un écriteau indiquait, en effet, que pour la franchir il fallait payer un penny. Faute d'avoir reçu des Allemands tous les pennies obligatoires, le préposé anglais au péage, petit vieux courtois, mais inflexible, refusait de

Photo E. C. Armées

Avec la Reine d'Angleterre. Visite d'un hôpital.

lever l'obstacle en dépit de l'indignation qui soulevait, d'un bout à l'autre, la monstrueuse colonne de l'envahisseur.

Cependant, alertée sur ses terrains, la Royal Air Force était prête. Dans le peuple, beaucoup, désireux de sortir d'une tension presque insupportable, en venaient à souhaiter tout haut que l'ennemi risquât l'attaque. M. Churchill, tout le premier, s'impatientait dans l'attente. Je le vois encore, aux Chequers, un jour d'août, tendre les poings vers le ciel en criant: «Ils ne viendront donc pas!» — «Etes-vous si pressé, lui dis-je, de voir vos villes fracassées?» — «Comprenez, me dit-il, que le bombardement d'Oxford, de Coventry, de Canterbury, provoquera aux Etats-Unis une telle vague d'indignation qu'ils entreront dans la guerre!»

Je marquai là-dessus quelque doute, en rappelant que, deux mois auparavant, la détresse de la France n'avait pas fait sortir l'Amérique de sa neutralité. «C'est parce que la France s'effondrait! affirma le Premier Ministre. Tôt ou tard, les Américains viendront, mais à la condition qu'ici nous ne fléchissions pas. C'est pourquoi je ne pense qu'à l'aviation de chasse.» Il ajouta: «Vous voyez que j'ai eu raison de vous la refuser à la fin de la bataille de France. Si elle était, aujourd'hui, démolie, tout serait perdu pour vous, aussi bien que pour nous.» — «Mais, dis-je à mon tour, l'intervention de vos chasseurs, si elle s'était, au contraire, produite, aurait peut-être ranimé l'alliance et entraîné, du côté français, la poursuite de la guerre en Méditerranée. Les Britanniques seraient alors moins menacés, les Américains plus tentés de s'engager en Europe et en Afrique.» M. Churchill et moi tombâmes modestement d'accord pour tirer des événements, qui avaient brisé l'Occident, cette conclusion banale mais définitive: en fin de compte, l'Angleterre est une île; la France, le cap d'un continent; l'Amérique, un autre monde.

Mémoires de Guerre, I, L'Appel, Librairie Plon, 1954.

Notes

1. C'était là un point capital.
2. Voir p. 91.
3. A la fin de la bataille de France, le gouvernement britannique avait demandé qu'on envoie d'urgence en Angleterre 300 aviateurs allemands qui avaient été fait prisonniers. Malheureusement, les aviateurs ne furent pas évacués et, une fois libérés par l'armistice franco-allemand, ils reprirent la lutte contre l'Angleterre.
4. La campagne de Norvège commença au mois d'avril 1940 et se termina au mois de juin par l'occupation du pays par les forces allemandes.
5. Tout en demeurant en dehors du conflit, le régime de Franco était à cette époque nettement favorable à l'Allemagne. La police espagnole a interné de nombreux Français qui cherchaient à gagner l'Afrique du Nord ou l'Angleterre.
6. Entre le 24 mai et le 7 juin, environ 50 000 soldats français furent rembarqués dans la région de Dunkerque et transportés en Angleterre pour que les Allemands ne les fassent pas prisonniers.
7. L'île de Sein est située à l'ouest de la Bretagne. Dès qu'ils entendirent l'appel de de Gaulle, tous les 133 hommes de l'île (soit toute la population masculine) partirent avec leur curé sur leurs bateaux de pêche et gagnèrent l'Angleterre.
8. Craignant que la flotte française soit utilisée par l'Allemagne, la marine anglaise attaqua l'escadre française qui se trouvait dans la rade de Mers-el-Kébir. Les bateaux français étaient ancrés, feux réduits et en cours de désarmements aussi furent-ils incapables d'affronter le combat. En treize minutes, presque toute l'escadre fut coulée et plus de 1 200 marins furent tués. Après cette tragédie, les relations diplomatiques furent coupées entre la Grande-Bretagne et le gouvernement de Vichy.
9. D'Argenlieu (en religion T.R.P. Louis de la Trinité), ancien élève de l'Ecole Navale, supérieur des Carmes de la province de Paris. Mobilisé en 1939, il fut fait prisonnier en 1940, s'évada et rejoignit de Gaulle à Londres. Il devint haut commissionnaire pour le Pacifique puis commandant des forces navales de la France Libre. En 1947 il reprit la vie religieuse.
10. La Lorraine, patrie de Jeanne d'Arc, province retrouvée en 1918, était le symbole de la fidélité à la France.
11. D'autres Français qui se trouvaient à Londres à la même époque ont également été frappés par la gentillesse du peuple anglais à leur égard. Le 17 juin (jour où Pétain a demandé l'armistice), Jean Oberlé a été l'objet des attentions suivantes:

> Je sortis de la salle. Une femme, une journaliste anglaise, me prit par le bras et me dit:
>
> — Ne pleurez pas . . . nous le libérerons votre beau pays . . .
>
> Je traversai la cour. Le portier sortit de sa loge. Je plaisantais souvent avec lui. Il vint vers moi, me donna une grande claque dans le dos et d'une bonne voix de brave type me dit:
>
> — Gardez la tête haute, monsieur, tout ira bien! . . .
>
> Je rentrai chez moi. Ma boite aux lettres était pleine de messages, de lettres d'amis anglais, et tous me disaient:
>
> Si vous décidez de rester en Angleterre, soyez notre invité jusqu'à la fin de la guerre, vous nous ferez plaisir. (Jean Oberlé, *Jean Oberlé vous parle,* pp. 20–21.)

L'AFRIQUE

. . . Une aventure aux dimensions de la terre.[1]

Dès que la France Libre disposa de quelques ressources, de Gaulle orienta son effort principal vers l'Afrique.[2] De toute urgence, il fallait que la France Libre s'établisse en territoire français. Il fallait également barrer les accès de l'Afrique aux Allemands.

Au moment de la préparation de l'armistice, Hitler avait précisé à son état-major de ne rien exiger concernant l'Empire français. A ce moment-là, cette clémence apparente n'était qu'une ruse. D'une part, elle avait incité les Français à signer sans soulever de grandes difficultés, d'autre part, elle avait empêché que les colonies françaises virent du côté de l'Angleterre et qu'elles poursuivent la guerre.

Cependant, moins d'un mois plus tard, Hitler s'aperçut de son erreur.[3] Le débarquement en Angleterre n'avait pas eu lieu; les bombardements aériens n'abattaient pas l'adversaire; en dépit de ce qu'il avait prévu, la guerre se prolongeait et il lui fallait frapper sur un autre front. Par sa situation géographique, l'Afrique allait devenir la zone stratégique cruciale.[4]

Théoriquement, les possessions françaises étaient «neutralisées» mais, du fait que leurs administrateurs dépendaient du gouvernement de Vichy, elles risquaient, d'un jour à l'autre, de tomber entre les mains des Allemands. Ceux-ci s'infiltraient déjà dans les régions qui leur avaient appartenu avant la Grande Guerre.[5]

Au mois d'août, la France Libre avait quelques moyens, un début d'organisation, une certaine popularité. Il me fallait tout de suite m'en servir.

Si j'étais, à d'autres égards, assailli de perplexités, il n'y avait, quant à l'action immédiate à entreprendre, aucun doute dans mon esprit. Hitler avait pu gagner, en Europe, la première manche. Mais la seconde allait commencer, celle-ci à l'échelle mondiale. L'occasion pourrait venir un jour d'obtenir la décision là où elle était possible, c'est-à-dire sur le sol de l'ancien continent. En attendant, c'était en Afrique que nous, Français, devions poursuivre la lutte. La voie où j'avais, en vain, quelques semaines plus tôt, essayé d'entraîner gouvernement et commandement, j'entendais naturellement la suivre, dès lors que je me trouvais incorporer à la fois ce qui, de l'un et de l'autre, était resté dans la guerre.

Dans les vastes étendues de l'Afrique, la France pouvait, en effet, se refaire une armée et une souveraineté, en attendant que l'entrée en ligne d'alliés nouveaux, à côté des anciens, renversât la balance des forces. Mais alors, l'Afrique, à portée des péninsules: Italie, Balkans, Espagne, offrirait, pour rentrer en Europe, une excellente base de départ qui se trouverait être française. Au surplus, la libération nationale, si elle était un jour accomplie grâce aux forces de l'Empire, établirait entre la

Le chef de la France Libre dans son bureau de Londres.

Photo E. C. Armées

Métropole et les terres d'outre-mer des liens de communauté. Au contraire, que la guerre finît sans que l'Empire eût rien tenté pour sauver la mère patrie, c'en serait fait, sans nul doute, de l'œuvre africaine de la France.

Il était, d'ailleurs, à prévoir que les Allemands porteraient la lutte au-delà de la Méditerranée, soit pour y couvrir l'Europe, soit pour y conquérir un domaine, soit pour aider leurs associés italiens, — éventuellement espagnols,[6] — à y agrandir le leur. Même, on s'y battait déjà. L'Axe visait à atteindre Suez. Si nous restions passifs en Afrique, nos adversaires, tôt ou tard, s'attribueraient certaines de nos possessions, tandis que nos alliés seraient amenés à se saisir, à mesure des opérations, de tels de nos territoires nécessaires à leur stratégie.

Participer avec des forces et des terres françaises à la bataille d'Afrique, c'était faire rentrer dans la guerre comme un morceau de la France. C'était défendre directement ses possessions contre l'ennemi. C'était, autant que possible, détourner l'Angleterre et, peut-être un jour, l'Amérique, de la tentation de s'en assurer elles-mêmes pour leur combat et pour leur compte. C'était, enfin, arracher la France Libre à l'exil et l'installer en toute souveraineté en territoire national.

Mémoires de Guerre, I, L'Appel, Librairie Plon, 1954.

Au moment où le gouvernement de Bordeaux déposait les armes, certains Français d'outre-mer et même certains indigènes avaient manifesté leur volonté de poursuivre la lutte.[7] Dans son message du 19 juin, de Gaulle avait lancé un appel particulièrement pressant aux Français d'Afrique ensuite, il avait convié par télégramme les administrateurs et les gouverneurs des divers territoires, à reprendre le combat avec lui. Mettant de côté les questions personnelles, il s'était adressé au général Noguès, commandant en chef en Afrique du Nord, en ces termes: «Me tiens à votre disposition, soit pour combattre sous vos ordres, soit pour toute démarche qui pourrait vous être utile.»[8]

Le seul haut fonctionnaire qui se rallia à la France Libre au mois de juin 1940 fut le général Catroux, gouverneur général de l'Indochine.[9] Le territoire qu'il administrait était menacé à la fois par le Siam et par le Japon.[10] Aussi longtemps qu'il le put, Catroux lutta contre l'infiltration japonaise mais, désavoué par Vichy, il dut quitter l'Indochine et, au mois de septembre, il arriva à Londres.

Le 22 juillet, les Nouvelles Hébrides optèrent pour la France Libre. Peu après, les autres possessions françaises du Pacifique[11] et les comptoirs de l'Inde suivirent la même voie.

Entretemps, en Afrique Equatoriale (A.E.F.), une poignée de civils et de militaires s'efforçaient d'entraîner l'adhésion des populations à la France Libre. L'un des pionniers de ce regroupement national fut le général Leclerc,[12] celui même qui, quatre ans plus tard, allait libérer Paris.

Ce fut le Tchad, le territoire le plus pauvre et le plus isolé de l'Afrique qui, grâce à son gouverneur Félix Eboué,[13] se rallia le premier. De Gaulle lui rendit solennellement hommage:

> Aujourd'hui, 27 août 1940, 360e jour de la guerre mondiale,[14] je cite à l'ordre de l'Empire le territoire du Tchad . . .
>
> En dépit d'une situation militaire et économique particulièrement dangereuse,[15] le territoire du Tchad a refusé de souscrire à une capitulation honteuse et a décidé de poursuivre la guerre jusqu'à la victoire. Par son admirable résolution, il a montré le chemin du devoir et donné le signal du redressement à l'Empire français tout entier.[16]

En quelques jours ce ralliement entraîna celui du Moyen-Congo, du Cameroun, du Gabon puis de l'Oubangui-Chari. C'était l'Afrique Equatoriale Française toute entière qui reprenait la guerre aux côtés de la Grande-Bretagne. Ce fut un événement majeur dans l'histoire de la guerre car, en plus de sa portée politique et morale, ce ralliement allait avoir une importance stratégique capitale.

> . . . La possession de l'A.E.F., et surtout de Fort Lamy[17] ouvrit l'Afrique aux avions alliés . . . Jusqu'à deux cents appareils par jour passèrent à Lamy en 1942. Dans une guerre où la

Photo Keystone

Félix Eboué

force aérienne a tellement compté et où le manque de tonnage naval n'a cessé de torturer les stratèges, rien que cela suffirait. Mais l'effort de l'A.E.F. dans tous les domaines: les routes stratégiques ouvertes du Cameroun au Soudan anglo-égyptien et du Tchad au Tibesti,[18] la valeur sur pied des unités qui combattent dès janvier 1941 en Libye et qui combattront en Afrique orientale, au Moyen-Orient, à Tripoli — la «remontée» du Tchad à Strasbourg de Leclerc[19] et de ses hommes, tout cela . . . n'a été possible que grâce aux patriotes des Trois Jours Glorieux . . .[20]

Toutefois, la pièce maîtresse de l'échiquier africain était l'A.O.F. (l'Afrique occidentale française). On savait que le Gouverneur général Boisson, qui résidait à Dakar, était lié au gouvernement du maréchal

Pétain. Churchill conçut un vaste projet, l'opération «Menace», qui avait pour but de prendre possession du pays sans provoquer d'incident grave. Le Premier britannique désirait que l'A.O.F. se rallie le plus vite possible à la France Libre dans l'espoir que cela écarterait la menace allemande dans l'Atlantique.

Le 23 août au matin, de Gaulle arriva au large de Dakar avec une flottille d'une centaine de bateaux de diverses nationalités. Malheureusement, un brouillard très dense ne permit pas l'exécution de la mise en scène qui avait été prévue. Une fois arrivés à terre, les parlementaires de la France Libre furent incapables de se faire recevoir. Ils durent se rembarquer dans leurs vedettes et, tandis qu'ils s'éloignaient, ils furent fouettés par des rafales de mitrailleuses. Le commandant d'Argenlieu fut grièvement blessé. Peu après, à Rufisque, une manifestation gaulliste fut violemment réprimée par la police. De Gaulle aurait voulu arrêter l'opération néanmoins, la marine britannique continua à tirer pendant plusieurs heures encore avant de regagner la base de Freetown.

Diverses circonstances avaient concouru à l'échec de la tentative. D'une part, depuis la tragédie de Mers-el-Kébir, il régnait parmi les Français et, surtout parmi les marins et les Français d'Afrique, un fort courant de méfiance à l'égard des Anglais. D'autre part, l'escadre qui accompagnait de Gaulle était moins importante que Churchill ne l'avait prévu. Enfin, trois croiseurs français qui s'étaient échappés du port de Toulon, étaient venus renforcer la base de Dakar. Lorsque ces bateaux avaient franchi le détroit de Gibraltar, les avertissements de la marine britannique n'avaient pas été transmis aux autorités compétentes, par suite de divers incidents et peut-être de négligences. Aux yeux de Roosevelt, de Gaulle passa pour le principal responsable de la tentative et de son échec. Les conséquences allaient se faire longtemps sentir.

Les jours qui suivirent me furent cruels. J'éprouvais les impressions d'un homme dont un séisme secoue brutalement la maison et qui reçoit sur la tête la pluie des tuiles tombant du toit.

A Londres, une tempête de colères; à Washington, un ouragan de sarcasmes, se déchaînèrent contre moi. Pour la presse américaine et beaucoup de journaux anglais, il fut aussitôt entendu que l'échec de la tentative était imputable à de Gaulle. «C'est lui, répétaient les échos, qui avait inventé cette absurde aventure, trompé les Britanniques par des renseignements fantaisistes sur la situation à Dakar, exigé, par don quichottisme, que la place fût attaquée alors que les renforts envoyés par Darlan[21] rendaient tout succès impossible... D'ailleurs, les croiseurs de Toulon n'étaient venus qu'en conséquence des indiscrétions multipliées par les Français Libres et qui avaient alerté Vichy.[22] Une fois pour toutes, il était clair qu'on ne pouvait faire fond sur des gens incapables de garder un secret.»...

Mémoires de Guerre, I, L'Appel, Librairie Plon, 1954.

Vers l'Afrique.

Photo E. C. Armées

Après l'échec devant Dakar, de Gaulle décida d'utiliser l'A.E.F. comme base de départ. Le 8 octobre 1940 il débarqua à Douala au Cameroun et, de là, il entreprit une vaste tournée de l'immense territoire en grande partie désertique. La situation matérielle était critique. Les médicaments, les véhicules, les produits industriels faisaient cruellement défaut. Pour remplacer les billets de banque qui, en temps normal, étaient envoyés par la Métropole, les administrateurs locaux avaient dû faire imprimer pour 60 millions de billets sur . . . du papier destiné à emballer la viande! Par contre, une atmosphère d'héroïsme régnait sur le pays. Le chef de la France Libre fut acclamé chaleureusement aussi bien par les blancs que par les indigènes. «L'Africain est noble, et le noble geste du général de Gaulle éveillait chez lui un enthousiasme spontané et désintéressé. Cela lui a été bien rendu, aussi généreusement que donné, et cela a scellé une alliance des cœurs qui va et ira loin.»[23]

Comme il se retrouvait enfin en terre française, de Gaulle définit en termes solennels la mission qu'il avait entreprise. Le 27 octobre, à Brazzaville, il lança le célèbre manifeste qui marqua la naissance du gouvernement provisoire de la France.[24] Le même jour, sans d'ailleurs en avoir informé Londres au préalable, il créa le Conseil de défense de l'Empire.[25] Dès lors, la France Libre avait une capitale provisoire, des territoires, des citoyens, quelques troupes décidées et . . . un chef qui, déjà, parlait en homme d'état.

Notes

1. De Gaulle, *Mémoires de Guerre,* I, p. 152.
2. «Dans cette guerre mondiale et totale, dans cette guerre où tout compte, l'Empire français est un faisceau de forces capital... Le crime de l'armistice, c'est d'avoir capitulé comme si la France n'avait pas d'Empire... Le crime de l'armistice c'est d'avoir désarmé l'Empire pour que l'ennemi puisse en disposer.» Extrait du discours de de Gaulle du 29 août 1940.
3. «Hitler, unlike Roosevelt, Churchill, de Gaulle and Weygand, was not Africa-minded.» Murphy, *Diplomat Among Warriors,* p. 107.
4. Les troupes italiennes attaquèrent, en août 1940, la Somalie anglaise et, en septembre, l'Egypte.
5. C'était le cas, notamment, du Cameroun. Par le traité de Versailles, cette ancienne colonie allemande avait été placée en partie sous mandat anglais et en partie sous mandat français. Après l'armistice franco-allemand de 1940, les anciennes propriétés allemandes furent libérées et l'on s'attendait à voir revenir les colons allemands.
6. Après la bataille de France, Hitler envisageait de s'emparer de Gibraltar en passant par l'Espagne avec l'accord de Franco. Il espérait également entraîner l'Espagne dans la guerre. Le 23 octobre 1940 il eut à Hendaye une entrevue avec Franco mais le leader espagnol ne prit aucun engagement concret. La prise de Gibraltar aurait coupé l'Angleterre de son empire et aurait donné le contrôle de la Méditerranée aux forces de l'Axe. Jusqu'en 1941 l'Espagne fit tirer les pourparlers en longueur mais en définitive elle demeura en dehors du conflit.
7. Dans divers endroits (notamment en Algérie et au Maroc) certains militaires furent ulcérés que le gouvernement Pétain neutralise l'Empire avant même qu'il ait pu combattre. D'autres militaires, par contre, ont prétendu que, une fois la France envahie, les colonies étaient incapables de poursuivre la lutte.
8. De Gaulle, *Mémoires de Guerre* (Librairie Plon), I, p. 268.
9. Le général Catroux avait été le compagnon de captivité de de Gaulle pendant la Grande Guerre. Voir p. 14.
10. L'Indochine était dans une situation critique. Les bateaux japonais étaient maîtres du Pacifique. Au mois d'août 1940 Catroux télégraphia à Washington et à Londres pour avoir des armes. Il ne reçut aucun secours parce que, à ce moment-là, ni les Etats-Unis ni l'Angleterre ne voulaient risquer un conflit avec le Japon.
11. Un référendum eut lieu à Tahiti et dans les îles environnantes. Résultats: pour de Gaulle, 5 564 voix; pour Pétain, 18 voix.
12. De son vrai nom, Philippe de Hauteclocque
13. Félix Eboué naquit en 1884 à Cayenne (Guyanne française). Il fut le premier noir à parvenir au poste de gouverneur. Il administra d'abord le Tchad puis l'A.E.F. toute entière. Il mourut en 1944, peu de temps avant la libération.
14. Cette expression traduit bien la pensée de de Gaulle.
15. Le Tchad, en grande partie désertique, n'a aucun débouché sur la mer. En 1940, il était limité au nord par la Libye italienne.
16. Voir: de Gaulle, *Mémoires de Guerre* (Librairie Plon), I, p. 289.

17. Principale ville du Tchad

18. Massif montagneux qui s'étend sur le sud de la Libye et le nord du Tchad.

19. Le général Leclerc emmena sa division du Tchad à la conquête du Fezzan puis de la Tripolitaine; il participa à la campagne de Tunisie, au débarquement en Normandie, à la libération de Paris puis à celle de Strasbourg et de l'Alsace. En 1945 il signa pour la France l'acte de capitulation du Japon. Il mourut en 1947 dans un accident d'aviation.

20. Soustelle, *Envers et contre tout,* I, p. 129.

21. L'amiral Darlan, ministre de la marine du gouvernement du maréchal Pétain.

22. Il est certain que, à Londres, certains officiers des Forces Françaises Libres avaient trop parlé. Au cours d'un dîner d'adieu, on avait bu «à Dakar». Les bruits avaient filtré en France par l'intermédiaire de soldats français qui se faisaient rapatrier.

23. De Larminat, *Chroniques irrévérencieuses,* p. 172.

24. Voici un extrait de cette déclaration qui est connue sous le nom de premier manifeste de Brazzaville:

> . . . Il n'existe plus de gouvernement proprement français. En effet, l'organisme sis à Vichy, et qui prétend porter ce nom, est inconstitutionnel et soumis à l'envahisseur. Dans son état de servitude, cet organisme ne peut être, et n'est en effet, qu'un instrument utilisé par les ennemis de la France contre l'honneur et l'intérêt du pays. Il faut donc qu'un pouvoir nouveau assume la charge de diriger l'effort français dans la guerre. Les événements m'imposent ce devoir sacré. Je n'y faillirai pas.
>
> J'exercerai mes pouvoirs au nom de la France et uniquement pour la défendre et je prends l'engagement solennel de rendre compte de mes actes aux représentants du peuple français dès qu'il lui aura été possible d'en désigner librement . . .

25. Le Conseil de défense de l'Empire eut pour mission «de maintenir la fidélité à la France, de veiller à la sécurité extérieure et à la sureté intérieure, de diriger l'activité économique et de soutenir la cohésion morale des populations des territoires de l'Empire.»

Ce fut... un extrême enthousiasme qui déferla sur la ville dès que le *Commandant-Duboc,* à bord duquel j'avais pris passage, entra dans le port de Douala. Leclerc m'y attendait. Après la revue des troupes, je me rendis au Palais du Gouvernement, tandis que débarquaient les éléments venus d'Angleterre. Les fonctionnaires, les colons français, les notables autochtones, avec qui je pris contact, nageaient en pleine euphorie patriotique. Pourtant, ils n'oubliaient rien de leurs problèmes particuliers, dont le principal consistait à maintenir les exportations des produits du territoire et à y faire venir ce qu'il fallait pour vivre, et qui ne s'y trouvait pas. Mais, au-dessus des soucis et des divergences, l'unité morale des Français Libres, qu'ils se fussent engagés à Londres ou ralliés en Afrique, se révélait instantanément.

Cette identité de nature entre tous ceux qui se rangeaient sous la Croix de Lorraine allait être, par la suite, une sorte de donnée permanente de l'entreprise. Où que ce fût et quoi qu'il arrivât, on pourrait désormais prévoir, pour ainsi dire à coup sûr, ce que penseraient et comment se conduiraient les «gaullistes». Par exemple: l'émotion enthousiaste que je venais de rencontrer, je la retrouverais toujours, en toutes circonstances, dès lors que la foule serait là. Je dois dire qu'il allait en résulter pour moi-même une perpétuelle sujétion. Le fait d'incarner, pour mes compagnons, le destin de notre cause, pour la multitude française le symbole de son espérance, pour les étrangers la figure d'une France indomptable au milieu des épreuves, allait commander mon comportement et imposer à mon personnage une attitude que je ne pourrais plus changer. Ce fut pour moi, sans relâche, une forte tutelle intérieure en même temps qu'un joug bien lourd.[1]

Pour le moment, il s'agissait de faire vivre et de mobiliser l'ensemble équatorial français pour participer à la bataille d'Afrique. Mon intention était d'établir, aux confins du Tchad et de la Libye, un théâtre d'opérations sahariennes, en attendant qu'un jour l'évolution des événements permît à une colonne française de s'emparer du Fezzan et d'en déboucher sur la Méditerranée...

Tandis que se préparait cette pénible opération, je quittai le Cameroun pour visiter les autres territoires. C'est au Tchad que je me rendis, d'abord,... La carrière du chef de la France Libre et de ceux qui l'accompagnaient faillit se terminer au cours de ce voyage. Car le *Potez 540,* qui nous portait vers Fort-Lamy, eut une panne de moteur et c'est par extraordinaire qu'il trouva moyen d'atterrir, sans trop de dégâts, au milieu d'un marécage.[2]

Je trouvai, au Tchad, une atmosphère vibrante. Chacun avait le sentiment que le rayon de l'Histoire venait de se poser sur cette terre du mérite et de la souffrance. Rien, sans doute, n'y pourrait être fait que par tour de force, tant étaient lourdes les servitudes des distances, de l'isolement, du climat, du manque de moyens. Mais déjà, par compensation, s'y étendait l'ambiance héroïque où germent les grandes actions.

Eboué me reçut à Fort-Lamy. Je sentis qu'il me donnait, une fois pour toutes, son loyalisme et sa confiance. En même temps, je constatai qu'il avait l'esprit assez large pour embrasser les vastes projets auxquels je voulais le mêler. S'il formula des avis pleins de sens, il ne fit jamais d'objections au sujet des risques et de l'effort. Cependant, il ne s'agissait de rien moins, pour le Gouverneur, que d'entreprendre un immense travail de communications, afin que le Tchad fût à même de recevoir, de Brazzaville, de Douala, de Lagos, puis de porter, jusqu'aux frontières de la Libye italienne, tout le matériel et tout le ravitaillement qu'il faudrait aux Forces Françaises Libres pour mener une guerre active. C'étaient 6 000 kilomètres de pistes que le territoire devrait, par ses propres moyens, frayer ou tenir en état. En outre, il serait nécessaire de développer l'économie du pays, afin de nourrir les combattants et les travailleurs et d'exporter pour payer les frais. Tâche d'autant plus difficile qu'un grand nombre de colons et de fonctionnaires allaient être mobilisés.

• • •

Désormais, d'évidentes raisons me commandaient de dénier, une fois pour toutes, aux gouvernants de Vichy, le droit de légitimité, de m'instituer moi-même comme le gérant des intérêts de la France, d'exercer dans les territoires libérés les attributions d'un gouvernement. A ce pouvoir provisoire, comme tenant et comme aboutissant, je donnai: la République, en proclamant mon obédience et ma responsabilité vis-à-vis du peuple souverain et en m'engageant, d'une manière solennelle, à lui rendre des comptes dès que lui-même aurait recouvré sa liberté. Je fixai, en terre française, à Brazzaville, le 27 octobre, cette position nationale et internationale par un manifeste, deux ordonnances et une déclaration organique dont l'ensemble allait constituer la charte de mon action. Je crois n'y avoir pas manqué, jusqu'au jour inclus où, cinq années plus tard, je remis à la représentation nationale les pouvoirs que j'avais assumés. D'autre part, je créai le Conseil de défense de l'Empire, destiné à m'aider de ses avis, . . .

Le 17 novembre, je quittai l'Afrique française libre pour l'Angleterre, par Lagos, Freetown, Bathurst et Gibraltar. Tandis que, sous la pluie d'automne, l'avion rasait l'océan, j'évoquais les incroyables détours par où, dans cette guerre étrange, devaient désormais passer les Français combattants pour atteindre l'Allemand et l'Italien. Je mesurais les obstacles qui leur barraient la route et dont, hélas! d'autres Français dressaient devant eux les plus grands. Mais, en même temps, je m'encourageais à la pensée de l'ardeur que suscitait la cause nationale parmi ceux qui se trouvaient libres de la servir. Je songeais à ce qu'avait, pour eux, d'exaltant une aventure aux dimensions de la terre. Si rudes que fussent les réalités, peut-être pourrais-je les maîtriser, puisqu'il m'était possible, suivant le mot de Chateaubriand, «d'y mener les Français par les songes».

Mémoires de Guerre, I, L'Appel, Librairie Plon, 1954.

Notes

1. Rare confidence
2. Ce jour-là de Gaulle échappa de très près à la mort.

LA FRANCE COMBATTANTE

Voilà ma tâche! Regrouper
la France dans la guerre;
lui épargner la subversion;
lui remettre un destin qui
ne dépende que d'elle-même.[1]

«Le flamme de la résistance française . . . se rallume et s'embrase», proclama de Gaulle à son retour à Londres.[2] En cinq mois la France Libre avait rassemblé 35 000 volontaires, un millier d'aviateurs, des techniciens, 20 bateaux de guerre, 60 bateaux marchands; elle avait quelques moyens financiers et une certaine structure administrative.[3] Le 11 novembre le roi Georges VI avait salué officiellement les Français Libres à l'occasion de leur victoire à Sidi Barrani.[4] Peu après, les troupes de Leclerc prenaient Koufra[5] et des forces françaises participaient aux campagnes de Libye, d'Erythrée et d'Ethiopie.

En France, l'entrevue de Pétain et d'Hitler à Montoire[6] avait surpris les uns, indigné les autres. Rares étaient les partisans de la «collaboration» avec les Allemands — avec les Boches, comme on disait derrière leur dos.[7] D'ailleurs on se doutait bien que les Allemands ne seraient jamais capables d'envahir l'Angleterre. Déjà le vent semblait tourner.

Au mois de mars 1941 le Congrès des Etats-Unis vota la loi de prêt-bail (the Lease and Lend Bill) qui allait permettre à l'Angleterre d'acheter du matériel de guerre à crédit.[8] Churchill annonça la nouvelle «en dansant littéralement de joie».[9] De Gaulle commenta l'événement en ces termes:

> Cette décision a une portée morale immense. Elle aura, dans l'ordre matériel, des conséquences colossales. Du point de vue moral, cette décision signifie que l'Amérique a pris ouvertement parti . . . L'Amérique a résolu d'assurer la défaite de l'ennemi par le plus vaste effort d'armement que l'univers ait jamais vu. Mais, en outre, les Etats-Unis, témoins bien renseignés, manifestent avec éclat leur confiance dans la victoire des Alliés. Car un peuple aussi avisé, quelles que puissent être ses sympathies, ne prêterait pas à fonds perdus d'aussi gigantesques ressources à des gens qu'ils croiraient condamnés.[10]

De mars à septembre 1941, de Gaulle sillonna l'Afrique et le Moyen-Orient. «Je savais, écrit-il, qu'au milieu de facteurs enchevêtrés, une partie essentielle s'y jouait.»[11] Il s'agissait de rallier les territoires qui demeuraient dans l'allégeance de Vichy, d'intensifier l'effort de guerre et de défendre la souveraineté française envers et contre tout. Les rapports avec le gouvernement britannique se tendaient; divers facteurs contribuaient à semer du trouble: l'échec de Dakar,[12] la gravité de la situation militaire, l'étendue du conflit,[13] la pression exercée par le gouvernement américan, l'ancienne rivalité de la France et de l'Angleterre au Moyen-Orient, etc. . . .

Le Général et son fils, l'enseigne de vaisseau Philippe de Gaulle.

Photo E. C. Armées

De Gaulle inspecte une unité des Forces navales de la France Libre.

Photo E. C. Armées

C'est dans cet «Orient compliqué»[14] que se déroula l'un des épisodes les plus lamentables de la guerre. En 1922, la Société des Nations avait placé la Syrie et le Liban sous mandat français.[15] Au mois de juin 1940, ces pays étaient passés sous l'autorité du gouvernement du maréchal Pétain or, par leur situation géographique, ils constituaient un centre stratégique de première importance que les Allemands ne tardèrent pas à convoiter.[16]

Le 11 mai 1941 l'amiral Darlan[17] eut un entretien avec Hitler à Berchtesgarten au cours duquel un programme de collaboration militaire franco-allemand fut esquissé. Dix jours plus tard, ce programme fut défini par un accord connu sous le nom de «Protocoles de Paris».[18] Entre autres concessions, cet accord permettait au Reich d'utiliser les aérodromes, les ports et les voies de communication de la Syrie et du Liban.

Afin de prévenir l'avance allemande dans ce secteur, de Gaulle dut se résoudre à lancer les troupes de la France Libre contre les forces françaises du Levant qui étaient aux ordres de Pétain. L'armée de Vichy comprenait environ 30 000 hommes; elle était médiocrement équipée mais, malgré tout, elle reçut l'ordre de résister.

Ce sont de cruels souvenirs qu'évoque en moi la campagne que nous avions dû engager. Je me revois, allant et venant, entre Jérusalem où j'ai fixé mon poste et nos braves troupes qui avancent vers Damas, ou bien allant visiter les blessés à l'ambulance franco-britannique de Mme Spears et du Dr Fruchaut... Alors que l'ennemi tient Paris sous sa botte, attaque en Afrique, s'infiltre au Levant, ce courage déployé, ces pertes subies, dans la lutte fratricide qu'Hitler a imposée à des chefs tombés sous son joug, me font l'impression d'un horrible gaspillage.

Mais, plus m'étreint le chagrin, plus je m'affermis dans la volonté d'en finir. Il en est ainsi, d'ailleurs, des soldats de la France Libre, dont pour ainsi dire aucun n'aura de défaillance. Il en est ainsi, également, de tous ceux de nos compatriotes d'Egypte qui, réunis au Caire pour le premier anniversaire du 18 juin, répondent à mon allocution par des acclamations unanimes.

Mémoires de Guerre, I, *L'Appel*, Librairie Plon, 1954.

Enfin, au bout de cinq semaines, les combats fratricides prirent fin.[19] La victoire fut amère. La France Libre avait accordé l'indépendance à la Syrie et au Liban mais il fallait néanmoins qu'elle assure leur défense militaire et qu'elle fasse respecter l'ordre pendant la période de transition. Les intrigues locales, les «empiètements»[20] britanniques, les difficultés économiques et la réticence de bien des Français, rendirent la tâche ardue et ingrate. Mais, entretemps, une nouvelle phase de la guerre avait commencé: le 22 juin, Hitler avait lancé la Wehrmacht à l'assaut de l'U.R.S.S.

L'entrée des Russes dans la guerre métamorphosait le conflit. La perspective de la victoire des alliés se précisait; les peuples soumis à l'occupation allemande reprenaient courage; les communistes et tous ceux qui sympathisaient avec l'idéologie marxiste se dressaient contre l'Alle-

Photo Keystone

Le Général et Madame de Gaulle dans le salon de leur maison près de Londres.

magne.[21] Ça et là, à tâtons, en dépit des dangers, l'armée de la nuit se constituait. Pour de Gaulle, il s'agissait d'établir des liaisons afin de rassembler les forces éparses de la résistance intérieure.

Le 24 septembre 1941, de retour à Londres après six mois d'absence, il institua «au nom du peuple français et de l'Empire français», le Comité National. Cet organisme, composé de commissaires nommés par le Général, allait exercer des fonctions législatives, administratives et diplomatiques qui, normalement, appartiennent aux parlementaires et aux ministres. L'ordonnance du 24 septembre précisait que les dispositions de nature législative seraient «obligatoirement et dès que possible soumises à la ratification et à la représentation nationale.»[22] Plus que jamais, au moment où les organisations clandestines se formaient, il était essentiel que le chef de la France Libre donne des preuves de son attachement aux traditions républicaines et qu'il s'engage à consulter le peuple dès la libération de la métropole.

En France, des patriotes venus de toutes les classes sociales, étaient anxieux de reprendre la lutte activement. D'abord organisés en petits groupes isolés, ils avaient réussi à tisser des liens entre eux et à constituer de vastes associations appelées «mouvements». Malgré l'espionnage, la carence des moyens matériels, les perquisitions de la Gestapo, ces mouvements opéraient dans les deux zones; ils avaient leur administration, leurs publications clandestines,[23] leurs services de renseignements, leur programme d'action, etc.

Photo E. C. Armées

Paris sous la botte allemande.

A partir de 1941, un grand nombre de communistes entrèrent dans la résistance. Depuis des années «le parti» les avait entraînés à la discipline et initiés à l'action clandestine. Néanmoins, leurs théories politiques risquaient de causer des conflits — sinon une scission — au sein de l'armée secrète.

Pour de Gaulle, il n'était pas question d'exclure aucun combattant, quelle que soit sa couleur politique. Toutes les énergies nationales devaient converger vers le chef. «J'étais dominé, a-t-il écrit, par le souci de réaliser l'unité de la résistance.»[24] Cela lui paraissait indispensable sur le plan pratique car, pour des raisons de sécurité élémentaire, la résistance ne pouvait pas avoir d'état-major général, pas plus en zone dite «libre» qu'en zone occupée. Cela lui paraissait encore plus impérieux sur le plan moral car la résistance devait rassembler toutes les forces du pays et concrétiser l'unité nationale aux yeux de l'étranger.[25]

Naturellement, les sentiments des résistants à l'égard de de Gaulle ont été nuancés par leurs opinions personnelles. Pour certains officiers de carrière (l'armée s'est toujours méfiée de ses théories peu orthodoxes) ou pour les résistants issus des partis de gauche, il n'était qu'*un* chef militaire clairvoyant mais, pour la majorité des patriotes, il incarnait la France. De ce mouvement spontané, quasi instinctif, est née la mystique gaulliste.

Dès l'été de 1941, ce qui se passait dans la Métropole nous était connu, à mesure. Indépendamment de ce qu'on pouvait lire entre les lignes des journaux ou entendre sous les mots de la radio des deux zones, un faisceau très complet de renseignements nous était constamment apporté par les comptes rendus de nos réseaux, les rapports de certains hommes en place qui posaient déjà des jalons, les propos des volontaires qui, chaque jour, nous arrivaient de France, les indications fournies par les postes diplomatiques, les déclarations faites par des émigrés à leur passage à Madrid, Lisbonne, Tanger, New York, les lettres adressées à des Français Libres par leur famille et leurs amis et que mille ruses leur faisaient parvenir. De ce fait, j'avais dans l'esprit un tableau tenu à jour. Que de fois, en causant avec des compatriotes qui venaient de quitter le pays, mais qui s'y étaient trouvés plus ou moins confinés dans leur métier ou leur localité, me fut-il donné de constater que, grâce à d'innombrables efforts d'information, de transmission, de synthèse, fournis par une armée de dévouements, j'étais, autant que personne, au courant des choses françaises!

• • •

Dans la zone dite libre, «Combat» dont le capitaine Frenay avait pris la tête, «Libération» où Emmanuel d'Astier de la Vigerie jouait le rôle capital, «Franc-Tireur» dont Jean-Pierre Lévy présidait l'organe dirigeant, déployaient une notable activité de propagande et recrutaient des formations paramilitaires. En même temps, ce qui subsistait du syndicalisme d'antan: «Confédération générale du Travail»,[26] «Confédération française des Travailleurs chrétiens», répandait un état d'esprit favorable à la résistance. Il en était de même de quelques groupements issus d'anciens partis, notamment des socialistes, des démocrates-populaires, de la Fédération républicaine. Comme les Allemands n'occupaient pas la zone, c'est naturellement à Vichy que l'on faisait opposition, . . .

Le caractère politique des mouvements de la zone Sud contribuait, certes, à les rendre vivants et remuants, à attirer dans leurs rangs des éléments d'influence, à donner à leur propagande un tour de passion et d'actualité qui frappait l'esprit public. Mais, d'autre part, la bonne entente et, par suite, l'action commune des comités directeurs ne laissaient pas d'en souffrir. Il faut dire que la masse des adhérents et des sympathisants ne se préoccupait guère du programme que la résistance devrait appliquer plus tard, ni des conditions dans lesquelles elle prendrait un jour le pouvoir, ni du choix de ceux qui auraient, alors, à gouverner. Au sentiment général, il n'était que de combattre ou, tout au moins, de s'y préparer. Acquérir des armes, trouver des cachettes, étudier et, parfois, exécuter des coups de main, voilà ce dont il s'agissait! Pour cela, il fallait s'organiser sur place entre gens de connaissance, trouver quelques moyens et garder ses affaires pour soi. Bref, si à l'intérieur des mouvements l'inspiration était relativement centralisée, l'action se répartissait, au contraire, en groupes séparés, dont chacun avait son chef à lui et opérait pour son propre compte, et qui se disputaient entre eux des ressources terriblement limitées en fait d'armes et d'argent.

Dans la zone occupée, cette concurrence disparaissait devant le danger immédiat, mais la dispersion physique des gens et des efforts s'y imposait plus encore. Là, on était au contact direct et écrasant de l'ennemi. C'est à la Gestapo que l'on avait affaire. Pas moyen de se déplacer, de correspondre, d'élire domicile, sans traverser de rigoureux contrôles. Tout suspect allait en prison en attendant d'être déporté. Quant à la résistance active, c'était, sans rémission, à la torture et au poteau d'exécution qu'elle exposait les combattants. L'activité, dans ces conditions, s'éparpillait à l'extrême. Par contre, la présence des Allemands entretenait une ambiance qui poussait à la lutte et suscitait les complicités. Aussi, les mouvements dans cette zone revêtaient-ils un caractère tendu de guerre et de conjuration...

A la fin de 1941, les communistes entrèrent, à leur tour, en action. Jusqu'alors, leurs dirigeants avaient adopté à l'égard de l'occupant une attitude conciliante, invectivant, en revanche, contre le capitalisme anglo-saxon et le «gaullisme» son serviteur. Mais leur attitude changea soudain quand Hitler envahit la Russie et qu'eux-mêmes eurent trouvé le temps de gagner les refuges et d'installer les liaisons indispensables à la lutte clandestine. Ils y étaient, d'ailleurs, préparés par leur organisation en cellules, l'anonymat de leur hiérarchie, le dévouement de leurs cadres. A la guerre nationale, ils allaient donc participer avec courage et habileté, sensibles sans doute, surtout parmi les simples, à l'appel de la patrie, mais ne perdant jamais de vue, en tant qu'armée d'une révolution, l'objectif qui consistait à établir leur dictature à la faveur du drame de la France. Ils s'efforceraient donc sans relâche de garder leur liberté d'action. Mais aussi, utilisant les tendances des combattants qui, les leurs compris, ne voulaient qu'un seul combat, ils tenteraient obstinément de noyauter toute la résistance afin d'en faire, si possible, l'instrument de leur ambition.

C'est ainsi qu'en zone occupée ils formaient le «Front national», groupement d'aspect purement patriotique, et les «Francs-Tireurs et Partisans», force qui ne semblait destinée qu'à la lutte contre les Allemands. C'est ainsi qu'ils y attiraient maints éléments non communistes mais qui, par là même, pourraient servir de couverture à leurs desseins. C'est ainsi qu'ils poussaient certains des leurs, camouflés, dans les organes de direction de tous les autres mouvements. C'est ainsi qu'ils devaient bientôt me proposer leur concours, tout en ne cessant jamais de déblatérer sourdement contre «le mythe de Gaulle».

Et moi, je voulais qu'ils servent. Pour battre l'ennemi, il n'y avait pas de forces qui ne dussent être employées et j'estimais que les leurs pèseraient lourd dans la sorte de guerre qu'imposait l'occupation. Mais il faudrait qu'ils le fassent comme une partie dans un tout et, pour trancher le mot, sous ma coupe. Comptant ferme sur la puissance du sentiment national et sur le crédit que me faisait la masse, j'étais, d'emblée, décidé à leur assurer leur place dans la résistance française, voire, un jour, dans sa direction. Mais je l'étais tout autant à ne les laisser jamais gagner à la main, me dépasser, prendre la tête. La tragédie où se jouait le sort de la patrie offrait à ces Français, écartés de la nation par l'injustice qui les soulevait et l'erreur qui les dévoyait, l'occasion historique de rentrer dans l'unité nationale, fût-ce seulement pour le temps du combat. Cette occasion, je voulais faire en sorte qu'elle ne fût pas, à jamais, perdue. «Vive la France!» auront donc, cette fois encore, crié, au moment de mourir, tous ceux qui, n'importe comment, n'importe où, auront donné leur vie pour elle. Dans le mouvement incessant du monde, toutes les doctrines, toutes les écoles, toutes les révoltes, n'ont qu'un temps. Le communisme passera. Mais la France ne passera pas. Je suis sûr que, dans son destin, comptera finalement pour beaucoup le fait qu'en dépit de tout elle n'aura été, lors de sa libération, instant fugitif mais décisif de son Histoire, qu'un seul peuple rassemblé.

Au mois d'octobre 1941, j'appris la présence à Lisbonne de Jean Moulin,[27] arrivé de France et qui cherchait à venir à Londres. Je savais qui il était. Je savais, en particulier, que préfet d'Eure-et-Loir lors de l'entrée des Allemands à Chartres il s'était montré exemplaire de fermeté et de dignité, que l'ennemi, après l'avoir

Jean Moulin. Une écharpe dissimule la blessure qu'il s'était faite à la gorge pour ne pas risquer de parler sous la torture.

Photo E. C. Armées

malmené, blessé, mis en prison, l'avait finalement libéré avec ses excuses et ses salutations, que Vichy, l'ayant remplacé dans son poste, le tenait, depuis, à l'écart. Je savais qu'il voulait servir. Je demandai donc aux services britanniques que cet homme de qualité fût dirigé sur l'Angleterre...

Cet homme, jeune encore, mais dont la carrière avait déjà formé l'expérience, était pétri de la même pâte que les meilleurs de mes compagnons. Rempli, jusqu'aux bords de l'âme, de la passion de la France, convaincu que le «gaullisme» devait être, non seulement l'instrument du combat, mais encore le moteur de toute une rénovation, pénétré du sentiment que l'Etat s'incorporait à la France Libre, il aspirait aux grandes entreprises. Mais aussi, plein de jugement, voyant choses et gens comme ils étaient, c'est à pas comptés qu'il marcherait sur une route minée par les pièges des adversaires et encombrée des obstacles élevés par les amis. Homme de foi et de calcul, ne doutant de rien et se défiant de tout, apôtre en même temps que ministre, Moulin devait, en dix-huit mois, accomplir une tâche capitale. La résistance dans la Métropole, où ne se dessinait encore qu'une unité symbolique, il allait l'amener à l'unité pratique. Ensuite, trahi, fait prisonnier, affreusement torturé par un ennemi sans honneur, Jean Moulin mourrait pour la France, comme tant de bons soldats qui, sous le soleil ou dans l'ombre, sacrifièrent un long soir vide pour mieux «remplir leur matin».

• • •

Jean Moulin fut parachuté dans le Midi, au cours de la nuit du 1er janvier. Il emportait mon ordre de mission l'instituant comme mon délégué pour la zone non occupée de la France métropolitaine et le chargeant d'y assurer l'unité d'action des éléments de résistance. De ce fait, son autorité ne serait pas, en principe, contestée. Mais il aurait à l'exercer et moi j'aurais à la soutenir. Aussi était-il entendu que c'est lui qui serait, en France, le centre de nos communications, d'abord avec la zone Sud et, dès que possible, avec la zone Nord; qu'il aurait sous sa coupe les moyens de transmissions; que nos chargés de mission lui seraient rattachés; qu'il serait tenu au courant des mouvements de personnel, de matériel, de courrier, effectués pour notre compte d'Angleterre en France et réciproquement; enfin, qu'il recevrait et distribuerait les fonds que nous adressions à différents organismes opérant dans la Métropole. Ainsi pourvu d'attributions, Moulin se mit à l'ouvrage.

Sous son impulsion, qu'appuyait la pression de la base, les dirigeants des mouvements en zone Sud formèrent bientôt entre eux une sorte de conseil dont le délégué du Comité national assumait la présidence. En mars, ils publièrent sous le titre: *Un seul combat; un seul chef,* une déclaration commune s'engageant à l'unité d'action et proclamant qu'ils menaient la lutte sous l'autorité du général de Gaulle. L'ordre commençait à régner dans les diverses activités. Au point de vue paramilitaire, on préparait la fusion. En même temps, Moulin, aidé par nous, dotait sa délégation de services centralisés.

C'est ainsi que celui des «opérations aériennes et maritimes» recevait directement du colonel Dewavrin[28] les instructions relatives aux allées et venues des avions et des bateaux. Chaque mois, pendant les nuits de lune, des «Lysanders»[29] ou des bombardiers, amenés par des pilotes, — tels Laurent et Livry-Level, — spécialisés dans ces audacieuses performances, se posaient sur les terrains choisis. Des hommes qui, chaque fois, jouaient leur vie, assuraient la signalisation, la réception ou l'embarquement des voyageurs et du matériel, la protection de tout et de tous. Souvent, c'étaient les «containers», parachutés en des points fixés, qu'il s'agissait de recueillir, d'abriter, de répartir. Le «service radio», auquel Julitte[30] avait donné sur place un début d'organisation, fonctionnait également sous la coupe du délégué, passant à Londres et en recevant chaque mois des centaines et plus tard des milliers de télégrammes, déplaçant sans cesse ses postes repérés par les appareils de détection de l'ennemi et comblant à mesure les lourdes pertes qu'il subissait. Moulin avait créé, aussi, le «Bureau d'information et de presse», dirigé par Georges Bidault,[31] qui nous tenait au courant de l'état des esprits, notamment dans les milieux de la pensée, de l'action sociale et de la politique... Ainsi Moulin, tenant en main les organes essentiels, faisait-il pratiquement sentir l'action de notre gouvernement. Dès les premiers mois de 1942, des témoins, arrivant de France, nous en fournissaient les preuves.

Tel Rémy.[32] Il revint de Paris, par une nuit de février, apportant à nos services des liasses de documents, et, à ma femme, une azalée en pot qu'il avait achetée rue Royale. Son réseau «Confrérie Notre-Dame» était en plein fonctionnement. Par exemple, aucun bateau allemand de surface n'abordait, ni ne quittait Brest, Lorient, Nantes, Rochefort, La Rochelle, Bordeaux, sans que Londres en fût prévenu par télégramme. Aucun ouvrage n'était construit par l'ennemi sur la côte de la Manche ou de l'Atlantique, en particulier dans les bases sous-marines, sans que l'emplacement et le plan en fussent connus, aussitôt, de nous. Rémy, en outre, avait méthodiquement organisé des contacts, soit avec d'autres réseaux, soit avec les mouvements de la zone occupée, soit avec les communistes. Ceux-ci, l'abordant peu avant son départ, l'avaient chargé de me dire qu'ils étaient prêts à se placer sous mes ordres et à envoyer un mandataire à Londres pour s'y tenir à ma disposition.

Mémoires de Guerre, I, L'Appel, Librairie Plon, 1954.

A la fin de l'année 1941, les Allemands commençaient à défaillir devant l'hiver russe et l'armée rouge. Les forces de l'Axe reculaient en Afrique. En France, les occupants fusillaient des otages et se rendaient de plus en plus odieux. «Tout à coup, au début de décembre, le Pacifique s'embrasa. Après la terrible surprise de Pearl Harbor, les Japonais débarquaient en Malaisie britannique, aux Indes néerlandaises, aux Philippines, et s'emparaient de Guam, de Wake, de Hong Kong. Au début de janvier, ils bloquaient, dans Singapour, une armée britannique qui devait bientôt capituler.»[33] Le lendemain même de l'agression de Pearl Harbor, la France Libre déclara la guerre au Japon.

Au moment où le conflit atteignait son amplitude mondiale, de Gaulle a cherché à resserrer les liens entre la France Libre et le gouvernement britannique. L'histoire des relations franco-britanniques forme le thème principal de plusieurs de ses discours d'alors et, notamment, du discours de haute classe qu'il a prononcé le 25 novembre 1941 à l'Université d'Oxford.

> Je me figure que l'historien futur de notre guerre de Trente Ans,[34] et peut-être cet historien est-il parmi vous, étudiant le deuxième acte du drame, c'est à dire le conflit présent, n'aura pas de peine à montrer que le déchaînement des ambitions allemandes, sous l'inspiration d'Hitler, se trouva fort encouragé par la divergence des politiques de Paris et de Londres. Mais j'imagine également le tableau qu'il pourra faire des conséquences lamentables d'une telle dissociation. Car, si le tacticien constate que la séparation militaire de nos deux forces, au printemps de 1940, vint de ce que la mécanique ennemie força la Ligne Maginot entre Mézières et Sedan, le philosophe sait bien qu'au fond c'est entre deux politiques désunies qu'est passée l'agression allemande.[35]

Ces précautions oratoires n'eurent guère de portée. La situation diplomatique était d'une extrême complexité. L'Angleterre qui dépendait de la bonne volonté des Etats-Unis n'allait pas compromettre sa position pour de Gaulle qui, d'ailleurs, ne manquait pas de manœuvrer de son côté. Quant aux rapports entre Roosevelt et de Gaulle, ils étaient tendus . . . pour le moins qu'on puisse dire! Conflit de personnalités dès l'origine. Roosevelt s'égayait fréquemment aux dépens de celui qu'il appelait «la prima donna». Ensuite, le Président avait fait sienne l'antipathie de l'amiral Leahy et des hommes de Vichy à l'égard du «dissident». Enfin, Roosevelt et de Gaulle avaient, en ce qui concernait les affaires françaises, des conceptions diamétralement opposées. Tout en voulant limiter le rôle des collaborateurs, Roosevelt cherchait à ménager le gouvernement de Vichy. Sur le plan militaire, il voulait maintenir le statu quo dans les colonies françaises afin de ne pas inciter les Allemands à y intervenir directement. Selon lui, la France ne pourrait pas avoir de gouvernement légitime avant que le pays soit libéré et que le peuple soit consulté. En attendant, les Etats-Unis ne voulaient entrer en rapport qu'avec les autorités locales des divers territoires d'outremer français. Or, vu les circonstances, ces autorités locales étaient isolées, démunies et pratiquement livrées à elles-mêmes. Par contre, pour de Gaulle, l'existence d'un gouvernement français légitime ne faisait pas l'ombre d'un doute!

L'orage éclata à propos des îles françaises de Saint-Pierre et Miquelon. Ces îles, situées au large de Terre Neuve, étaient sous l'autorité du gouvernement de Vichy.[36] Une station d'émission installée à Saint-Pierre diffusait de la propagande allemande. Des bruits couraient que des sousmarins allemands venaient se ravitailler dans ces îles. Londres et Ottawa semblaient disposés à laisser de Gaulle rallier ces territoires à la France Libre. Néanmoins, le président Roosevelt s'y opposa. Il craignait, notamment, de compromettre les rapports entre les Etats-Unis et l'amiral Robert, gouverneur général des possessions françaises d'Amérique.

Passant outre, de Gaulle envoya une mission pour rallier les îles. Un référendum eut lieu et 97% des habitants se prononcèrent spontanément en faveur de la France Libre. Roosevelt, accablé de préoccupations, fut surpris et même irrité par l'audace du Général.[37]

D'autres difficultés survinrent à propos de Madagascar. Evidemment il fallait empêcher les forces de l'Axe de s'emparer de cette grande île qui flanque l'Afrique du Sud. Les Anglais débarquèrent à Diego Suarez, base située au nord du canal du Mozambique; ensuite, ils cherchèrent à négocier un accord avec le gouverneur de l'île, représentant du gouvernement de Vichy. Cette manœuvre, étrange à première vue, visait à tenir la France Libre à l'écart. Aussitôt rentré d'une tournée en Afrique, de Gaulle alla affronter Churchill.

...M. Churchill s'en prit alors à moi sur un ton acerbe et passionné. Comme je lui faisais observer que le fait d'instituer à Madagascar une administration contrôlée par les Britanniques serait une atteinte aux droits de la France, il s'écria avec fureur: «Vous dites que vous êtes la France! Vous n'êtes pas la France! Je ne vous reconnais pas comme la France!» Puis, toujours véhément: «La France! Où est-elle? Je conviens, certes, que le général de Gaulle et ceux qui le suivent sont une partie importante et respectable de ce peuple. Mais on pourra, sans doute, trouver en dehors d'eux une autre autorité qui ait, elle aussi, sa valeur.» Je le coupai: «Si, à vos yeux, je ne suis pas le représentant de la France, pourquoi et de quel droit traitez-vous avec moi de ses intérêts mondiaux?» M. Churchill garda le silence.

M. Eden intervint alors et ramena la discussion sur le sujet du Levant. Il répéta les motifs que l'Angleterre prétendait avoir de s'y mêler de nos affaires. Puis, s'emportant à son tour, il se plaignit amèrement de mon comportement. M. Churchill surenchérit, criant que «dans mon attitude d'anglophobie j'étais guidé par des soucis de prestige et par la volonté d'agrandir, parmi les Français, ma situation personnelle». Ces imputations des ministres anglais me parurent inspirées par leur désir de se créer des griefs justifiant, tant bien que mal, le fait que la France Combattante allait être tenue en dehors de l'Afrique du Nord française. Je le leur dis sans ambages. L'entretien, parvenu à ce point, ne pouvait plus servir à rien. On en convint et on se sépara.

Mémoires de Guerre, II, L'Unité, Librairie Plon, 1956.

Evidemment, on se fit des concessions mutuelles. La défense de l'île fut placée sous le contrôle militaire de l'Angleterre et les administrateurs furent nommés par de Gaulle. Celui-ci se doutait que cet apaisement dans les relations diplomatiques était le prélude d'événements majeurs. D'ailleurs, depuis plusieurs mois déjà, les Russes réclamaient l'ouverture d'un second front. Serait-il en Afrique ou directement en Europe?

Bien qu'écrasée par l'occupation allemande, la France reprenait la lutte. Au mois de juillet 1942, pour montrer que ses fils — qu'ils soient à Londres, en Afrique, en zone occupée ou ailleurs — participaient tous au même combat, la «France Libre» prit officiellement le nom de «France Combattante».

...Ainsi, quelles que fussent les difficultés immenses de l'action en France, en raison des dangers et des pertes, de la concurrence des chefs, des entreprises séparées de certains groupes qu'employait l'étranger, la cohésion de la résistance ne cessait pas de s'affermir. Ayant pu lui assurer l'inspiration et la direction qui la sauvaient de l'anarchie, j'y trouvais, au moment voulu, un instrument valable dans la lutte contre l'ennemi et, vis-à-vis des alliés, un appui essentiel pour ma politique d'indépendance et d'unité.

Nous voici aux premiers jours de novembre 1942. D'un moment à l'autre, l'Amérique va commencer sa croisade en Occident et diriger vers l'Afrique ses navires, ses troupes, ses escadrilles. Depuis le 18 octobre, les Britanniques, aidés par des forces françaises, entreprennent de chasser de Libye les Allemands et les Italiens pour se joindre, plus tard, en Tunisie, à l'armée des Etats-Unis et, peut-être, à une armée française. Là-bas, sur la Volga et au fond du Caucase, l'ennemi s'épuise contre la puissance russe.

Quelle chance, encore, s'offre à la France! Pour ses fils dans le malheur, comme tout serait, maintenant, clair et simple, n'étaient les démons intérieurs qui s'acharnent à les diviser et le mauvais génie qui pousse l'étranger à se servir de leurs querelles. Ce n'est pas sans anxiété que j'attends le lever du rideau sur le nouvel acte du drame. Mais je me sens sûr des miens. Je crois qu'ils sont sûrs de moi. Je sais vers qui la France regarde. Allons! Qu'on frappe les trois coups!

Mémoires de Guerre, II, L'Unité, Librairie Plon, 1956.

Notes

1. De Gaulle, *Mémoires de Guerre,* II, p. 7.
2. Discours du 29 novembre 1940.
3. Brazzaville était devenu la capitale provisoire de la France Libre, néanmoins, les services administratifs restèrent à Londres jusqu'en 1943 parce que les communications avec la France étaient moins difficiles d'Angleterre que d'Afrique équatoriale.
4. Port d'Egypte situé à une centaine de kilomètres de la frontière de la Libye. En 1940 cette ville avait été atteinte par la pointe extrême de l'avance italienne.
5. Groupe d'oasis du désert de Libye que les Italiens avaient fortifiées.
6. Le 24 octobre 1940, Pétain rencontra Hitler dans un train blindé qui était stationné, non loin d'un tunnel, dans la petite gare de Montoire (Loir-et-Cher). Hitler revenait d'Hendaye où il avait eu une entrevue décevante avec Franco. Au cours de l'entrevue de Montoire, Hitler a proposé au Maréchal un programme de collaboration franco-allemand. Pétain voulait rester en dehors du conflit anglo-allemand mais il espérait obtenir quelques allègements dans les contraintes que l'Allemagne imposait à la France; il espérait notamment obtenir la libération d'un nombre important de prisonniers de guerre. L'attitude de Pétain a fait l'objet de commentaires contradictoires. Bien qu'il n'ait pas accordé la participation militaire de la France, il a néanmoins accepté l'idée d'une certaine collaboration. «Une collaboration a été envisagée entre nos deux pays, a-t-il dit aux Français dans son discours du 30 octobre. J'en ai accepté le principe . . . Cette collaboration doit être sincère . . .» L'attitude de Pétain a fortement contribué à désorienter la conscience nationale. Un certain nombre d'hommes tels que Laval se sont laissés prendre dans l'engrenage d'une collaboration active et sont allés jusqu'à des actes de trahison.
7. Pétain lui-même se servait fréquemment de ce terme de mépris.
8. Le 11 novembre 1941 le président Roosevelt accorda la même assistance à la France Libre — non pas directement, mais par l'intermédiaire du gouvernement britannique. Ce fut le premier acte officiel entre les Etats-Unis et la France Libre.
9. De Gaulle, *Mémoires de Guerre,* I, p. 178.
10. Discours du 12 mars 1941.
11. De Gaulle, *Mémoires de Guerre,* I, p. 181.
12. Après cet échec, Churchill s'est senti gêné vis-à-vis de Roosevelt car ce dernier n'avait guère approuvé cette expédition.
13. Au début de l'année 1941, le Japon devenait de plus en plus menaçant et les forces germano-italiennes s'emparaient du reste de l'Europe centrale et des Balkans.
14. «Vers l'Orient compliqué, je volais avec des idées simples.» De Gaulle, *Mémoires de Guerre,* I, p. 181.
15. De Gaulle connaissait bien ces pays, d'une part parce qu'il y avait vécu et, d'autre part, parce qu'il avait écrit une étude intitulée: *Histoire des Troupes du Levant.*

16. Entre autres buts, les Allemands cherchaient à s'emparer du canal de Suez afin de couper l'Angleterre de ses possessions d'Asie. Ils cherchaient également à atteindre les sources de pétrole du Moyen-Orient.

17. Ministre de la marine et Président du Conseil du gouvernement de Vichy. A cette époque, il était considéré comme le successeur probable de Pétain.

18. Les «Protocoles de Paris» accordaient au Reich l'usage des ports, voies de communication et aérodromes de la Syrie et du Liban: ils permettaient aux Allemands d'utiliser le port de Bizerte et ils envisageaient la création d'une base de sous-marins allemands à Dakar. Les «Protocoles de Paris» furent vivement critiqués par le gouvernement de Vichy. Pétain ne les ratifia jamais, néanmoins, le fait qu'ils avaient été signés par Darlan permit aux Allemands d'obtenir ce qu'ils voulaient . . . momentanément.

19. Le 14 juillet, un armistice signé à Saint-Jean d'Acre mit fin aux combats.

20. C'est le mot employé par de Gaulle dans ses mémoires.

21. Le parti communiste était, par principe, antimilitariste. Au début des hostilités, il condamnait «la sale guerre impérialiste» d'autant plus que l'Allemagne et la Russie avaient signé un pacte de non agression (24 août 1940). Au début de l'occupation, le parti communiste français eut une attitude ambiguë et parfois bienveillante à l'égard des Allemands. Tout à coup, dès que Hitler eut attaqué l'U.R.S.S., les communistes se sont retournés contre les Allemands et ils se sont présentés comme les champions «de la liberté et de la dignité de l'homme».

22. Voir: de Gaulle, *Mémoires de Guerre* (Librairie Plon), I, pp. 616–618.

23. Voir à ce sujet: Bellanger, *Presse clandestine.*

24. De Gaulle, *Mémoires de Guerre,* I, p. 280.

25. Frénay, l'un des chefs de la résistance, a maintes fois répété que les mouvements devaient se rassembler autour de «l'irremplaçable symbole que représentait de Gaulle».

26. Ce syndicat était composé en grande partie d'éléments communistes ou socialistes.

27. Jean Moulin (1899–1943), connu sous les noms de Rex ou de Max, le plus remarquable des chefs de la résistance. Il mourut torturé par les Allemands. Son corps fut transféré au Panthéon en 1965.

28. Le capitaine Dewavrin (connu sous le nom Passy) était à la tête du service de renseignements de la France Libre. Voir pp. 98–99.

29. Type d'avion de la Royal Air Force employé pour les missions clandestines

30. Le lieutenant Pierre Julitte (connu sous le nom de Guy) créa un service de radio. Plusieurs fois parachuté en France, il fut arrêté et déporté en 1943. Il est revenu d'Allemagne en mai 1945.

31. Chef des démocrates-chrétiens. Il deviendra par la suite le chef du parti M.R.P. (Mouvement Républicain Populaire).

32. Rémy (pseudonyme de Gilbert Renault), agent secret de la France Libre. Pendant toute la durée de la guerre il a accompli des missions fort dangereuses. Après la guerre il a raconté ses missions dans plusieurs livres et notamment dans: *Mémoires d'un agent secret* et *On m'appelait Rémy.*

33. De Gaulle, *Mémoires de Guerre,* I, p. 237.

34. De Gaulle a fréquemment comparé la période qui couvre les deux guerres mondiales et l'entre-deux-guerres à la guerre de Trente Ans.

35. Discours du 25 novembre 1941.

36. Ces îles étaient sous l'autorité de l'amiral Robert que le gouvernement de Vichy avait chargé d'administrer toutes les possessions françaises en Amérique. Comme Saint-Pierre et Miquelon étaient loin des bases des Antilles, ces deux îles purent être ralliées par la France Libre dès le mois de décembre 1941. La population, composée en grande partie de pêcheurs normands et bretons, était en majorité pro-gaulliste depuis 1940.

37. En dépit des théories du Président, l'opinion publique américaine était, dans son ensemble, favorable aux «Free French». «There is no doubt that Roosevelt was at first amused by the St-Pierre-Miquelon «teapot tempest» as he called it. One might even be permitted the surmise that he derived a certain amount of mischievous pleasure from the spectacle of his esteemed old friend, the Secretary of State, learning at last how it felt to be the target of widespread criticism. However, this situation became less amusing for Roosevelt when it reached the point of a major rupture in his own administration; this was a development that he always dreaded — and now, in such critical times, he was more than ever anxious to avoid it at almost any cost.» Robert Sherwood, *Roosevelt and Hopkins,* p. 488.

DE LONDRES A ALGER

Il nous a toujours paru que,
dans le drame d'aujourd'hui,
les grandes actions ne peuvent
aboutir qu'appuyées sur une
grande mystique.[1]

«Robert arrive . . . Franklin arrive . . . !» annonça la B.B.C. dans la nuit du 7 au 8 novembre 1942. Robert, c'était le prénom de Murphy, représentant personnel de Franklin D. Roosevelt à Alger. Ce code faisait savoir aux initiés que l'opération Torch venait d'être lancée — en d'autres termes, que les troupes américaines étaient sur le point de débarquer en Afrique du Nord.

De Gaulle n'avait pas été prévenu — loin de là! La nouvelle, toutefois, ne le surprit guère; elle était dans la logique des événements et, d'ailleurs, il avait eu divers échos de ce qui se préparait.[2]

L'entreprise avait été décidée fin juillet par les Anglais et les Américains. Ces derniers s'étaient réservé l'entière initiative des opérations et ils avaient exigé que la France Combattante soit exclue. Le haut commandement, sous la direction du général Eisenhower, devait être exclusivement américain.[3]

La situation en Afrique du Nord était des plus confuses. Algérie, Maroc et Tunisie étaient sous l'autorité du gouvernement de Vichy. Il y avait dans ces pays un certain nombre de résistants et même de Gaullistes, néanmoins, le maréchal Pétain jouissait, notamment en Algérie, d'un grand prestige auprès des populations civiles.[4] Quant à l'armée, elle était dans son ensemble, hantée par le souci de demeurer loyale au gouvernement «légitime».[5] Il s'agissait donc, pour les Américains, de neutraliser les troupes qui étaient aux ordres de Vichy et, le plus vite possible, de les faire passer dans le camp des alliés.[6]

Pour opérer ce ralliement, le commandement américain avait choisi le général Giraud.[7] Celui-ci venait de se rendre célèbre en s'évadant de la forteresse allemande de Koenigstein.[8] Depuis son retour en France, il avait vécu en zone libre. Il avait travaillé à renforcer la petite armée que la France pouvait conserver, selon les clauses de l'armistice. A plusieurs reprises, il s'était rendu à Vichy où il avait eu des entretiens avec Pétain. Le 7 novembre 1942, par une série de coups d'audace, un sous-marin avait amené Giraud à Gibraltar, quartier général des anglo-américains.[9]

Comme on s'y attendait, au commencement des opérations, les troupes de Vichy résistèrent plus ou moins vigoureusement. Les combats furent assez violents au Maroc. Le 9, pour faire cesser le combat, Giraud se rendit à Alger. Quand il atterrit, les Américains occupaient déjà l'ensemble de la ville. Il reçut un accueil froid et embarrassé car sa présence était devenue inutile, sinon gênante. Par une incroyable série de coïncidences (?), l'amiral Darlan,[10] l'homme numéro deux du gouvernement de Vichy, se trouvait à Alger depuis quatre jours.

Darlan aurait pu être arrêté comme agent ennemi. N'avait-il pas permis à Hitler de s'infiltrer au Levant? Par un audacieux coup de poker, il devint l'homme clé de la situation. Au nom du maréchal Pétain, il offrit aux anglo-saxons de faire cesser les combats à condition qu'il soit reconnu comme la seule autorité française légitime en Afrique du Nord.[11]

Le chef de la France Combattante allait-il se trouver écarté par Giraud — l'homme choisi par Washington — ou bien par Darlan — l'homme de Vichy? Le jour même du débarquement, de Gaulle prit position. En dépit de son amertume, il lança l'appel suivant de la radio de Londres:

> Les alliés de la France ont entrepris d'entraîner l'Afrique du Nord française dans la guerre de libération. Il s'agit de faire en sorte que notre Algérie, notre Maroc, notre Tunisie, constituent la base de départ pour la libération de la France. Nos alliés américains sont à la tête de cette entreprise.
>
> Le moment est très bien choisi. En effet, après une victoire écrasante, nos alliés britanniques, secondés par les troupes françaises, viennent de chasser d'Egypte les Allemands et les Italiens et pénètrent en Cyrénaïque. D'autre part, nos alliés russes ont définitivement brisé, sur la Volga et dans le Caucase, la suprême offensive de l'ennemi. Enfin, le peuple français, rassemblé dans la résistance, n'attend que l'occasion pour se lever tout entier . . .
>
> Chefs français, soldats, marins, aviateurs, fonctionnaires, colons français d'Afrique du Nord, levez-vous donc! Aidez nos alliés! Joignez-vous à eux sans réserves. La France qui combat vous en adjure. Ne vous souciez pas des noms ni des formules. Une seul chose compte: le salut de la patrie! Tous ceux qui ont le courage de se remettre debout, malgré l'ennemi et la trahison, sont d'avance approuvés, accueillis, acclamés par tous les Français Combattants. Méprisez les cris des traîtres qui voudraient vous persuader que nos alliés veulent prendre pour eux notre Empire.
>
> Allons! Voici le grand moment! Voici l'heure du bon sens et du courage. Partout l'ennemi chancelle et fléchit. Français de l'Afrique du Nord! que par vous nous rentrions en ligne, d'un bout à l'autre de la Méditerranée, et voilà la guerre gagnée grâce à la France.[12]

Le 8 dans la soirée, Darlan signa un cessez-le-feu; deux jours plus tard, il signa un accord avec le général Clark. A Londres,[13] lorsqu'on apprit que les Américains traitaient avec Darlan, la nouvelle «fit l'effet d'une bombe, aussi bien chez les Anglais que chez nous.»[14] En France, elle inquiéta les uns, scandalisa les autres.

Les combats prirent fin et un régime d'occupation militaire fut institué en Afrique du Nord. Darlan prit la direction de l'administration.[15] Peu après, un Conseil d'Empire fut institué. Présidé par Darlan, il groupait principalement des hommes affiliés au gouvernement de Vichy. Le gouverneur Boisson s'y présenta portant la francisque, emblème de Vichy.[16] Forte de la protection américaine, cette organisation prétendait être la seule autorité civile légitime. De Gaulle frémissait d'indignation. Churchill, lui-même profondément troublé, faisait son possible pour l'exhorter à la patience.

Après le déjeuner à Downing Street, où toute la bonne grâce de Mme Churchill eut fort à faire pour animer la conversation parmi les dames, inquiètes, et les hommes, lourdement soucieux, le Premier Ministre et moi reprîmes en tête-à-tête l'entretien. «Pour vous, me déclara Churchill, si la conjoncture est pénible, la position est magnifique. Giraud est, dès à présent, liquidé politiquement. Darlan sera, à échéance, impossible. Vous resterez le seul.» Et d'ajouter: «Ne vous heurtez pas de front avec les Américains. Patientez! Ils viendront à vous, car il n'y a pas d'alternative.» — «Peut-être, dis-je. Mais, en attendant, que de vaisselle aura été cassée! Quant à vous, je ne vous comprends pas. Vous faites la guerre depuis le premier jour. On peut même dire que vous êtes, personnellement, cette guerre. Votre armée avance en Libye. Il n'y aurait pas d'Américains en Afrique si, de votre côté, vous n'étiez pas en train de battre Rommel.[17] A l'heure qu'il est, jamais encore un soldat de Roosevelt n'a rencontré un soldat d'Hitler, tandis que, depuis trois ans, vos hommes se battent sous toutes les latitudes. D'ailleurs, dans l'affaire africaine, c'est l'Europe qui est en cause et l'Angleterre appartient à l'Europe. Cependant, vous laissez l'Amérique prendre la direction du conflit. Or, c'est à vous de l'exercer, tout au moins dans le domaine moral. Faites-le! L'opinion européenne vous suivra.»

Cette sortie frappa Churchill. Je le vis osciller sur son siège. Nous nous séparâmes, après avoir convenu qu'il ne fallait pas laisser la crise présente rompre la solidarité franco-britannique et que celle-ci demeurait, plus que jamais, conforme à l'ordre naturel des choses dès lors que les Etats-Unis intervenaient dans les affaires du Vieux monde.

Mémoires de Guerre, II, L'Unité, Librairie Plon, 1956.

Sur le plan militaire, le débarquement avait réussi mais la situation demeurait explosive. Rares étaient les Français qui reprenaient le combat; parmi ceux qui le faisaient, beaucoup allaient s'enrôler dans les Forces de la France Combattante.

En réalité, Darlan ne rassurait personne. Les civils et les militaires vivaient dans une atmosphère de soupçon et de complot. Le 17 novembre Roosevelt déclara qu'il envisageait l'affaire Darlan comme un «expédient provisoire» (a temporary expediency). De Gaulle était sur le point de se rendre à Washington pour discuter directement avec le Président lorsque, la veille de Noël, survint un nouveau coup de théâtre . . . Darlan venait d'être assassiné.[18]

Le lendemain, de Gaulle télégraphia à Giraud:

> L'attentat d'Alger est un indice et un avertissement...
> Je vous propose, mon Général, de me rencontrer au plus tôt en territoire français, soit en Algérie, soit au Tchad, afin d'étudier les moyens qui permettraient de grouper, sous un pouvoir central provisoire, toutes les forces françaises à l'intérieur et à l'extérieur du pays et tous les territoires français qui sont susceptibles de lutter pour la libération et pour le salut de la France.[19]

La réponse tarda. Entretemps, Giraud prit la place vacante et devint «Commandant en Chef civil et militaire». Le 29 décembre il répondit à de Gaulle que, pour le moment, l'atmosphère était «défavorable à un entretien personnel entre nous».[20]

Tandis que Giraud continuait à se dérober, Roosevelt et Churchill décidèrent de se réunir à Anfa, faubourg de Casablanca. Sentant la nécessité de réaliser un rapprochement au plus tôt, Roosevelt convia les deux généraux français.

De Gaulle se fit attendre. Churchill réitéra l'invitation. De son côté, Eden insista. Cette situation déchaînait l'humour de Roosevelt. «Nous avons, répétait-il, le marié. Mais où est la mariée?»[21]

Enfin de Gaulle arriva. Bien entendu, sa première conversation avec Giraud fut plutôt froide.

Les premiers mots que j'adressai au général Giraud manquèrent donc d'aménité. «Eh quoi? lui dis-je, je vous ai, par quatre fois, proposé de nous voir et c'est dans cette enceinte de fil de fer, au milieu des étrangers, qu'il me faut vous rencontrer? Ne sentez-vous pas ce que cela a d'odieux au point de vue national?» Giraud, gêné, me répondit qu'il n'avait pu faire autrement. A vrai dire, je n'en doutais pas, étant donné les conditions dans lesquelles il s'était placé par rapport aux Américains.

Mémoires de Guerre, II, L'Unité, Librairie Plon, 1956.

Le lendemain, un second entretien, légèrement plus cordial, ne fut guère concluant. Voyons ce que Giraud a rapporté dans ses mémoires:

> Le général de Gaulle m'explique pourquoi il a beaucoup hésité à venir. Il n'admettait pas cette rencontre entre nous sous l'œil des alliés. Nous n'avons pas besoin d'eux pour nous entendre, si nous devons nous entendre. Ceci posé . . . il regrette que je n'aie pas eu une attention pour lui après mon évasion, et que j'aie combiné avec les Américains le débarquement en A.F.N. (Afrique Française du Nord) sans l'en avertir. Cela l'a mis dans une situation difficile et délicate. Actuellement il a mis sur pied un gouvernement qui fonctionne depuis deux ans, qui contrôle toutes les colonies hors d'A.F.N. et d'A.O.F. . . .[22]

Bref, Giraud refusa de faire partie de la France Combattante, même pour y exercer le commandement de toutes les forces d'opération. Quant à de Gaulle, il refusa de s'associer aux hommes de Vichy dont Giraud s'était entouré et de devenir le subordonné d'une puissance étrangère. Malgré tout, les deux interlocuteurs se mirent d'accord pour établir entre eux des liaisons.

Quelques heures plus tard, de Gaulle rencontra Roosevelt.

Peu après, M. Roosevelt m'envoya quelqu'un pour arranger notre rencontre. J'y fus, tard dans la soirée. Nous passâmes une heure ensemble, assis sur le même canapé, dans une grande pièce de la villa où il s'était installé. Bien que mon interlocuteur affectât d'être seul en ma compagnie, je discernais des ombres au fond d'une galerie supérieure et je voyais des rideaux remuer dans les coins. Je sus, plus tard, que M. Harry Hopkins et quelques secrétaires écoutaient sans se découvrir et que des policiers armés veillaient sur le Président.[23] En raison de ces présences indistinctes, c'est dans une atmosphère étrange que nous eûmes, Roosevelt et moi, notre première conversation. Ce soir-là, comme il en fut chaque fois que je le vis ensuite, il se montra empressé à porter son esprit vers le mien, usant du charme, pour me convaincre, plutôt que des arguments, mais attaché une fois pour toutes au parti qu'il avait pris.

Les plus hautes ambitions possédaient Franklin Roosevelt. Son intelligence, son savoir, son audace lui en donnaient la faculté. L'Etat puissant, dont il était le chef, lui en procurait les moyens. La guerre lui en offrait l'occasion. Si le grand peuple qu'il dirigeait avait été longtemps enclin à s'isoler des entreprises lointaines et à se défier de l'Europe, sans cesse déchirée de batailles et de révolutions, une sorte de messianisme soulevait, à présent, l'âme américaine et la tournait vers les vastes desseins. Les Etats-Unis, admirant leurs propres ressources, sentant que leur dynamisme ne trouvait plus au-dedans d'eux-mêmes une assez large carrière, voulant aider ceux qui, dans l'univers, sont misérables ou asservis, cédaient à leur tour au penchant de l'intervention où s'enrobait l'instinct dominateur. C'est cette tendance que, par excellence, épousait le président Roosevelt. Il avait donc tout fait pour que son pays prît part au conflit mondial. Il y accomplissait, à présent, sa destinée, pressé qu'il était d'aboutir par l'avertissement secret de la mort.

Mais, dès lors que l'Amérique faisait la guerre, Roosevelt entendait que la paix fût la paix américaine, qu'il lui appartînt à lui-même d'en dicter l'organisation, que les Etats balayés par l'épreuve fussent soumis à son jugement, qu'en particulier la France l'eût pour sauveur et pour arbitre. Aussi, le fait qu'en pleine lutte celle-ci se redressât, non point sous forme d'une résistance fragmentaire et, par là, commode, mais en tant que nation souveraine et indépendante, contrariait ses intentions.[24] Politiquement, il n'éprouvait pas d'inclination à mon égard.

Il en éprouvait d'autant moins qu'il se trouvait, sans relâche, battu en brèche chez lui par l'opinion. C'est d'elle qu'il tenait le pouvoir. Mais elle pouvait le lui ôter. Au cours même de la guerre, Roosevelt dut, par deux fois, se soumettre à l'élection. Encore, dans les intervalles, la presse, la radio, les intérêts, harcelaient le Président. Celui-ci, appliqué à séduire, mais gêné au fond de lui-même par

Photo A.F.P.

Le 24 janvier 1943. La conférence d'Anfa. De gauche à droite: Giraud, Roosevelt, de Gaulle, Churchill.

l'infirmité douloureuse contre laquelle il luttait vaillamment, était sensible aux reproches et aux brocards des partisans. Or, justement, sa politique vis-à-vis du général de Gaulle soulevait en Amérique les plus ardentes controverses. Il faut ajouter qu'il était, ainsi qu'une vedette, ombrageux quant au rôle des autres. Bref, sous les manières courtoises du patricien, c'est sans bienveillance que Roosevelt considérait ma personne.

Mémoires de Guerre, II, *L'Unité*, Librairie Plon, 1956.

La conférence allait prendre fin. Roosevelt aurait voulu que de Gaulle accepte de jouer le rôle de second dans un gouvernement dirigé par Giraud. De Gaulle repoussa cette conception catégoriquement parce que, d'une part, elle plaçait des hommes de Vichy dans des positions clé et que, d'autre part, elle mettait la France dans la dépendance des Etats-Unis.

Le général Giraud déclara, une fois de plus, que «c'était là de la politique; qu'il ne voulait pas s'y mêler; qu'il ne s'agissait, pour lui, que de refaire l'armée française; qu'il avait pleine confiance dans les alliés américains».[25] — «Je viens, dit-il, de conclure avec le président Roosevelt un accord en vertu duquel les Etats-Unis s'engagent à équiper autant d'unités que je pourrai en constituer. Je compte disposer, dans six mois, d'une douzaine de divisions. Quant à vous, dans le même temps, en aurez-vous seulement la moitié? Et qui vous donnera des armes?»

— «Il ne s'agit pas, répliquai-je, d'une concurrence entre nous dans le domaine des effectifs. Les troupes qui, pour le moment, se trouvent en Afrique du Nord, appartiennent à la France. Elles ne sont pas votre possession. Vous vous en apercevrez vite si nous ne nous arrangeons pas. Le problème, c'est l'unité française dans l'Empire et dans la Métropole, ce qui commande d'instituer un pouvoir central répondant à la question. Cela fait, les diverses forces seront sans difficulté unifiées et employées. Les événements ont voulu que la France Combattante symbolisât la résistance contre l'ennemi, le maintien de la République, la rénovation nationale. C'est naturellement vers elle que se tourne le sentiment général au moment où se dissipe l'illusion que fut Vichy. D'autre part, beaucoup vous estiment fort en tant que chef militaire. Je vous tiens moi-même, à cet égard, comme un élément du capital français que je déplorerais de perdre. La solution de bon sens consiste donc en ceci: Que de Gaulle forme, à Alger, un gouvernement de guerre qui deviendra, au moment voulu, celui de la République. Que Giraud reçoive de ce gouvernement le commandement de l'armée de la libération. A la rigueur, si une transition devait paraître nécessaire, formons ensemble le pouvoir central. Mais que celui-ci, dès l'abord, condamne Vichy, proclame que l'armistice fut toujours nul et non avenu, se rattache à la République et s'identifie, vis-à-vis du monde, avec l'indépendance de la France.»

Le général Giraud s'en tint à sa manière de voir. Pourtant, le voyant plus obstiné que convaincu, je gardai l'espoir qu'un jour la force des choses l'amènerait à changer sa conception . . .

Mémoires de Guerre, II, L'Unité, Librairie Plon, 1956.

De Gaulle eut un dernier entretien avec Roosevelt puis, comme par hasard, tous les protagonistes furent rassemblés pour le dernier tableau.

Je me rendis, ensuite, chez Roosevelt. Là, l'accueil fut habile, c'est-à-dire aimable et attristé. Le Président m'exprima le chagrin qu'il éprouvait à constater que l'entente des Français restait incertaine et que lui-même n'avait pu réussir à me faire accepter même le texte d'un communiqué. «Dans les affaires humaines, dit-il, il faut offrir du drame au public. La nouvelle de votre rencontre avec le général Giraud, au sein d'une conférence où je me trouve, ainsi que Churchill, si cette nouvelle était accompagnée d'une déclaration commune des chefs français et même s'il ne s'agissait que d'un accord théorique, produirait l'effet dramatique qui doit être recherché.» — «Laissez-moi faire, répondis-je. Il y aura un communiqué, bien que ce ne puisse être le vôtre.»

Là-dessus, je présentai au Président mes collaborateurs. Il me nomma les siens. Entrèrent, alors, M. Churchill, le général Giraud et leur suite, enfin une foule de chefs militaires et de fonctionnaires alliés. Tandis que tout le monde s'assemblait autour du Président, Churchill réitéra à voix haute contre moi sa diatribe et ses menaces, avec l'intention évidente de flatter l'amour-propre quelque peu déçu de Roosevelt. Celui-ci affecta de ne pas le remarquer, mais, par contraste, adopta le ton de la meilleure grâce pour me présenter l'ultime demande qui lui tenait au cœur. «Accepteriez-vous, tout au moins, me dit-il, d'être photographié à mes côtés

Photo Keystone

«Iriez-vous jusqu'à serrer la main du général Giraud en notre présence et devant l'objectif?» ... «I shall do that for you.»

et aux côtés du Premier Ministre britannique en même temps que le général Giraud?» — «Bien volontiers, répondis-je, car j'ai la plus haute estime pour ce grand soldat.» — «Iriez-vous, s'écria le Président, jusqu'à serrer la main du général Giraud en notre présence et devant l'objectif?» Ma réponse fut: «*I shall do that for you.*» Alors, M. Roosevelt, enchanté, se fit porter dans le jardin où étaient, d'avance, préparés quatre sièges, braquées des cameras sans nombre, alignés, stylo en main, plusieurs rangs de reporters. Les quatre acteurs arborèrent le sourire. Les gestes convenus furent faits. Tout allait bien! L'Amérique serait satisfaite en croyant voir, d'après les images, que la question française trouvait son *deus ex machina* en la personne du Président.

Avant de quitter Anfa, je rédigeai un bref communiqué que je proposai à Giraud sans l'avoir, bien entendu, fait connaître aux alliés: «Nous nous sommes vus. Nous avons causé...» Nous affirmions notre foi dans la victoire de la France et dans le triomphe des «libertés humaines». Nous annoncions l'établissement d'une liaison permanente entre nous. Giraud signa. A sa demande, l'expression: «libertés humaines» avait, dans le texte, pris la place des mots: «principes démocratiques», que j'y avais, d'abord, fait figurer.

Mémoires de Guerre, II, L'Unité, Librairie Plon, 1956.

Bien que tendus vers le même but, Giraud et de Gaulle allaient-ils déchirer la résistance? Giraud était patronné par les Etats-Unis mais, depuis deux ans, de Gaulle était devenu le symbole nationale; il avait créé un centre de ralliement, une mystique. Le «gaullisme» ne connaissait pas de frontières politiques. Au mois d'octobre 1942, le leader socialiste Léon Blum avait écrit dans sa prison: «Tout le monde accepte et reconnaît le Général comme le chef du gouvernement de fait qui s'installera dans la France libérée. Tout le monde se fie à lui pour rétablir dans son droit la Démocratie française et pour rendre sa souveraineté au peuple délivré . . . Quelles qu'aient pu être autrefois les nuances et même les oppositions de vues, l'unité d'action, l'unité de confiance est entière.»[26] En dépit de toute la confusion et de toutes les intrigues, deux nouveaux territoires, l'île de la Réunion et la Côte française des Somalies venaient de se rallier à la France Combattante. En Algérie les troupes de Giraud étaient acclamées aux cris de «Vive de Gaulle». Enfin, en France, les mouvements de résistance cherchaient à resserrer les liens avec leur chef.

En février, arrivèrent Jean Moulin mon délégué dans la Métropole et le général Delestraint[27] commandant l'armée secrète. Je revoyais le premier, devenu impressionnant de conviction et d'autorité, conscient que ses jours étaient comptés, mais résolu à accomplir, avant de disparaître, sa tâche d'unification. J'orientais le second, investi d'une mission à laquelle, à maints égards, sa carrière ne le préparait pas, mais qu'il assumait, cependant, avec la fermeté du soldat que rien n'étonne s'il s'agit du devoir.

A Moulin, qui avait longuement préparé les voies, je prescrivis de former, sans plus attendre, le Conseil national de la Résistance, où siégeraient les représentants de tous les mouvements des deux zones, de tous les partis politiques et des deux centrales syndicales.[28] L'ordre de mission que je lui donnai réglait cette composition, définissait le rôle du Conseil et précisait la nature des rapports qui le liaient au Comité national. Jean Moulin aurait à présider lui-même l'organisme nouveau. Je le nommai membre du Comité national français et lui remis, dans ma maison d'Hampstead, la croix de la Libération, au cours d'une cérémonie dont aucune, jamais, ne fut plus émouvante. Delestraint, pendant son séjour, put travailler utilement avec les chefs alliés, notamment le général Brooke, le général Ismay, l'amiral Stark, qui reconnaissaient en lui un de leurs pairs. De la sorte, l'action de l'armée secrète lors du débarquement en France serait, autant que possible, liéée aux plans du commandement. L'instruction que le général Delestraint reçut de moi lui fixait ses attributions. C'étaient celles d'un inspecteur-général avant que la grande bataille commençât. Ce seraient, éventuellement, celles d'un commandant d'armée, dès qu'il faudrait conjuguer les opérations du dedans avec celles du dehors. Mais, peu de mois après son retour en France, cet homme d'honneur devait être arrêté par l'ennemi, déporté et, pour finir, hypocritement abattu à la porte d'un camp de misère, offrant à la patrie sa vie qu'il lui avait, d'avance, sacrifiée. Moulin et Delestraint partirent, le 24 mars, pour le combat et pour la mort.

Mémoires de Guerre, II, L'Unité, Librairie Plon. 1956.

A Alger, Giraud était aux prises avec des difficultés multiples qui venaient s'ajouter aux préoccupations militaires. Les fonctionnaires de Vichy, qu'il avait maintenus en place, l'obligeaient à adopter des solutions de temporisation qui décevaient tout le monde. Le pays était profondément troublé par les problèmes raciaux, l'instabilité politique et la misère de la masse. Le 15 mars 1943, Giraud fit savoir au général de Gaulle qu'il était prêt à l' «accueillir» à Alger «afin de donner à l'union une forme concrète».[29]

De Gaulle se déclara disposé à «étudier sur place, entre Français, les conditions et les modalités de l'union» mais, catégoriquement, il refusa de se placer dans la dépendance de Giraud. «J'entends, déclara-t-il, avoir en Afrique du Nord la totale liberté de mes faits, gestes et actes . . . Nos organisations de résistance en France viennent de me confirmer leur adhésion avec une netteté impressionnante. Dans l'intérêt national, pour le présent et pour l'avenir, l'union avec Giraud est très désirable, mais certainement pas à tout prix.»[30]

Enfin, après plusieurs semaines de tractations, Giraud accepta de partager avec de Gaulle la présidence du Comité exécutif.

Juste avant de quitter Londres, de Gaulle apprit que le Conseil national de la Résistance venait de tenir à Paris sa première réunion sous la présidence de Jean Moulin. Grâce à cette assemblée clandestine, la résistance avait consacré son unité et confié à son chef la garde des intérêts de la nation.

C'est donc le jugement populaire qui, finalement, réglait leur compte aux tergiversations. Le 27 avril, le général Giraud m'écrivait qu'il renonçait à la prépondérance. Toutefois, il maintenait encore sa conception du «Conseil» sans réels pouvoirs où siégeraient, avec lui et moi, les résidents et gouverneurs. D'autre part, redoutant sans doute les réactions de la foule, il proposait que notre première réunion se tînt dans un lieu écarté, soit à Biskra, soit à Marrakech. Je lui répondis, le 6 mai, en affirmant encore une fois la volonté arrêtée du Comité national quant au caractère, à la composition, aux attributions de l'organe gouvernemental qu'il s'agissait de former, en repoussant l'idée que cela pût se faire dans une oasis lointaine et en exigeant de venir à Alger. L'avant-veille, dans un discours public, j'avais, assez rudement, déclaré qu'il fallait en finir.

Or, dans la nuit du 15 mai, Philip et Soustelle[31] triomphants m'apportaient un télégramme reçu à l'instant de Paris. Jean Moulin m'annonçait que le Conseil national de la Résistance était constitué et m'adressait, au nom du Conseil, le message suivant:

«Tous les mouvements, tous les partis de la résistance, de la zone nord et de la zone sud, à la veille du départ pour l'Algérie du général de Gaulle, lui renouvellent, ainsi qu'au Comité national, l'assurance de leur attachement total aux principes qu'ils incarnent et dont ils ne sauraient abandonner une parcelle.

«Tous les mouvements, tous les partis, déclarent formellement que la rencontre prévue doit avoir lieu au siège du Gouvernement général de l'Algérie, au grand jour et entre Français.

«Ils affirment, en outre: que les problèmes politiques ne sauraient être exclus des conversations; que le peuple de France n'admettra jamais la subordination du général de Gaulle au général Giraud, mais réclame l'installation rapide à Alger d'un gouvernement provisoire sous la présidence du général de Gaulle, le général Giraud devant être le chef militaire; que le général de Gaulle demeurera le seul chef de la résistance française quelle que soit l'issue des négociations.»

Le 27 mai, le Conseil national, réuni au complet, 48, rue du Four,[32] tenait sa première séance sous la présidence de Jean Moulin, et me confirmait son message.

Ainsi, sur tous les terrains et, d'abord, sur le sol douloureux de la France, germait au moment voulu une moisson bien préparée. Le télégramme de Paris, transmis à Alger et publié par les postes-radio américains, britanniques et français libres, produisit un effet décisif, non seulement en raison de ce qu'il affirmait, mais aussi et surtout parce qu'il donnait la preuve que la résistance française avait su faire son unité. La voix de cette France écrasée, mais grondante et assurée, couvrait, soudain, le chuchotement des intrigues et les palabres des combinaisons. J'en fus, à l'instant même, plus fort, tandis que Washington et Londres mesuraient sans plaisir, mais non sans lucidité, la portée de l'événement. Le 17 mai, le général Giraud me demandait «de venir immédiatement à Alger pour former avec lui le pouvoir central français». Le 25 mai, je lui répondais: «Je compte arriver à Alger à la fin de cette semaine et me félicite d'avoir à collaborer avec vous pour le service de la France.»

Avant de quitter l'Angleterre, j'écrivis au roi George VI pour lui dire combien j'étais reconnaissant, à lui-même, à son gouvernement, à son peuple, de l'accueil qu'ils m'avaient fait aux jours tragiques de 1940 et de l'hospitalité qu'ils avaient, depuis, accordée à la France Libre et à son chef. Voulant aller faire visite à M. Churchill, j'appris qu'il venait de partir «pour une destination inconnue».[33] Ce fut donc de M. Eden que j'allai prendre congé. L'entretien fut amical. «Que pensez-vous de nous?» me demanda le ministre anglais. «Rien, observai-je, n'est plus aimable que votre peuple. De votre politique, je n'en pense pas toujours autant.» Comme nous évoquions les multiples affaires que le Gouvernement britannique avait traitées avec moi: «Savez-vous, me dit M. Eden avec bonne humeur, que vous nous avez causé plus de difficultés que tous nos alliés d'Europe?» — «Je n'en doute pas», répondis-je, en souriant, moi aussi. «La France est une grande puissance.»

Mémoires de Guerre, II, *L'Unité*, Librairie Plon, 1956.

Notes

1. Discours du 4 mai 1943.
2. «La veille, le samedi 7 novembre, Bogomolov, l'ambassadeur de l'U.R.S.S., avait donné une soirée somptueuse pour célébrer le vingt-cinquième anniversaire de la révolution russe. Le bruit circulait déjà, dans les milieux diplomatiques et militaires, que le débarquement était imminent. Dans les salons bondés où se coudoyaient Anglais, Américains, Russes, Français, Tchèques, Polonais, Belges, Hollandais, des conversations à voix basse s'échangeaient entre deux portes ou dans l'embrasure d'une fenêtre. Le Général fit une courte apparition, calme comme à l'ordinaire, dominant de sa haute taille et de son visage impassible le flot pressé des invités. Un instant après, je vis Masaryk glisser quelques mots à Pleven, qui m'entraîna vers la sortie et me dit: «C'est absolument sûr. Le débarquement a lieu ce soir.»» Soustelle, *Envers et contre tout,* I, p. 450.
3. «On July 24 it was determined to proceed with the planning for the invasion of northwest Africa with an allied force of all the arms, to be carried out under an American commander. The operation received the name Torch. Its execution was approved by the President on July 25.» Eisenhower, *Crusade in Europe,* p. 91.
4. En Algérie, la politique réactionnaire et paternaliste de Pétain eut plus de succès que nulle part ailleurs. L'attitude antisémite du gouvernement de Vichy trouvait des partisans chez les colons français et chez les Musulmans. La collaboration était acceptée beaucoup plus volontiers qu'en France puisque la population ne souffrait pas directement de l'occupation allemande.
5. Une partie des forces françaises en Afrique du Nord étaient constituées par des troupes rapatriées du Levant après la guerre fratricide de l'été 1941. Ces troupes étaient nettement anglophobes.
6. «Fundamentally, the expedition was conceived in the hope that the French forces, officials and population of northwest Africa would permit our entry without fighting and would join us in the common battle against Germany. . . It was a hope rather than an expectation. . . Everything that might induce the French forces in Africa to join us was incorporated into our plan. . .» Eisenhower, *op. cit.,* p. 101.
7. «C'est au mois de juin 1942 que les Américains me pressentirent pour la première fois et me demandèrent de coopérer à une action militaire eventuelle contre l'Allemagne.» Giraud, *Un seul but, la victoire,* p. 16. Giraud espérait que le débarquement allié aurait lieu dans le sud de la France. Vu la puissance de l'Allemagne à cette époque, une telle entreprise aurait probablement échoué; en tout cas, elle aurait causé des ravages effroyables.
8. Giraud a raconté les péripéties de son évasion, ainsi que celles de sa première évasion au cours de la Grande Guerre, dans son livre intitulé *Mes évasions.*
9. Le quartier général était installé dans les souterrains de la forteresse.
10. L'amiral Darlan (vice président du Conseil du gouvernement de Vichy, successeur désigné de Pétain) était arrivé à Alger le 5 novembre pour voir Alain Darlan, son fils unique, atteint de poliomyélite et en danger de mort. La «coïncidence» demeure troublante car Darlan avait eu des contacts ultrasecrets avec les Américains. Dans cette affaire encore mal élucidée, les

principaux intermédiaires étaient, d'un côté, Alain Darlan (qui, comme par hasard . . . parcourait l'Afrique pour des raisons professionnelles!) et, de l'autre, Robert Murphy. Toutefois, Darlan ne voulait pas s'engager trop vite et les Américains n'étaient pas disposés à révéler la date et les détails du futur débarquement. Aussi longtemps que possible, Darlan a cherché à jouer sur les deux tableaux si bien que son comportement, dans cette affaire comme dans tant d'autres, demeure difficile à suivre.

11. Le commandement américain escomptait que Darlan donnerait l'ordre aux troupes de cesser le combat (ce qui fut fait) mais également qu'il donnerait l'ordre à la flotte française qui était désarmée dans le port de Toulon, de venir en Afrique du Nord. Ceci malheureusement n'a pas été réalisé. Pour répondre au débarquement américain en Afrique du Nord, les troupes allemandes traversèrent la zone de démarcation le 11 novembre 1942. La France fut entièrement occupée. Afin d'empêcher que la flotte tombe entre les mains des Allemands, elle a été sabordée dans le port le 26 novembre.

12. Discours du 8 novembre 1942.

13. «Not only Parliament but also the nation found it hard to swallow «De Gaulle banned; Darlan uplifted.» Churchill, *The Second World War,* IV, p. 637.

14. Soustelle, *Envers et contre tout,* I, p. 462.

15. Les accords Clark-Darlan furent signés le 22 novembre 1943.

16. Pierre Boisson, gouverneur général de l'A.O.F., avait empêché l'arrivée des gaullistes à Dakar au mois d'août 1940. Voir pp. 114–115.

17. Chef de l'Afrikakorps

18. Darlan fut assassiné par un jeune homme de vingt ans, Fernand Bonnier de la Chapelle, qui était convaincu que cette mort était nécessaire pour permettre l'union des Français. «Darlan's murder, however criminal, relieved the Allies of their embarrassment at working with him, and at the same time left them with all the advantages he had been able to bestow during the vital hours of the Allied landings.» Churchill, *op. cit.,* IV, p. 644.

19. De Gaulle, *Mémoires de Guerre* (Librairie Plon), II, p. 429.

20. *Ibid.,* p. 430.

21. Voir: Sherwood, *Roosevelt and Hopkins,* p. 680.

22. Giraud, *Un seul but, la victoire,* p. 105.

23. Voici comment Hopkins a vu la scène: «In the middle of the conference I noticed that the whole of the Secret Service detail was behind the curtain and above the gallery in the living room and at the doors leading into the room and I glimpsed a Tommy Gun in the hands of one. I left the conference and I went out to talk to the Secret Service to find out what it was all about and found them all armed to the teeth with, perhaps, a dozen Tommy Guns among the group. . . None of this hokus pokus had gone on when Giraud saw the President and it was simply an indication of the atmosphere in which de Gaulle found himself in Casablanca. To me the armed Secret Service was unbelievably funny and nothing in Gilbert and Sullivan could have beaten it. Poor General de Gaulle, who probably did not know it, was covered by guns throughout his visit.» Sherwood, *op. cit.,* p. 685.

24. A plusieurs reprises le gouvernement américain tenta de détourner les résistants de de Gaulle. Voir: René Hostage, *Le Conseil national de la Résistance.*

25. Giraud répétait comme un leitmotiv: «Je suis un soldat. Je ne veux pas faire de politique.»

26. Léon Blum, *Mémoires* (1940–1945), p. 372.

27. Le général Delestraint (alias Vidal) avait été général de corps d'armée au cours de la campagne de 1939–1940. Au mois de novembre 1942, de Gaulle le chargea du commandement suprême de l'armée clandestine.

28. Il s'agit de la C.G.T. (Confédération Générale du Travail) et des syndicats chrétiens.

29. Giraud s'était adressé à de Gaulle par l'intermédiare du général Catroux. Le texte des diverses messages est reproduit dans: de Gaulle, *Mémoires de Guerre* (Librairie Plon), II, pp. 454–479.

30. De Gaulle, *Mémoires de Guerre* (Librairie Plon), II, p. 455.

31. André Philip était arrivé de France au mois de mai 1942. Il représentait à la fois la résistance et le parti socialiste. De Gaulle le nomma Commissaire national à l'Intérieur et il le chargea de plusieurs missions diplomatiques. Soustelle avait rejoint la France Libre dès 1940.

32. A Paris. Par la suite, toutes les réunions du Conseil national de la Résistance eurent lieu à des adresses différentes.

33. Il était en Algérie. Il préparait avec le général Eisenhower l'opération «Hobgoblin», c'est à dire le débarquement dans l'île de Pantelleria située entre la Tunisie et la Sicile. Par la même occasion, il surveillait de près «le mariage Giraud-de Gaulle».

LA LEGITIMITE

. . . *La guerre, c'est une politique.*[1]

De Gaulle atterrit à Alger le 30 mai 1943.[2] Trois ans plus tôt — presque jour pour jour — il avait vainement exhorté le dernier gouvernement de la IIIe République à se replier dans cette ville pour y poursuivre la lutte.

Dès son arrivée, l'opposition entre les deux coprésidents éclata. De Gaulle demanda l'annulation des accords Clark-Darlan qui avaient donné à l'Afrique du Nord un statut de pays occupé; il demanda la séparation des pouvoirs politiques et du commandement militaire[3] enfin, il demanda l'élimination des administrateurs qui avaient fait partie du gouvernement de Vichy.[4] Le 3 juin, le Comité français de la Libération nationale fut constitué. Outre les deux coprésidents, il comprenait six membres;[5] les hommes de Vichy n'y siégeaient pas.

Les deux présidents masquaient tant bien que mal leurs discordes au public néanmoins, à Alger, personne n'ignorait que, dans leurs entretiens privés, les deux grands gaillards s'affrontaient violemment! On parlait de coups de poing sur la table, d'éclaboussures d'encre, d'espionnage, de complots . . . Déjà avant la guerre, Giraud avait atteint le sommet de la hiérarchie. Il se sentait sûr de lui. Général d'armée portant cinq étoiles, il était irrité au plus haut point par la popularité de son jeune partenaire qui, après tout, n'était que général de brigade (deux étoiles) et . . . à titre temporaire![6] Un jour, à l'issue d'une réunion d'état-major, de Gaulle aurait pris par mégarde un képi à cinq étoiles. L'alerte fut chaude! Pour éviter qu'un incident aussi fâcheux se renouvelle, ce dernier exigea que, dorénavant, son propre képi soit toujours placé à part, sur une table de l'antichambre, la visière en l'air.[7] De Gaulle, qui avait conscience de représenter la France toute entière, se sentait au dessus de toute question de rang. Il considérait que, le 18 juin, il était «sorti de la hiérarchie» pour toujours.

Afin de renflouer sa position, Giraud se prévalait de la protection des anglo-américains; cela devait précipiter sa déchéance. De Gaulle avançait, étape par étape, vers la formation d'un gouvernement axé autour d'une autorité unique. Ce match divertit certains journalistes et caricaturistes mais il inquiéta le gouvernement de Washington. Selon Robert Murphy, Roosevelt ne prit jamais conscience du fait que, en l'espace de cinq mois, de Gaulle avait acquis un ascendant quasi absolu en Afrique du Nord. Le décalage entre la réalité et l'opinion personnelle du Président des Etats-Unis contribua encore à aggraver l'imbroglio. En tant que commandant en chef des forces alliées, Eisenhower fut chargé de défendre la position de Giraud.[8]

En dépit des circonstances qui les ont à plusieurs reprises opposés l'un à l'autre, de Gaulle a éprouvé une profonde admiration à l'égard de Eisenhower.

Photo E. C. Armées

Alger 1943. Les deux coprésidents du Comité français de la Libération nationale. A droite le général Catroux.

Il était un soldat. Par nature et par profession, l'action lui semblait droite et simple. Mettre en œuvre, suivant les règles traditionnellement consacrées, des moyens déterminés et d'une espèce familière, c'est ainsi qu'il voyait la guerre et, par conséquent, sa tâche. Eisenhower abordait l'épreuve, façonné pendant trente-cinq ans par une technique et une philosophie qu'il n'était aucunement porté à dépasser. Or, voici que de but en blanc il se trouvait investi d'un rôle extraordinairement complexe. Tiré du cadre, jusqu'alors étroit, de l'armée américaine, il devenait commandant en chef d'une colossale coalition. Par le fait qu'il avait à conduire les forces de plusieurs peuples dans des batailles dont dépendait le sort de leurs Etats, il voyait, à travers le système éprouvé des unités sous ses ordres, faire irruption des susceptibilités et des ambitions nationales.

Ce fut une chance de l'alliance que Dwight Eisenhower découvrît en lui-même, non seulement la prudence voulue pour affronter ces problèmes épineux, mais aussi l'attirance pour les horizons élargis que l'Histoire ouvrait à sa carrière. Il sut être adroit et souple. Mais, s'il usa d'habileté, il fut aussi capable d'audace. Il lui en fallut, en effet, pour jeter sur les plages d'Afrique une armée transportée d'un bord à l'autre de l'Océan; pour aborder l'Italie en présence d'un ennemi intact; pour débarquer de lourdes unités sur une bande de côte normande devant un adversaire retranché et manœuvrier; pour lancer, par la trouée d'Avranches, l'armée mécanique de Patton et la pousser jusqu'à Metz. Cependant, c'est principalement par la méthode et la persévérance qu'il domina la situation. En choisissant des plans raisonnables, en s'y tenant avec fermeté, en respectant la logistique, le général Eisenhower mena jusqu'à la victoire la machinerie compliquée et passionnée des armées du monde libre.

On n'oubliera jamais, qu'à ce titre, il eut l'honneur de les conduire à la libération de la France. Mais, comme les exigences d'un grand peuple sont à l'échelle de ses malheurs, on pensera sans doute aussi que le Commandant en chef aurait pu, mieux encore, servir notre pays. Qu'il liât[9] sa stratégie à la grande querelle de la France, comme il la pliait aux desseins des puissances anglo-saxonnes, qu'il armât massivement nos troupes, y compris celles de la clandestinité, que dans son dispositif il attribuât toujours une mission de premier ordre à l'armée française renaissante, notre redressement guerrier eût été plus éclatant, l'avenir plus profondément marqué.

Dans mes rapports avec lui, j'eus souvent le sentiment que cet homme au cœur généreux inclinait vers ces perspectives. Mais je l'en voyais revenir bientôt et comme à regret. C'est qu'en effet la politique qui, de Washington, régentait son comportement lui commandait la réserve. Il s'y pliait, soumis à l'autorité de Roosevelt, impressionné par les conseillers que celui-ci lui déléguait, épié par ses pairs — ses rivaux — et n'ayant pas encore acquis, face au pouvoir, cette assurance que le chef militaire tire, à la longue, des grands services rendus.

...Au fond, ce grand soldat ressentait, à son tour, la sympathie mystérieuse qui, depuis tantôt deux siècles, rapprochait son pays du mien dans les grands drames du monde. Ce ne fut pas de son fait que, cette fois, les Etats-Unis écoutèrent moins notre détresse que l'appel de la domination.

Mémoires de Guerre, II, L'Unité, Librairie Plon, 1956.

Tandis qu'un gouvernement provisoire s'installait à Alger, la France traversait la période la plus tragique de son histoire. La résistance constituait désormais un obstacle sérieux pour les Allemands mais ces derniers se vengeaient par d'atroces répressions sur les civils. Sans arrêt les réseaux de l'armée secrète étaient décimés par la Gestapo.[10] Le 21 juin 1943, Jean Moulin fut capturé. Soumis à la torture, il succomba quelques jours plus tard sans avoir livré ses secrets. De Gaulle voulait à tout prix empêcher les communistes d'accaparer la résistance. Il chargea plusieurs hommes de valeur de maintenir la cohésion entre les différents mouvements mais presque tous tombèrent rapidement entre les mains des Allemands.

Jamais encore n'a été pire la condition matérielle des Français. Pour presque tous, le ravitaillement est une tragédie de chaque jour. Du printemps de 1943 à celui de 1944, la ration officielle ne vaut pas mille calories. Faute d'engrais, de main-d'œuvre, de carburant, de moyens de transport, la production agricole atteint à peine les deux tiers de ce qu'elle était autrefois. D'ailleurs, l'occupant prélève une grande partie de ce que fournit la réquisition; pour la viande, il en prend la moitié. Encore, par le marché noir, taille-t-il dans ce qui reste et qui devrait être livré au public. Ce que l'Allemand mange de cette façon, il le paie avec l'argent qu'il puise dans le Trésor français.[11] Plus de 300 milliards au total jusqu'en août 1943, plus de 400 jusqu'en mars 1944. Un million cinq cent mille prisonniers de guerre français

Photo E. C. Armées

De Gaulle préside l'Assemblée consultative provisoire.

ou fait sauter, avant de fuir, de vastes dépôts de matériel et de munitions et dont le pauvre cimetière, bouleversé par les explosions, étalait le plus triste spectacle. Au milieu des premiers habitants qui avaient regagné leur demeure, le général Martin me présenta les troupes victorieuses. Partout, les groupes paramilitaires[20] se montraient justement fiers d'avoir soutenu la gloire de la Corse en combattant pour la France. Chaque village où je m'arrêtai prodiguait les plus touchantes démonstrations, tandis que les troupiers italiens, qui s'y trouvaient cantonnés, ne cachaient pas leur sympathie. A l'arrivée et au départ, le visage cinglé par le riz que mes hôtes lançaient, suivant la coutume corse, en signe de bienvenue, j'entendais crépiter les mitraillettes de la libération.

Mémoires de Guerre, II, *L'Unité*, Librairie Plon, 1956.

La libération de la Corse plaçait sous l'autorité de de Gaulle le premier département métropolitain libéré. L'homme du 18 juin était encore grandi par les acclamations qu'il venait de recevoir à la séance inaugurale de l'Assemblée consultative provisoire. Giraud, assez défiant à l'égard des institutions démocratiques, s'était opposé à la convocation de cette assemblée; néanmoins, en qualité de coprésident, il dut assister à son ouverture.[21] Ce fut sa dernière apparition politique officielle. Le 9 mars 1943, le Comité français de la Libération nationale, à l'unanimité, reconnaissait de Gaulle comme le seul et unique président. Giraud devint commandant en chef des forces armées;[22] quelques mois plus tard, celui-ci prenait sa retraite. Ainsi se termina «l'entreprise parallèle».

L'Assemblée consultative provisoire comprenait une cinquantaine de délégués de la résistance intérieure, une vingtaine d'anciens parlementaires de la IIIe République qui ne s'étaient pas compromis avec Vichy, des représentants de la Corse, de l'Algérie, des territoires d'outre-mer et des Français résidant à l'étranger. Tous les partis se trouvaient représentés dans ce petit parlement qui siégeait selon les traditions républicaines.[23] Personne ne devait paraître exclu. Les représentants de la presse, le corps diplomatique et le public avaient leur tribune. Les anciens parlementaires se retrouvaient dans leur élément. La vie reprenait. Un jour, de Gaulle dit à l'Assemblée:

«La France se relève. Et la preuve qu'elle se relève, messieurs, c'est que vous êtes là.»[24]

En rassemblant les représentants des partis, y compris du parti communiste, de Gaulle ne se plaçait pas sous leur tutelle. Il ne leur demandait pas de lui accorder le pouvoir puisque, selon lui, des circonstances sans précédent dans l'histoire le lui avaient confié en 1940. D'ailleurs, en 1943, bien rares étaient les Français qui auraient contesté sa «légitimité». Il les conviait tout simplement à représenter la nation toute entière, à rétablir une administration régulière au fur et à mesure de la libération du territoire et à représenter une France unie vis-à-vis des gouvernements étrangers.[25] L'assemblée délibérait. De Gaulle écoutait, observait et restait l'arbitre.

Quatre semaines plus tard, la transformation du Comité d'Alger allait être un fait accompli. De toute manière, la réunion, au début de novembre, de l'Assemblée consultative imposait son remaniement. On voyait arriver après de périlleux voyages les délégués de la résistance. Ils apportaient en Afrique du Nord l'état d'âme de leurs mandants. Du coup, un souffle âpre et salubre passait dans les réunions, les bureaux, les journaux d'Alger. Les délégués publiaient les messages de confiance dont ils étaient chargés pour de Gaulle. Ils ne tarissaient pas sur le sujet de l'action clandestine, de ses héros, de ses besoins. Ils bouillonnaient de projets concernant l'avenir de la nation. Tout en tirant le gouvernement de son état de bicéphalie, je voulais m'y associer certains des hommes qui venaient de France.

Dans le courant d'octobre, le Comité de la libération adopta, à mon invitation, une ordonnance en vertu de laquelle il n'aurait qu'un président. Giraud lui-même y apposa sa signature. Au reste, voyant se préciser la perspective de l'envoi d'un corps expéditionnaire français en Italie, il se reprenait à espérer que les alliés feraient appel à lui pour exercer le commandement en chef dans la Péninsule. Le 6 novembre, en la présence et avec l'accord explicite du général Giraud, le Comité «demanda au général de Gaulle de procéder aux changements qu'il jugerait nécessaire d'apporter à sa composition».

Ce fut fait le 9 novembre. Un an après le débarquement sanglant des Anglo-Saxons en Algérie et au Maroc, cinq mois après ma hasardeuse arrivée à Alger, la volonté nationale, pour opprimée et assourdie qu'elle fût, avait fini par l'emporter. Si évident était le courant, que la malveillance des opposants ne pouvait plus subsister que dans l'ombre. Quant aux alliés, il leur fallait se résigner à voir la France en guerre conduite par un gouvernement français. Renonçant, désormais, à invoquer «les nécessités militaires» et «la sécurité des communications», leur politique s'accommodait de ce qu'elle ne pouvait empêcher. L'effort commun allait y gagner beaucoup. Pour moi, je me sentais décidément assez fort pour être sûr que, demain, la bataille et la victoire des autres seraient aussi la bataille et la victoire de la France.

Mémoires de Guerre, II, L'Unité, Librairie Plon, 1956.

Momentanément tout au moins, les débats politiques allaient rester à l'arrière plan, car, pour tous, la libération de la métropole était le but suprême. L'Italie venait de signer l'armistice;[26] les armées allemandes lâchaient pied;[27] le Japon abandonnait, l'une après l'autre, ses prises dans le Pacifique. L'heure de la France allait sonner. Au mois de janvier 1944, sachant que les événements militaires l'obligeraient bientôt à quitter l'Afrique, de Gaulle convoqua la Conférence de Brazzaville. Sans délai, il tenait à orienter l'avenir des colonies françaises et les rapports entre la métropole et ses territoires d'outre-mer.[28]

Discours prononcé à l'ouverture de la Conférence de Brazzaville, le 30 janvier 1944.

Si l'on voulait juger des entreprises de notre temps suivant les errements anciens, on pourrait s'étonner que le Gouvernement français ait décidé de réunir cette conférence africaine.

«Attendez!» nous conseillerait, sans doute, la fausse prudence d'autrefois. «La guerre n'est pas à son terme. Encore moins peut-on savoir ce que sera demain la paix. La France, d'ailleurs, n'a-t-elle pas, hélas! des soucis plus immédiats que l'avenir de ses territoires d'outre-mer?»

Mais il a paru au gouvernement que rien ne serait en réalité moins justifié que cet effacement, ni plus imprudent que cette prudence. C'est qu'en effet, loin que la situation présente, pour cruelle et compliquée qu'elle soit, doive nous conseiller l'abstention, c'est au contraire l'esprit d'entreprise qu'elle nous commande...

Ce qui a été fait par nous pour le développement des richesses et pour le bien des hommes, à mesure de cette marche en avant, il n'est, pour le discerner, que de parcourir nos territoires et, pour le reconnaître, que d'avoir du cœur. Mais, de même qu'un rocher lancé sur la pente roule plus vite à chaque instant, ainsi l'œuvre que nous avons entreprise ici nous impose sans cesse de plus larges tâches. Au moment où commençait la présente guerre mondiale, apparaissait déjà la nécessité d'établir sur des bases nouvelles les conditions de la mise en valeur de notre Afrique, du progrès humain de ses habitants et de l'exercice de la souveraineté française.

Comme toujours, la guerre elle-même précipite l'évolution. D'abord, par le fait qu'elle fut, jusqu'à ce jour, pour une bonne part une guerre africaine et que, du même coup, l'importance absolue et relative des ressources, des communications, des contingents d'Afrique, est apparue dans la lumière crue des théâtres d'opérations. Mais, ensuite et surtout, parce que cette guerre a pour enjeu ni plus ni moins que la condition de l'homme et que, sous l'action des forces psychiques qu'elle a partout déclenchées, chaque individu lève la tête, regarde au-delà du jour et s'interroge sur son destin.

S'il est une puissance impériale que les événements conduisent à s'inspirer de leurs leçons et à choisir noblement, libéralement, la route des temps nouveaux où elle entend diriger les 60 millions d'hommes qui se trouvent associés au sort de ses 42 millions d'enfants, cette puissance c'est la France.

En premier lieu et tout simplement parce qu'elle est la France, c'est-à-dire la nation dont l'immortel génie est désigné pour les initiatives qui, par degrés, élèvent les hommes vers les sommets de dignité et de fraternité où, quelque jour, tous pourront s'unir. Ensuite parce que, dans l'extrémité où une défaite provisoire l'avait refoulée, c'est dans ses terres d'outre-mer, dont toutes les populations, dans toutes les parties du monde, n'ont pas, une seule minute, altéré leur fidélité, qu'elle a trouvé son recours et la base de départ pour sa libération et qu'il y a désormais, de ce fait, entre la Métropole et l'Empire un lien définitif. Enfin, pour cette raison que, tirant à mesure du drame les conclusions qu'il comporte, la France est aujourd'hui animée, pour ce qui la concerne elle-même et pour ce qui concerne tous ceux qui dépendent d'elle, d'une volonté ardente et pratique de renouveau.

Est-ce à dire que la France veuille poursuivre sa tâche d'outre-mer en enfermant ses territoires dans des barrières qui les isoleraient du monde et, d'abord, de l'ensemble des contrées africaines? Non, certes!... Nous croyons que, pour ce qui concerne la vie du monde de demain, l'autarcie ne serait, pour personne, ni souhaitable, ni même possible. Nous croyons, en particulier, qu'au point de vue du développement des ressources et des grandes communications, le continent africain doit constituer dans une large mesure un tout. Mais, en Afrique française, comme dans tous les autres territoires où des hommes vivent sous notre drapeau, il n'y aurait aucun progrès, si les hommes, sur leur terre natale, n'en profitaient pas moralement et matériellement, s'ils ne pouvaient s'élever peu à peu jusqu'au niveau où ils seront capables de participer chez eux à la gestion de leurs propres affaires. C'est le devoir de la France de faire en sorte qu'il en soit ainsi.[29]

Tel est le but vers lequel nous avons à nous diriger. Nous ne nous dissimulons pas la longueur des étapes.[30]

A mesure que le «jour J» approchait, de Gaulle sentait que sa présence serait plus nécessaire à Londres que nulle part ailleurs. Avant de quitter Alger, il prit une série de mesures destinées à établir des institutions transitoires en France au fur et à mesure que le pays se trouverait libéré.[31] «Quels que doivent être la date et le rythme de la libération du territoire métropolitain, dit-il, les problèmes immédiats que le gouvernement devra alors résoudre, revêtiront un caractère d'ampleur et de difficulté . . . Ces problèmes, pour ne parler que des principaux, concernent la poursuite de la guerre aux côtés des alliés, l'indispensable participation française à l'élaboration et à l'application des armistices européens, le maintien de l'ordre public, la mise en place d'une administration épurée, le fonctionnement de la justice, le ravitaillement, la monnaie, les salaires, le régime du travail, l'organisation de la production, etc . . .»[32]

Le 3 juin, veille de son départ, il conféra au Comité français de la Libération nationale le titre de Gouvernement Provisoire de la République Française.[33]

Une activité diplomatique et militaire fébrile régnait à Londres. De Gaulle était le «parent pauvre». Il le savait. On ne manquait d'ailleurs pas de le lui rappeler. «Comme elle est courte l'épée de la France, au moment où les alliés se lancent à l'assaut de l'Europe! Jamais encore notre pays n'a, en une si grave occasion, été réduit à des forces relativement aussi limitées.»[34] Le grand état-major anglo-américain l'avait tenu à l'écart de l'élaboration de l'opération «Overlord».[35] Sur le plan diplomatique, les «deux grands» refusaient encore de le reconnaître comme le représentant officiel du gouvernement provisoire de la France. Il fallut l'accueil délirant des premières villes normandes libérées pour que de Gaulle puisse présenter aux alliés une preuve irréfutable de sa légitimité.

Dans ce moment de l'Histoire, un même souffle d'estime et d'amitié passe sur tous les Français et tous les Anglais qui sont là. Mais, ensuite, on en vient aux affaires.[36] «Faisons, me dit Churchill, un arrangement au sujet de notre coopération en France. Vous irez, ensuite, en Amérique le soumettre au Président. Il est possible qu'il l'accepte et, alors, nous pourrons l'appliquer. De toutes façons, vous causerez avec lui. C'est ainsi qu'il s'adoucira et reconnaîtra votre administration sous une forme ou sous une autre.» Je réponds: «Pourquoi semblez-vous croire que j'aie à poser devant Roosevelt ma candidature pour le pouvoir en France? Le Gouvernement français existe. Je n'ai rien à demander dans ce domaine aux Etats-Unis d'Amérique, non plus qu'à la Grande-Bretagne. Ceci dit, il est important pour tous les alliés qu'on organise les rapports de l'administration française et du commandement militaire. Il y a neuf mois que nous l'avons proposé. Comme demain les armées vont débarquer, je comprends votre hâte de voir régler la question. Nous-mêmes y sommes prêts. Mais où est, pour ce règlement, le représentant américain? Sans lui, pourtant, vous le savez bien, nous ne pouvons rien conclure en la matière. D'ailleurs, je note que les gouvernements de Washington et de Londres ont pris leurs dispositions pour se passer d'un accord avec nous. Je viens d'apprendre, par exemple, qu'en dépit de nos avertissements, les troupes et les services qui s'apprêtent à débarquer sont munis d'une monnaie soi-disant française, fabriquée par l'étranger, que le Gouvernement de la République ne reconnaît absolument pas et qui, d'après les ordres du commandement interallié, aura cours forcé en territoire français. Je m'attends à ce que, demain, le général Eisenhower, sur instruction du Président des Etats-Unis et d'accord avec vous-même, proclame qu'il prend la France sous son autorité. Comment voulez-vous que nous traitions sur ces bases?»

— «Et vous! s'écria Churchill, comment voulez-vous que nous, Britanniques, prenions une position séparée de celle des Etats-Unis?» Puis, avec une passion dont je sens qu'il la destine à impressionner ses auditeurs anglais plutôt que moi-même: «Nous allons libérer l'Europe, mais c'est parce que les Américains sont avec nous pour le faire. Car, sachez-le! chaque fois qu'il nous faudra choisir entre l'Europe et le grand large, nous serons toujours pour le grand large. Chaque fois qu'il me faudra choisir entre vous et Roosevelt, je choisirai toujours Roosevelt.» Après cette sortie, Eden, hochant la tête, ne me paraît guère convaincu. Quant à Bevin, ministre travailliste du Travail, il vient à moi et me déclare assez haut pour que chacun l'entende: «Le Premier Ministre vous a dit que, dans tous les cas, il prendrait le parti du Président des Etats-Unis. Sachez qu'il a parlé pour son compte et nullement au nom du cabinet britannique.»

Là-dessus, Churchill et moi partons ensemble pour le quartier général d'Eisenhower qui se trouve à proximité. Au fond d'un bois, dans une baraque aux parois tapissées de cartes, le Commandant en chef nous expose, avec beaucoup de clarté et de maîtrise de soi, son plan pour le débarquement et l'état des préparatifs. Les navires sont en mesure de quitter les ports à tout instant.[37] Les avions peuvent prendre l'air au premier signal. Les troupes ont été embarquées depuis plusieurs jours. La vaste machinerie du départ, de la traversée, de la mise à terre des huit divisions et du matériel qui forment le premier échelon est montée dans les moindres détails. La protection de l'opération par la marine, l'aviation, les parachutistes ne laisse rien au hasard. Je constate que, dans cette affaire très risquée et très complexe, l'aptitude des Anglo-Saxons à établir ce qu'ils appellent le «planning» s'est déployée au maximum. Toutefois, le Commandant en chef doit encore fixer le jour et l'heure et, sur ce point, il est en proie à de rudes perplexités. Tout a été calculé, en effet, pour que le débarquement ait lieu entre le 3 et le 7 juin. Passé cette date, les conditions de marée et de lune exigeraient que l'opération soit reportée d'environ un mois. Or, il fait très mauvais temps. Pour les chalands, les pontons, les chaloupes, l'état de la mer rend aléatoires la navigation et l'abordage. Cependant, il faut que l'ordre du déclenchement, ou de la remise, soit donné au plus tard demain. Eisenhower me demande: «Qu'en pensez-vous?»

Je réponds au Commandant en chef qu'il s'agit d'une décision qui relève exclusivement de sa responsabilité, que mon avis ne l'engage à rien, que j'approuve par avance sans réserve le parti qu'il choisira de prendre. «Je vous dirai seulement, ajouté-je, qu'à votre place je ne différerais pas. Les risques de l'atmosphère me semblent moindres que les inconvénients d'un délai de plusieurs semaines qui prolongerait la tension morale des exécutants et compromettrait le secret.»[38]

Comme je m'apprête à me retirer, Eisenhower me tend, avec une gêne manifeste, un document dactylographié. «Voici, dit-il, la proclamation que je me dispose à faire à l'intention des peuples de l'Europe occidentale, notamment du peuple français.» Je parcours le texte et déclare à Eisenhower qu'il ne me satisfait pas. «Ce n'est qu'un projet, assure le Commandant en chef. Je suis prêt à le modifier suivant vos observations.» Il est convenu que je lui ferai connaître explicitement, le lendemain, les changements qui me paraîtront nécessaires. M. Churchill me ramène jusqu'à son train où nous devons retrouver les nôtres. Je ne lui cache pas mon souci. Car, sur la claire perspective du combat, vient de s'étendre, une fois de plus, l'ombre d'une artificieuse politique.[39]

• • •

... Entre le 8 et le 20 juin, Tchécoslovaques, Polonais, Belges, Luxembourgeois, Yougoslaves, Norvégiens reconnaissent officiellement, sous son nom, le Gouvernement provisoire de la République française, malgré les démarches instantes qu'Américains et Anglais font auprès d'eux pour qu'ils s'en abstiennent.[40] Seuls, les Hollandais gardent l'expectative, croyant qu'en déférant sur ce point aux désirs de Washington ils en obtiendront plus de compréhension à propos de l'Indonésie. Cette attitude quasi unanime des Etats européens ne laisse pas d'impressionner l'Amérique et la Grande-Bretagne. Mais c'est le témoignage rendu par le petit morceau de France que le combat vient d'affranchir qui achèvera de dissiper les ombres.

Le 13 juin, en effet, je pars pour visiter la tête de pont. Depuis plusieurs jours, j'étais prêt à ce voyage. Mais les alliés ne s'empressaient pas de me le faciliter... Le 14 juin,[41] au matin, nous jetons l'ancre au plus près de la côte française et prenons pied sur la plage à la limite de la commune de Courseulles au milieu d'un régiment canadien qui débarque au même moment.

Le général Montgomery, commandant les forces alliées dans la tête de pont, prévenu depuis une heure, a mis gracieusement à notre disposition des voitures et des guides. Le commandant Chandon, officier de liaison français, est accouru avec son équipe. J'envoie tout de suite à Bayeux François Coulet[42] nommé, séance tenante, commissaire de la République pour le territoire normand libéré et le colonel de Chevigné chargé, à l'instant même, des subdivisions militaires...

... Quand j'arrive à l'entrée de la ville, Coulet est là avec le maire Dodeman et son conseil municipal.

Nous allons à pied, de rue en rue. A la vue du général de Gaulle, une espèce de stupeur saisit les habitants, qui ensuite éclatent en vivats ou bien fondent en larmes. Sortant des maisons, ils me font cortège au milieu d'une extraordinaire émotion. Les enfants m'entourent. Les femmes sourient et sanglotent. Les hommes me tendent les mains. Nous allons ainsi, tous ensemble, bouleversés et fraternels, sentant la joie, la fierté, l'espérance nationales remonter du fond des abîmes. A la sous-préfecture, dans le salon où, une heure plus tôt, était encore suspendu le portrait du Maréchal, le sous-préfet Rochat se met à mes ordres, en attendant d'être relevé par Raymond Triboulet. Tout ce qui exerce une fonction accourt pour me saluer. La première visite que je reçois est celle de Mgr Picaud, évêque de Bayeux et de Lisieux. Comme la population s'est rassemblée sur la place du Château, je m'y rends pour lui parler. Maurice Schumann annonce mon allocution par les mots habituels: «Honneur et patrie! Voici le général de Gaulle!»[43] Alors, pour la première fois depuis quatre affreuses années, cette foule française entend un chef français dire devant elle que l'ennemi est l'ennemi, que le devoir est de le combattre, que la France, elle aussi, remportera la victoire. En vérité, n'est-ce pas cela la «révolution nationale»?

Isigny, cruellement détruit et d'où l'on tire encore des cadavres de dessous les décombres, me fait les honneurs de ses ruines. Devant le monument aux morts, que les bombes ont mutilé, je m'adresse aux habitants. D'un seul cœur, nous élevons notre foi et notre espoir au-dessus des débris fumants. Le bourg des pêcheurs, Grandcamp, lui aussi ravagé, a pour finir ma visite. En chemin, je salue des détachements de troupes alliées qui gagnent le front ou en reviennent et quelques escouades de nos forces de l'intérieur. Certaines d'entre elles ont efficacement aidé au débarquement. La nuit tombée, nous regagnons Courseulles, puis la mer et notre bord...[44]

Mémoires de Guerre, II, *L'Unité*, Librairie Plon, 1956.

«La preuve est faite.»[45] Alors, il accepta l'invitation de Roosevelt. Pour qu'il n'y ait pas de malentendu, il fit préciser qu'il serait «l'hôte du Président et du gouvernement des Etats-Unis.» Il fit une brève escale en Italie; il inspecta le front, prit contact avec le nouveau gouvernement italien et fut reçu par le Pape. Il repassa par Alger puis il s'envola vers Washington.

...Pendant cinq jours passés dans la capitale fédérale, je vois avec admiration couler le torrent de confiance qui emporte l'élite américaine et j'observe que l'optimisme va bien à qui en a les moyens.

Le président Roosevelt, lui, ne doute pas de les avoir. Au cours de nos entretiens, il se garde de rien évoquer de brûlant, mais me donne à entrevoir les objectifs politiques qu'il veut atteindre grâce à la victoire. Sa conception me paraît grandiose, autant qu'inquiétante pour l'Europe et pour la France. Il est vrai que l'isolationnisme des Etats-Unis est, d'après le Président, une grande erreur révolue. Mais, passant d'un extrême à l'autre, c'est un système permanent d'intervention qu'il entend instituer de par la loi internationale. Dans sa pensée, un directoire à quatre: Amérique, Russie soviétique, Chine, Grande-Bretagne, réglera les problèmes de l'univers. Un parlement des Nations Unies donnera un aspect démocratique à ce pouvoir des «quatre grands». Mais, à moins de livrer à la discrétion des trois autres la quasi-totalité de la terre, une telle organisation devra, suivant lui, impliquer l'installation de la force américaine sur des bases réparties dans toutes les régions du monde et dont certaines seront choisies en territoire français.

Roosevelt compte, ainsi, attirer les Soviets dans un ensemble qui contiendra leurs ambitions et où l'Amérique pourra rassembler sa clientèle. Parmi «les quatre», il sait, en effet, que la Chine de Chiang-kaï-shek a besoin de son concours et que les Britanniques, sauf à perdre leurs dominions, doivent se plier à sa politique. Quant à la foule des moyens et petits Etats, il sera en mesure d'agir sur eux par l'assistance. Enfin, le droit des peuples à disposer d'eux-mêmes, l'appui offert par Washington, l'existence des bases américaines, vont susciter, en Afrique, en Asie, en Australie, des souverainetés nouvelles qui accroîtront le nombre des obligés des Etats-Unis. Dans une pareille perspective, les questions propres à l'Europe, notamment le sort de l'Allemagne, le destin des Etats de la Vistule, du Danube, des Balkans, l'avenir de l'Italie, lui font l'effet d'être accessoires. Il n'ira assurément pas, pour leur trouver une heureuse solution, jusqu'à sacrifier la conception monumentale qu'il rêve de réaliser.

J'écoute Roosevelt me décrire ses projets. Comme cela est humain, l'idéalisme y habille la volonté de puissance. Le Président, d'ailleurs, ne présente nullement les choses comme un professeur qui pose des principes, ni comme un politicien qui caresse des passions et des intérêts. C'est par touches légères qu'il dessine, si bien qu'il est difficile de contredire catégoriquement cet artiste, ce séducteur. Je lui réponds, cependant, marquant qu'à mon sens son plan risque de mettre en péril l'Occident. En tenant l'Europe de l'Ouest pour secondaire, ne va-t-il pas affaiblir la cause qu'il entend servir: celle de la civilisation? Afin d'obtenir l'adhésion des Soviets, ne faudra-t-il pas leur consentir, au détriment de ce qui est polonais, balte, danubien, balkanique, des avantages menaçants pour l'équilibre général? Comment être assuré que la Chine, sortant des épreuves où se forge son nationalisme, demeurera ce qu'elle est? S'il est vrai, comme je suis le premier à le penser et à le dire, que les puissances coloniales doivent renoncer à l'administration directe des peuples qu'elles régissent et pratiquer avec eux un régime d'association, il l'est aussi que cet affranchissement ne saurait s'accomplir contre elles, sous peine de déchaîner, dans des masses inorganisées, une xénophobie et une anarchie dangereuses pour tout l'univers.

«C'est, dis-je au Président Roosevelt, l'Occident qu'il faut redresser. S'il se retrouve, le reste du monde, bon gré mal gré, le prendra pour modèle. S'il décline, la barbarie finira par tout balayer. Or, l'Europe de l'Ouest, en dépit de ses déchirements, est essentielle à l'Occident. Rien n'y remplacerait la valeur, la puissance, le rayonnement des peuples anciens. Cela est vrai avant tout de la France qui, des grandes nations de l'Europe, est la seule qui fut, est et sera toujours votre alliée. Je sais que vous vous préparez à l'aider matériellement et cela lui sera précieux. Mais c'est dans l'ordre politique qu'il lui faut reprendre sa vigueur, sa confiance en soi et, par conséquent, son rôle. Comment le fera-t-elle si elle est tenue en dehors des grandes décisions mondiales, si elle perd ses prolongements africains et asiatiques, bref, si le règlement de la guerre lui vaut, en définitive, la psychologie des vaincus?»

Le grand esprit de Roosevelt est accessible à ces considérations. D'ailleurs, il éprouve pour la France, tout au moins pour l'idée que naguère il avait pu s'en faire, une réelle dilection. Mais c'est précisément en raison de ce penchant qu'il est, au fond de lui-même, déçu et irrité de notre désastre d'hier et des réactions médiocres que celui-ci a suscitées chez beaucoup de Français, notamment parmi ceux qu'il connaissait en personne. Il me le dit tout uniment. Quant à l'avenir, il est rien moins que sûr de la rénovation de notre régime. Avec amertume, il me décrit ce qu'étaient ses sentiments, quand il voyait avant la guerre se dérouler le spectacle de notre impuissance politique. «Moi-même, me dit-il, Président des Etats-Unis, je me suis trouvé parfois hors d'état de me rappeler le nom du chef épisodique du Gouvernement français. Pour le moment, vous êtes là et vous voyez avec quelles prévenances mon pays vous accueille. Mais serez-vous encore en place après la fin de la tragédie?»

Il serait facile, mais vain, de rappeler à Roosevelt pour combien l'isolement volontaire de l'Amérique avait compté dans notre découragement après la première guerre mondiale, puis dans notre revers au début de la seconde. Il le serait, également, de lui faire observer à quel point son attitude vis-à-vis du général de Gaulle et de la France Combattante, ayant contribué à maintenir dans l'attentisme une grande partie de notre élite, favorise par avance le retour de la nation française à cette inconsistance politique qu'il condamne si justement. Les propos du Président américain achèvent de me prouver que, dans les affaires entre Etats, la logique et le sentiment ne pèsent pas lourd en comparaison des réalités de la puissance; que ce qui importe c'est ce que l'on prend et ce que l'on sait tenir; que la France, pour retrouver sa place, ne doit compter que sur elle-même. Je le lui dis. Il sourit et conclut: «Nous ferons ce que nous pourrons. Mais il est vrai que, pour servir la France, personne ne saurait remplacer le peuple français.»

• • •

Plus tard, cependant, un anonyme me fera parvenir la photocopie d'une lettre que Roosevelt a adressée, huit jours après mon départ, à un membre du Congrès M. Joseph Clark Baldwin. Le Président y fait allusion à je ne sais quelle obscure tractation américaine relative à une entreprise française, la «Compagnie générale transatlantique», et avertit son correspondant que l'on fasse bien attention à ce que je ne l'apprenne pas, car, mis au courant, je ne manquerais pas de liquider le directeur de cette compagnie. Dans sa lettre, Roosevelt formule, d'autre part, son appréciation sur moi-même et sur nos entretiens. «De Gaulle et moi, écrit-il, avons examiné, en gros, les sujets d'actualité. Mais nous avons causé, d'une manière approfondie, de l'avenir de la France, de ses colonies, de la paix du monde, etc. Quand il s'agit des problèmes futurs, il semble tout à fait «traitable», du moment que la France est traitée sur une base mondiale. Il est très susceptible en ce qui concerne l'honneur de la France. Mais je pense qu'il est essentiellement égoïste.» Je ne saurai jamais si Franklin Roosevelt a pensé que, dans les affaires concernant la France, Charles de Gaulle était égoïste pour la France ou bien pour lui.[46]

Le 10 juillet, très rapide passage à New York. Pour ne pas fournir d'occasions à des manifestations populaires qui, à trois mois de l'élection présidentielle, pourraient sembler dirigées contre ce qu'était, jusque-là, la politique du Président, il a été convenu que mes apparitions en public y seront très limitées. D'autant plus que c'est Dewey, candidat opposé à Roosevelt, qui est gouverneur de l'Etat de New York. Cependant, le maire Fiorello La Guardia, tout bouillonnant d'amitié, me reçoit en grande pompe à l'Hôtel de Ville où s'est porté un vaste concours de foule. Ensuite, il me fait parcourir la cité. Je dépose une croix de Lorraine à la statue de La Fayette. Je visite, dans le «Rockefeller Center», notre consulat-général dirigé par Guérin de Beaumont. Je me rends au siège de «France for ever», association groupant nombre de Français et d'Américains qui ont soutenu notre combat, où Henry Torrès m'exprime les sentiments de tous. La colonie française de New York, à laquelle se sont jointes des délégations venues d'autres régions, s'est assemblée au Waldorf-Astoria. Je vais la voir. Parmi les Français présents, beaucoup sont, jusqu'alors, restés sur la réserve à l'égard du général de Gaulle. Certains, même, lui ont prodigué leurs critiques, voire leurs insultes. Mais l'extrême chaleur de l'accueil que tous me font, ce soir-là, ne révèle plus de divergences. C'est la preuve que, dans le grand débat dont elle a été l'objet, la France va, décidément, l'emporter.

Mémoires de Guerre, II, L'Unité, Librairie Plon, 1956.

Notes

1. De Gaulle, *Mémoires de Guerre,* II, p. 178.
2. Giraud craignait que l'arrivée de de Gaulle déclenche des manifestations embarrassantes... Il fit atterrir l'avion de de Gaulle, non pas au grand aéroport d'Alger mais sur le terrain militaire de Boufarik. Giraud l'attendit. Aussitôt de Gaulle arrivé, il le conduisit à une voiture bien close qui l'emmena à une allure vertigineuse à la villa «Les Glycines» qui avait été réquisitionnée pour lui.
3. Ce projet visait, en premier lieu, Giraud lui-même. En effet, Giraud cumulait les fonctions de coprésident et celle de commandant en chef des forces militaires. Ce cumul est contraire à la tradition administrative et constitutionnelle de la France.
4. Au cours du mois de juin 1943, les gouverneurs et résidents généraux qui étaient affiliés au gouvernement de Vichy, se démirent de leurs fonctions. Boisson donna sa démission le 28 juin.
5. Les membres étaient désignés, moitié moitié, par les deux coprésidents. Plus tard de nouveaux membres furent ajoutés.
6. Giraud fit surveiller les «gaullistes» et les soldats de la France Combattante. Il entreprit une campagne de propagande. «Il eut beau couvrir les murs de toute l'Algérie d'immenses inscriptions: Un seul but, la victoire: général Giraud, de portraits du «Libérateur» et d'innombrables affiches multicolores ... avec légendes en Arabe, consacrées à vanter les mérites du «grand chef», rien n'y fit. On ne sait par quel mystère, l'étincelle ne jaillissait pas.» Soustelle, *Envers et contre tout,* II, p. 230.
7. Rapporté par: Pierre Sandahl, *De Gaulle sans képi.*
8. Eisenhower alla jusqu'à dire que si le Comité français de la Libération nationale modifiait l'organisation militaire, les Américains cesseraient leurs livraisons de matériel de guerre à l'armée française. Pendant l'entretien, Giraud demeura muet. Enfin de Gaulle posa trois questions à Eisenhower dont voici la dernière: «...Vous savez sans doute qu'en 1918 l'armée américaine débarquant en France a été dotée de canons, d'avions et de chars français par le Gouvernement français d'alors. Ce Gouvernement a-t-il prétendu intervenir dans le commandement de l'armée des Etats-Unis et régler les attributions du général Pershing?» Soustelle, *op. cit.,* II, p. 261.
9. Comprenez: s'il avait lié ... s'il avait armé ... s'il avait attribué ...
10. En 1943 il y avait à Paris 12 chambres de torture. En 9 mois les Allemands arrêtèrent plus de 30 000 personnes.
11. Les frais d'entretien des troupes d'occupation étaient à la charge du gouvernement français. Ils s'élevaient à 400 millions de francs par jour.
12. Organisation militaire française créée à Vichy en 1943. Cette organisation groupait quelques milliers d'individus farouchement collaborationistes. Elle était dirigée par Darnand.
13. La situation des journaux clandestins était fort précaire. *Franc-Tireur* par exemple fut fondé à Lyon en 1942 avec 10 000 francs en caisse.
14. Ce livre est généralement considéré comme le chef d'œuvre de la littérature clandestine.
15. «Lorsqu'un jour l'historien, loin des tumultes où nous sommes plongés, considérera les tragiques événements qui faillirent faire rouler la France dans l'abîme d'où l'on ne revient pas, il constatera que la résistance, c'est à

dire l'espérance nationale, s'est accrochée, sur la pente, à deux môles qui ne céderont point. L'un était un tronçon d'épée, l'autre, la pensée française.» Extrait du discours prononcé le 30 octobre 1943 à l'occasion du 60e anniversaire de l'Alliance Française.

16. De Gaulle, *Mémoires de Guerre,* II, p. 160.

17. Dans cette affaire, Giraud qui avait agi à l'insu du Comité français de la Libération nationale, s'était trouvé dupé par les communistes.

18. Nom donné par le gouvernement de Vichy à son programme politique

19. Portraits du maréchal Pétain

20. Groupes de soldats volontaires

21. Au cours des discussions préliminaires, Giraud s'était montré hostile à la convocation de cette assemblée. «L'appel aux communistes pour participer au pouvoir, dès 1943, fut une grave inconséquence.» Giraud, *Un seul but, la victoire,* p. 282.

22. Giraud fut profondément meurtri. «Veut-on savoir, maintenant, quelles ont été les réactions, à Alger, de cet énorme succès? Je ne sais si le mot qui m'a été répété: «Il m'a volé ma Corse», a été prononcé. Ce que je sais, c'est que la victoire de la Corse a décidé de mon élimination du C.F.L.N., ou vraiment j'étais indésirable.» Giraud, *Ibid.,* p. 260.

23. De Gaulle n'a patronné aucun parti mais il n'en a exclu aucun. Ce rappel des partis et notamment du parti communiste lui a fréquemment été reproché.

24. Cité par: Pierre Sandahl, *De Gaulle sans képi.*

25. Au mois d'août 1943, la Grande-Bretagne et les Etats-Unis avaient reconnu le Comité français de la Libération nationale «comme administrant les territoires français d'outre-mer qui reconnaissaient son autorité». Cette déclaration était nuancée d'une restriction capitale: «Cette déclaration ne constitue pas une reconnaissance par le gouvernement des Etats-Unis d'un gouvernement de la France ou de l'Empire français.»

26. Le 8 septembre 1943

27. Les Russes avaient lancé de massives contre-offensives pendant la seconde campagne d'hiver (1942–1943).

28. Giraud a condamné cette initiative. «Cette substitution hâtive de l'Union Française à l'Empire français ne me disait rien qui vaille . . . On ne transforme pas une mentalité indigène avec des discours. On crée l'anarchie, le meurtre et la ruine, tout simplement . . . De tout cela qu'est-il résulté, en France et hors de France: l'anarchie et la désorganisation.» Giraud, *op. cit.,* p. 283.

29. Il s'agissait là d'un vaste programme d'ensemble s'étendant sur de nombreuses années.

30. Discours du 18 mars 1944.

31. En prenant ces mesures, de Gaulle poursuivait un double objectif. D'une part il se préparait à rétablir l'ordre dans les territoires libérés; d'autre part, il mettait sur pied une administration française afin que les alliés n'aient pas la possibilité d'installer en France un gouvernement militaire semblable à celui qu'ils employaient en Italie.

32. Discours du 18 mars 1944.

33. Cette mesure était désirée à l'unanimité par l'Assemblée consultative.

34. De Gaulle, *Mémoires de Guerre,* II, p. 299.

35. Nom code du débarquement en Normandie. De Gaulle se trouvait à Alger, le 2 juin 1944, lorsqu'il reçut un message de Churchill lui demandant de venir d'urgence en Angleterre. Dans ses mémoires, de Gaulle a rappelé ce trait de gentillesse personnelle de Churchill: «Il m'a gracieusement envoyé son avion personnel.»

36. Cette conversation entre de Gaulle et les ministres anglais eut lieu près de Portsmouth, dans un wagon de chemin de fer où Churchill s'était installé en attendant le débarquement.

37. Plus de 4 000 bâtiments et plusieurs milliers de petits bateaux participaient aux opérations.

38. «The conference on the evening of June 4 presented little, if any, added brightness to the picture of the morning, and tension mounted even higher because the inescapable consequences of postponement were almost too bitter to contemplate.» Eisenhower, *Crusade to Europe,* p. 284.

39. Le 6 juin de Gaulle passa de longues heures dans la solitude. A six heures du soir, il parla pour la dernière fois au micro de la B.B.C. «La bataille suprême est engagée, proclama-t-il . . . Cette bataille, la France va la mener avec fureur. Elle va la mener en bon ordre. C'est ainsi que nous avons depuis quinze cents ans, gagné chacune de nos victoires. C'est ainsi que nous gagnerons celle-là.» Extrait du discours du 6 juin 1944.

40. «President Roosevelt was flatly opposed to giving General de Gaulle this specific and particular type of recognition. The President then, as always, made a great point in his insistence that sovereignty in France resided in the people, that the allies were not entering France in order to force upon the population a particular government or a particular ruler. He asserted, therefore, that our proclamations should show that we were quite ready to co-operate with any French groups that would participate in the work of destroying the German forces. He agreed that if any or all of these groups chose to follow de Gaulle, we would operate through his command.» Eisenhower, *op. cit.,* p. 281.

41. Quatre ans plus tôt, jour pour jour les Allemands entraient à Paris. On le lui fit remarquer. Après un silence il dit: «Eh bien! Ils ont eu tort!»

42. L'un des dix hommes que de Gaulle avait emmenés avec lui.

43. Ces mots annonçaient les émissions de la B.B.C.

44. Le 18 juin 1944, le haut commandement allié accepta que de Gaulle envoie en France les personnes qu'il avait choisies pour l'administration civile et militaire des territoires libérés. Malgré certaines concessions, la Grande-Bretagne et les Etats-Unis ne reconnurent le gouvernement provisoire de la France que le 23 octobre 1944.

45. De Gaulle, *Mémoires de Guerre,* II, p. 283.

46. Voici ce que Eleonore Roosevelt a rapporté à propos des sentiments de son mari à l'égard de de Gaulle: «General de Gaulle is a soldier, patriotic, yes, devoted to his country, but on the other hand, he is a politician and a fanatic and there are, I think, in him almost the makings of a dictator . . . On July 7 (1944) . . . General de Gaulle lunched with Franklin in the White House. He wondered whether this visit would change his feeling about the General, but their meeting was entirely formal though pleasant, and I saw no difference in Franklin's attitude.» Eleonore Roosevelt, *This I Remember,* p. 281 and p. 329.

PARIS

Devant moi, les Champs-Elysées![1]

Au mois de juillet 1944, la victoire finale était encore loin. Les alliés avançaient sur tous les fronts mais l'ennemi était puissamment retranché dans «la forteresse Europe». La mission entreprise le 18 juin 1940 approchait de son but mais il fallait encore gagner la dernière partie or, celle-ci allait être aussi périlleuse que décisive.

A mesure qu'ils étaient chassés par les armées alliées ou par les forces de la résistance, les Allemands se livraient à de sanglantes répressions.[2] Pour limiter les ravages et les massacres il fallait donc que le territoire soit libéré le plus rapidement possible. Pour restaurer la cohésion nationale, il était essentiel que les troupes françaises participent au maximum à la libération du pays. Au mois de décembre 1943, de Gaulle avait obtenu, non sans éclats, que le haut commandement anglo-saxon l'informe des projets relatifs à la conduite des opérations.[3] Mais le Général n'allait pas se contenter de jouer un rôle de figurant dans un entreprise dans laquelle le sort de la France était en jeu . . . Pour des raisons d'ordre stratégique et d'ordre politique, il poussa les alliés à organiser un second débarquement, cette fois, sur les côtes de Provence.[4] Cette opération dite «Anvil-Dragon» fut lancée le 15 août 1944 par les troupes américaines du général Patch et par la Ière armée française commandée par le général de Lattre de Tassigny. Le succès fut foudroyant. En douze jours, Toulon et Marseille furent libérés. Remontant la vallée du Rhône et les Alpes, quatre semaines plus tard, les forces franco-américaines atteignaient les Vosges et faisaient leur jonction avec les forces parties de Normandie.

La libération de Paris demeurait l'opération cruciale. De Gaulle la méditait depuis quatre ans. Il avait demandé au commandement américain que les troupes françaises participent à la libération de la capitale et qu'elles aient l'honneur d'être les premières à entrer dans la ville.[5] Dans Paris, la situation était confuse et explosive. Les mouvements de résistance intensifiaient leurs efforts. On savait qu'ils ne disposaient que d'une quantité fort limitée de matériel et de munitions. D'une heure à l'autre, l'insurrection pouvaient se déclencher. Si elle éclatait prématurément, deux périls étaient à craindre. D'une part, si les résistants avaient le dessous, les Allemands auraient procédé à une répression atroce; depuis longtemps le bruit courait que la ville était minée . . . D'autre part, si les résistants l'emportaient, les éléments communistes qui étaient prépondérants, auraient exploité leur victoire à des fins politiques et auraient accaparé le pouvoir avant l'arrivée des «gaullistes».[6]

Paris, depuis plus de quatre ans, était le remords du monde libre. Soudain, il en devient l'aimant. Tant que le géant semblait dormir, incarcéré et stupéfié, on s'accommodait de sa formidable absence. Mais, à peine le front allemand est-il

Août 1944. Sur les murs de Paris.

Photo E. C. Armées

percé en Normandie, que la capitale française se retrouve, tout à coup, au centre de la stratégie et au cœur de la politique. Les plans des chefs d'armée, les calculs des gouvernements, les manœuvres des ambitieux, les émotions des foules se tournent aussitôt vers la Ville. Paris va reparaître. Que de choses pourraient changer!

D'abord, Paris, si on le laisse faire, tranchera en France la question du pouvoir. Personne ne doute que, si de Gaulle arrive dans la capitale sans qu'on ait, à son encontre, créé des faits accomplis il y sera consacré par l'acclamation du peuple. Ceux qui, au-dedans et au-dehors, dans quelque camp qu'ils se trouvent, nourrissent l'espoir d'empêcher cet aboutissement ou, tout au moins, de le rendre incomplet et contestable chercheront donc, au dernier moment, à exploiter la libération pour faire naître une situation dont je sois embarrassé et, si possible, paralysé. Mais, comme la nation a choisi, le sentiment public va balayer ces tentatives.

• • •

Que ces projets politiques fussent mêlés aux élans du combat me paraissait inévitable. Que l'insurrection dans la grande ville dût, pour certains, tendre à l'institution d'un pouvoir dominé par la IIIe Internationale,[7] je le savais depuis longtemps. Mais je tenais, néanmoins, pour essentiel que les armes de la France agissent dans Paris avant celles des alliés, que le peuple contribue à la défaite de

Photo E. C. Armées

L'insurrection est déclenchée. «Aux barricades!»

l'envahisseur, que la libération de la capitale porte la marque d'une opération militaire et nationale. C'est pourquoi, prenant le risque, j'encourageais le soulèvement, sans rejeter aucune des influences qui étaient propres à le provoquer. Il faut dire que je me sentais en mesure de diriger l'affaire de manière qu'elle tournât bien. Ayant pris sur place, à l'avance, les mesures appropriées, prêt à porter à temps dans la ville une grande unité française, je me disposais à y paraître moi-même afin de cristalliser autour de ma personne l'enthousiasme de Paris libéré.

Mémoires de Guerre, II, L'Unité, Librairie Plon, 1956.

Le 19 août, de Gaulle quittait l'Afrique sans attendre la forteresse volante que les Américains lui avaient promise — l'appareil lui disait-on, n'était pas en état de partir.[8] Donc, il s'envola à bord d'un petit «Lodestar» non armé.[9] Le voyage faillit avoir une fin tragique. Le niveau du carburant baissait. De Gaulle refusa de s'arrêter en Angleterre pour reprendre de l'essence. Quand il atterrit à Cherbourg, le 20 au matin, il ne restait plus dans les réservoirs que pour 120 secondes de carburant. Immédiatement, le voyageur se rendit au quartier général d'Eisenhower.[10] En route, il apprit que l'insurrection avait commencé. Eisenhower venait également d'apprendre la nouvelle; il en était contrarié car ses plans risquaient d'être compromis.

Pour de Gaulle, il n'y avait pas d'hésitation possible. Il fallait tout de suite donner l'ordre aux troupes d'avancer vers Paris. Eisenhower refusa. Lui, au contraire, il voulait encercler la ville en la contournant par le sud et par le nord;[11] une fois pris comme dans une poche, les Allemands seraient bien obligés de se rendre. Il ne voulait pas lancer ses forces directement contre un objectif où l'ennemi était puissamment retranché; il préférait gagner du terrain vers l'est aussi rapidement que possible. Bref, ses plans étaient diamétralement opposés à ceux de de Gaulle.

J'en marquai à Eisenhower ma surprise et mon inquiétude. «Du point de vue stratégique, lui dis-je, je saisis mal pourquoi, passant la Seine à Melun, à Mantes, à Rouen, bref partout, il n'y ait qu'à Paris que vous ne la passiez pas. D'autant plus que c'est le centre des communications qui vous seront nécessaires pour la suite et qu'il y a intérêt à rétablir dès que possible. S'il s'agissait d'un lieu quelconque, non de la capitale de la France, mon avis ne vous engagerait pas, car normalement c'est de vous que relève la conduite des opérations. Mais le sort de Paris intéresse d'une manière essentielle le Gouvernement français. C'est pourquoi je me vois obligé d'intervenir et de vous inviter à y envoyer des troupes. Il va de soi que c'est la 2e Division blindée française[12] qui doit être désignée en premier lieu.»

Mémoires de Guerre, II, L'Unité, Librairie Plon, 1956.

Eisenhower demeura inflexible. Le pilote du «Lodestar» a dit que, lorsque de Gaulle est remonté à bord, «sa longue silhouette semblait porter tout le poids du monde».[13]

«Mais le réconfort n'était pas loin.»[14] Il alla visiter les villes libérées. «Une vague d'enthousiasme et d'émotion populaires me saisit quand j'entrai à Cherbourg et me roula jusqu'à Rennes, en passant par Coutances, Avranches, Fougères. Dans les ruines des villes détruites et des villages écroulés, la population massée sur mon passage éclatait en démonstrations. Tout ce qui restait de fenêtres arborait drapeaux et oriflammes. Les dernières cloches sonnaient à toute volée.»[15] De Bretagne, il se rendit à Laval puis au Mans. C'est dans cette ville qu'il apprit que la situation à Paris s'était encore aggravée.[16]

Le 21 août les combats avaient été partiellement suspendus grâce à une trêve négociée par Raoul Nordling,[17] consul de Suède à Paris. Ils reprirent dans le soirée. Le 22, la bataille faisait rage. Le général von Choltitz,[18] commandant du «Gross Paris», faisait preuve d'une modération surprenante. Eisenhower reçut des appels angoissés des Parisiens; de toute urgence, ils réclamaient des vivres et des munitions.[19] Il ne leur restait plus que pour quelques heures de feu.

Entretemps, le général Patton reçut la visite d'une délégation venue de la part du consul de Suède et de von Choltitz. Ce dernier faisait savoir que, déjà à plusieurs reprises, on lui avait donné l'ordre de détruire la ville.[20] Il n'avait pas encore exécuté les ordres mais . . . il ne pourrait pas attendre beaucoup plus longtemps. Si les alliés n'arrivaient pas à bref délai, il serait obligé d'obéir à ses supérieurs.

Photo E. C. Armées

Les chars de la division Leclerc arrivent.

Le 22, Eisenhower eut connaissance de la lettre que de Gaulle lui avait envoyée de Rennes: c'était encore un appel en faveur d'une intervention immédiate. «Je crois, disait de Gaulle, qu'il est vraiment nécessaire de faire occuper Paris au plus tôt par les forces françaises et alliées, même s'il devait se produire quelques combats et quelques dégâts à l'intérieur de la ville.»[21]

Sur la lettre même Eisenhower écrivit ces mots: «Il me semble que nous allons être obligés de marcher sur Paris.»[22] Il était donc forcé de modifier ses plans. Malgré tout, il n'allait pas permettre à de Gaulle de faire son entrée dans la ville avant les chefs alliés.

Eisenhower ignorait que de Gaulle avait déjà donné l'ordre au général Leclerc, commandant de la 2e Division blindée française, d'avancer sur Paris, que les alliés le veuillent ou non. Il semblait également ignorer que de Gaulle n'allait pas attendre le bon plaisir des alliés . . .

Le 22 au soir, le général Leclerc, celui que l'on surnommait «the impatient lion», lançait plus de 2 000 véhicules vers la capitale.[23]

Le 23 août, de Gaulle installa son quartier général au château de Rambouillet. Deux jours plus tard, il était à Paris. En effet, le 25, à l'insu des alliés, il entra dans la ville par la Porte d'Orléans,[24] dans une voiture découverte. Les chefs de l'insurrection attendaient sa visite à l'Hôtel de

Ville. Ils allaient devoir attendre plusieurs heures encore. En effet, quittant l'avenue d'Orléans,[25] de Gaulle fila au quartier général que Leclerc venait d'installer à la gare Montparnasse. C'est là que lui fut remis l'acte de capitulation de von Choltitz.

Le 25 août, rien ne va manquer de ce qui est décidé. J'ai moi-même, par avance, fixé ce que je dois faire dans la capitale libérée. Cela consiste à rassembler les âmes en un seul élan national, mais aussi à faire paraître tout de suite la figure et l'autorité de l'Etat. Tandis qu'arpentant la terrasse de Rambouillet je suis tenu, d'heure en heure, informé de l'avance de la 2e Division blindée, j'évoque les malheurs qu'une armée mécanique faite de sept unités semblables aurait pu, naguère, nous éviter.[26] Alors, considérant la cause de l'impuissance qui nous en avait privés, c'est-à-dire la carence du pouvoir, je suis d'autant plus résolu à ne pas laisser entamer le mien. La mission dont je suis investi me semble aussi claire que possible. Montant en voiture pour entrer à Paris, je me sens, à la fois, étreint par l'émotion et rempli de sérénité.

Que de gens, sur la route, guettent mon passage! Que de drapeaux flottent du haut en bas des maisons! A partir de Longjumeau, la multitude va grossissant. Vers Bourg-la-Reine, elle s'entasse. A la porte d'Orléans, près de laquelle on tiraille encore, c'est une exultante marée. L'avenue d'Orléans est noire de monde. On suppose, évidemment, que je me rends à l'Hôtel de Ville. Mais, bifurquant par l'avenue du Maine presque déserte en comparaison, j'atteins la gare Montparnasse vers 4 heures de l'après-midi.

Le général Leclerc vient d'y arriver. Il me rend compte de la reddition du général von Choltitz.[27] Celui-ci, après une ultime négociation menée par M. Nordling, s'est rendu personnellement au commandant de La Horie chef d'état-major de Billotte. Puis, amené par celui-ci à la Préfecture de police, il a signé avec Leclerc une convention aux termes de laquelle les points d'appui allemands dans Paris doivent cesser la résistance.[28] Plusieurs ont, d'ailleurs, été pris de vive force dans la journée. Pour les autres, le général allemand vient de rédiger à l'instant un ordre qui prescrit aux défenseurs de déposer les armes et de se constituer prisonniers. Des officiers de l'état-major de Choltitz, accompagnés d'officiers français, vont aller notifier l'ordre aux troupes allemandes. J'aperçois justement mon fils, enseigne de vaisseau au 2e Régiment blindé de fusiliers-marins, qui part pour le Palais-Bourbon en compagnie d'un major allemand, afin de recevoir la reddition de la garnison. L'issu des combats de Paris est aussi satisfaisante que possible. Nos troupes remportent une victoire complète sans que la ville ait subi les destructions, la population les pertes, que l'on pouvait redouter.[29]

Mémoires de Guerre, II, *L'Unité*, Librairie Plon, 1956.

Après avoir quitté la gare Montparnasse, de Gaulle fila au Ministère de la Guerre, rue Saint-Dominique. Sur son passage, une fusillade retentit. Une balle frappa son auto. Il passa debout, une cigarette aux lèvres. Arrivé

Photo E. C. Armées

Le 25 août 1944. Les troupes allemandes se rendent.

Le 25 août 1944, à la gare Montparnasse, le général Leclerc apporte à de Gaulle l'acte de capitulation de von Choltitz.

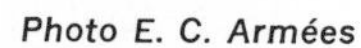

Photo E. C. Armées

Photo E. C. Armées

Au soir de la bataille. Un char Panzer fumant sur la place de la Concorde.

dans la cour du Ministère, il monta les marches qu'il avait descendues en tant que sous-secrétaire d'Etat à la Guerre, le soir du 10 juin 1940.

On venait juste de décrocher les portraits du maréchal Pétain.

Immédiatement, je suis saisi par l'impression que rien n'est changé à l'intérieur de ces lieux vénérables. Des événements gigantesques ont bouleversé l'univers. Notre armée fut anéantie. La France a failli sombrer. Mais, au ministère de la Guerre, l'aspect des choses demeure immuable. Dans la cour, un peloton de la garde républicaine rend les honneurs, comme autrefois. Le vestibule, l'escalier, les décors d'armures sont tout juste tels qu'ils étaient. Voici, en personne, les huissiers qui, naguère, faisaient le service. J'entre dans le «bureau du ministre» que M. Paul Reynaud et moi quittâmes ensemble dans la nuit du 10 juin 1940. Pas un meuble, pas une tapisserie, pas un rideau, n'ont été déplacés. Sur la table, le téléphone est resté à la même place et l'on voit, inscrits sous les boutons d'appel, exactement les mêmes noms. Tout à l'heure, on me dira qu'il en est ainsi des autres immeubles, où s'encadrait la République. Rien n'y manque, excepté l'Etat. Il m'appartient de l'y remettre. Aussi m'y suis-je d'abord installé.

Mémoires de Guerre, II, *L'Unité*, Librairie Plon, 1956.

Un char de la division Leclerc devant Notre-Dame.

Photo E. C. Armées

De Gaulle n'avait pas l'intention de se rendre à l'Hôtel de Ville où l'attendaient fiévreusement les chefs du Conseil national de la Résistance — tout au moins pas tout de suite. Il connaissait trop bien les ambitions politiques de certains d'entre eux. Il n'allait pas leur permettre de le présenter au peuple et de se servir de lui! Une fois le gouvernement réinstallé chez lui, on verrait . . .

Il fallut que Luizet,[30] le Préfet de police et Parodi,[31] son propre représentant à Paris, le supplient, pour qu'il consente à cette visite.

. . . tout à l'heure, partant de chez moi,[32] je me rendrai à l'Hôtel de Ville après être, toutefois, allé à la Préfecture pour saluer la police parisienne. Nous arrêtons le plan de ces visites. Puis, je fixe celui du défilé du lendemain, dont Parodi et Luizet se montrent à la fois enthousiasmés et préoccupés. Après leur départ, je reçois un message du général Kœnig.[33] Il n'a pu m'accompagner au cours de cette grande journée. Car, le matin, Eisenhower l'a fait prier de venir signer avec lui l'accord réglant les rapports de notre administration et du commandement allié. C'est fait! Mieux vaut tard que jamais.

A 7 heures du soir, inspection de la police parisienne dans la cour de la Préfecture. A voir ce corps, que son service maintint sur place sous l'occupation, tout frémissant aujourd'hui de joie et de fierté, on discerne qu'en donnant le signal et l'exemple du combat les agents ont pris leur revanche d'une longue humiliation. Ils ont aussi, à juste titre, saisi l'occasion d'accroître leur prestige et leur popularité. Je le leur dis. Les hourras s'élèvent des rangs. Alors, à pied, accompagné, de Parodi, de Le Troquer,[34] de Juin[35] et de Luizet, fendant difficilement la foule qui m'enveloppe d'assourdissantes clameurs, je parviens à l'Hôtel de Ville. Devant le bâtiment, un détachement des forces de l'intérieur, sous les ordres du commandant Le Percq, rend impeccablement les honneurs.

Au bas de l'escalier, Georges Bidault,[36] André Tollet et Marcel Flouret[37] accueillent le général de Gaulle. Sur les marches, des combattants, les larmes aux yeux, présentent leurs armes. Sous un tonnerre de vivats, je suis conduit au centre du salon du premier étage. Là, sont groupés les membres du Conseil national de la Résistance et du Comité parisien de la libération. Tout autour, se tiennent de nombreux compagnons. Beaucoup ont, au bras, l'insigne des forces de l'intérieur, tel qu'il a été fixé par un décret du gouvernement.[38] Tous portent la croix de Lorraine. Parcourant du regard cette assemblée vibrante d'enthousiasme, d'affection, de curiosité, je sens que, tout de suite, nous nous sommes reconnus, qu'il y a entre nous, combattants du même combat, un lien incomparable et que, si l'assistance contient des divergences vigilantes, des ambitions en activité, il suffit que la masse et moi nous nous trouvions ensemble pour que notre unité l'emporte sur tout le reste. D'ailleurs, malgré la fatigue que se peint sur les visages, l'excitation des périls courus et des événements vécus, je ne vois pas un seul geste, je n'entends pas un seul mot, qui ne soient d'une dignité parfaite. Admirable réussite d'une réunion depuis longtemps rêvée et qu'ont payée tant d'efforts, de chagrins, de morts!

Le sentiment a parlé. C'est au tour de la politique. Elle aussi le fait noblement... Georges Bidault m'adresse une allocution de la plus haute tenue. Dans ma réponse, improvisée, j'exprime «l'émotion sacrée qui nous étreint tous, hommes et femmes, en ces minutes qui dépassent chacune de nos pauvres vies». Je constate que «Paris a été libéré par son peuple, avec le concours de l'armée et l'appui de la France tout entière». Je ne manque pas d'associer au succès «les troupes françaises qui, en ce moment, remontent la vallée du Rhône» et les forces de nos alliés. Enfin, j'appelle la nation au devoir de guerre et, pour qu'elle puisse le remplir, à l'unité nationale.

J'entre dans le bureau du préfet de la Seine. Marcel Flouret m'y présente les principaux fonctionnaires de son administration. Comme je me dispose à partir, Georges Bidault s'écrie: «Mon général! Voici, autour de vous, le Conseil national de la Résistance et le Comité parisien de la libération. Nous vous demandons de proclamer solennellement la République devant le peuple ici rassemblé.» Je réponds: «La République n'a jamais cessé d'être. La France Libre, la France Combattante, le Comité français de la Libération nationale l'ont, tour à tour, incorporée.[39] Vichy fut toujours et demeure nul et non avenu. Moi-même suis le président du Gouvernement de la République. Pourquoi irais-je la proclamer?» Allant à une fenêtre, je salue de mes gestes la foule qui remplit la place et me prouve, par ses acclamations, qu'elle ne demande pas autre chose.[40] Puis, je regagne la rue Saint-Dominique.

Mémoires de Guerre, II, *L'Unité*, Librairie Plon, 1956.

Le 26 août 1944. Le défilé de la Libération. De Gaulle entre Bidault et Parodi.

Photo A.F.P.

Après le départ de de Gaulle, en entendant la foule qui scandait «Vive de Gaulle», certains membres du Comité national de la Résistance ont éprouvé quelque amertume. L'un d'eux, un communiste, s'est exclamé: «C'est simple; il nous a eus!»

Au même moment, aux Invalides, le brigadier général Julius Holmes signait sur l'ordre de son gouvernement un document par lequel le commandement militaire américain reconnaissait que le général de Gaulle administrait provisoirement les territoires français libérés.[41]

Le lendemain, de Gaulle allait faire son «entrée officielle». En dépit des dangers que cela présentait, le défilé des Champs-Elysées avait été annoncé à la radio. Le chef savait à quels périls il s'exposait: une contre-attaque allemande, un attentat contre sa personne, une fusillade, un bombardement, une pluie de V1 et de V2 . . . Néanmoins, il en assumait la responsabilité. «Ce défilé, dit-il, est nécessaire, car le but en vaut la peine . . . Ce défilé fera l'unité politique de la France.»

Le 26 août 1944, tout Paris descendit dans la rue pour acclamer son libérateur. Les dangers qui enveloppaient la ville semblaient conjurés par la ferveur de la population. Escorté d'une suite désordonnée, dépassant toutes les têtes, une haute silhouette, émue et calme, parut et s'avança vers le peuple délirant qui l'attendait.

. . . Au cours de la matinée, on me rapporte que de toute la ville et de toute la banlieue, dans ce Paris qui n'a plus de métro, ni d'autobus, ni de voitures, d'innombrables piétons sont en marche. A 3 heures de l'après-midi, j'arrive à l'Arc de triomphe. Parodi et Le Troquer, membres du gouvernement, Bidault et le Conseil national de la Résistance, Tollet et le Comité parisien de la libération, des officiers généraux: Juin, Kœnig, Leclerc, d'Argenlieu, Valin, Bloch-Dassault, les préfets: Flouret et Luizet, le délégué militaire Chaban-Delmas, beaucoup de chefs et de combattants des forces de l'intérieur se tiennent auprès du tombeau. Je salue le Régiment du Tchad, rangé en bataille devant l'Arc et dont les officiers et les soldats, debout sur leurs voitures, me regardent passer devant eux, à l'Etoile, comme un rêve qui se réalise. Je ranime la flamme. Depuis le 14 juin 1940, nul n'avait pu le faire qu'en présence de l'envahisseur. Puis, je quitte la voûte et le terre-plein. Les assistants s'écartent.[42] Devant moi, les Champs-Elysées!

Ah! C'est la mer! Une foule immense est massée de part et d'autre de la chaussée. Peut-être deux millions d'âmes. Les toits aussi sont noirs de monde. A toutes les fenêtres s'entassent des groupes compacts, pêle-mêle avec des drapeaux. Des grappes humaines sont accrochées à des échelles, des mâts, des réverbères. Si loin que porte ma vue, ce n'est qu'une houle vivante, dans le soleil, sous le tricolore.

Je vais à pied.[43] Ce n'est pas le jour de passer une revue où brillent les armes et sonnent les fanfares. Il s'agit, aujourd'hui, de rendre à lui-même, par le spectacle de sa joie et l'évidence de sa liberté, un peuple qui fut, hier, écrasé par la défaite et dispersé par la servitude. Puisque chacun de ceux qui sont là a, dans son cœur, choisi Charles de Gaulle comme recours de sa peine et symbole de son espérance, il s'agit qu'il le voie, familier et fraternel, et qu'à cette vue resplendisse l'unité nationale. Il est vrai que les états-majors se demandent si l'irruption d'engins blindés ennemis ou le passage d'une escadrille jetant des bombes ou mitraillant le sol ne vont pas décimer cette masse et y déchaîner la panique. Mais moi, ce soir, je crois à la fortune de la France. Il est vrai que le service d'ordre craint de ne pouvoir contenir la poussée de la multitude. Mais je pense, au contraire, que celle-ci se disciplinera. Il est vrai qu'au cortège des compagnons qui ont qualité pour me suivre se joignent, indûment, des figurants de supplément. Mais ce n'est pas eux qu'on regarde. Il est vrai, enfin, que moi-même n'ai pas le physique, ni le goût, des attitudes et des gestes qui peuvent flatter l'assistance. Mais je suis sûr qu'elle ne les attend pas.

Je vais donc, ému et tranquille, au milieu de l'exultation indicible de la foule, sous la tempête des voix qui font retentir mon nom, tâchant, à mesure, de poser mes regards sur chaque flot de cette marée afin que la vue de tous ait pu entrer dans mes yeux, élevant et abaissant les bras pour répondre aux acclamations. Il se passe, en ce moment, un de ces miracles de la conscience nationale, un de ces gestes de la France, qui parfois, au long des siècles, viennent illuminer notre Histoire. Dans cette communauté, qui n'est qu'une seule pensée, un seul élan, un seul cri, les différences s'effacent, les individus disparaissent. Innombrables Français dont je m'approche tour à tour, à l'Etoile, au Rond-Point, à la Concorde, devant l'Hôtel de Ville, sur le parvis de la Cathédrale, si vous saviez comme vous êtes pareils! Vous, les enfants, si pâles! qui trépignez et criez de joie; vous, les femmes,

Photo E. C. Armées

. . . «Ce n'est qu'une houle vivante, dans le soleil, sous le tricolore.»

Photo Keystone

portant tant de chagrins, qui me jetez vivats et sourires; vous, les hommes, inondés d'une fierté longtemps oubliée, qui me criez votre merci; vous, les vieilles gens, qui me faites l'honneur de vos larmes, ah! comme vous vous ressemblez! Et moi, au centre de ce déchaînement, je me sens remplir une fonction qui dépasse de très haut ma personne, servir d'instrument au destin.

Mais il n'y a pas de joie sans mélange, même à qui suit la voie triomphale. Aux heureuses pensées qui se pressent dans mon esprit beaucoup de soucis sont mêlés. Je sais bien que la France tout entière ne veut plus que sa libération. La même ardeur à revivre qui éclatait, hier, à Rennes et à Marseille et, aujourd'hui, transporte Paris se révélera demain à Lyon, Rouen, Lille, Dijon, Strasbourg, Bordeaux. Il n'est que de voir et d'entendre pour être sûr que le pays veut se remettre debout. Mais la guerre continue. Il reste à la gagner. De quel prix, au total, faudra-t-il payer le résultat? Quelles ruines s'ajouteront à nos ruines? Quelles pertes nouvelles décimeront nos soldats? Quelles peines morales et physiques auront à subir encore les Français prisonniers de guerre? Combien reviendront parmi nos déportés, les plus militants, les plus souffrants, les plus méritants de nous tous? Finalement, dans quel état se retrouvera notre peuple et au milieu de quel univers?

Il est vrai que s'élèvent autour de moi d'extraordinaires témoignages d'unité. On peut donc croire que la nation surmontera ses divisions jusqu'à la fin du conflit; que les Français, s'étant reconnus, voudront rester rassemblés afin de refaire leur puissance; qu'ayant choisi leur but et trouvé leur guide, ils se donneront des institutions qui leur permettent d'être conduits. Mais je ne puis, non plus, ignorer l'obstiné dessein des communistes, ni la rancune de tant de notables qui ne me pardonnent pas leur erreur, ni le prurit d'agitation qui, de nouveau, travaille les partis. Tout en marchant à la tête du cortège, je sens qu'en ce moment même des ambitions me font escorte en même temps que des dévouements. Sous les flots de la confiance du peuple, les récifs de la politique ne laissent pas d'affleurer.

A chaque pas que je fais sur l'axe le plus illustre du monde, il me semble que les gloires du passé s'associent à celle d'aujourd'hui. Sous l'Arc, en notre honneur, la flamme s'élève allégrement. Cette avenue, que l'armée triomphante suivit il y a vingt-cinq ans, s'ouvre radieuse devant nous. Sur son piédestal, Clemenceau, que je salue en passant, a l'air de s'élancer pour venir à nos côtés. Les marronniers des Champs-Elysées, dont rêvait l'Aiglon[44] prisonnier et qui virent, pendant tant de lustres, se déployer les grâces et les prestiges français, s'offrent en estrades joyeuses à des milliers de spectateurs. Les Tuileries, qui encadrèrent la majesté de l'Etat sous deux empereurs et sous deux royautés; la Concorde et le Carrousel qui assistèrent aux déchaînements de l'enthousiasme révolutionnaire et aux revues des régiments vainqueurs; les rues et les ponts aux noms de batailles gagnées; sur l'autre rive de la Seine, les Invalides, dôme étincelant encore de la splendeur du Roi-Soleil, tombeau de Turenne, de Napoléon, de Foch; l'Institut, qu'honorèrent tant d'illustres esprits, sont les témoins bienveillants du fleuve humain qui coule auprès d'eux. Voici, qu'à leur tour: le Louvre, où la continuité des rois réussit à bâtir la France; sur leur socle, les statues de Jeanne d'Arc et de Henri IV; le palais de Saint-Louis dont, justement, c'était hier la fête; Notre-Dame, prière de Paris, et la Cité, son berceau, participent à l'événement. L'Histoire, ramassée dans ces pierres et dans ces places, on dirait qu'elle nous sourit.

Mémoires de Guerre, II, L'Unité, Librairie Plon, 1956.

Photo E. C. Armées

Devant Notre-Dame avec le général Leclerc.

Vers quatre heures, comme prévu, de Gaulle arriva à Notre-Dame. Au moment où il pénétrait dans la cathédrale, une fusillade éclata.[45] Tandis que certains fidèles se précipitaient sous les chaises, de Gaulle avança calmement jusqu'au bout de la nef puis il alla prendre sa place dans le chœur. Après avoir chanté le *Magnificat,* il sortit de la cathédrale, toujours aussi impassible.

Le soir venu, de retour au Ministère de la Guerre, il décida de dissoudre les milices populaires qui, selon lui, n'avaient plus de raison d'être et de les incorporer dans l'armée régulière. C'est alors qu'on lui apporta le message que le maréchal Pétain lui avait écrit avant d'être emmené en Allemagne par les ennemis en déroute.[46] Pétain le chargeait de trouver une solution au problème politique tout en respectant sa légitimité à lui. En lisant ce message, éclairé par une lampe tempête,[47] de Gaulle se sentit à la fois confirmé dans ses certitudes et «étreint d'une indicible tristesse.

Monsieur le Maréchal! Vous qui avez fait jadis si grand honneur à nos armes, vous qui fûtes autrefois mon chef et mon exemple, où donc vous a-t-on conduit?»[48]

La légitimité . . . Ce soir-là, après le sacre populaire que les Parisiens en délire venaient de lui conférer, de Gaulle savait bien qu'elle n'appartenait qu'à lui.

Un appel venu du fond de l'Histoire, ensuite l'instinct du pays, m'ont amené à prendre en compte le trésor en déshérence, à assumer la souveraineté française. C'est moi qui détiens la légitimité. C'est en son nom que je puis appeler la nation à la guerre et à l'unité, imposer l'ordre, la loi, la justice, exiger au-dehors le respect des droits de la France. Dans ce domaine, je ne saurais le moins du monde renoncer, ni même transiger. Sans que je méconnaisse l'intention suprême qui inspire le message du Maréchal, sans que je mette en doute ce qu'il y a d'important, pour l'avenir moral de la nation, dans le fait qu'en fin de compte c'est vers de Gaulle qu'est tombé Pétain, je ne puis lui faire que la réponse de mon silence.

Cette nuit, d'ailleurs, après tant de tumulte, tout se tait autour de moi. C'est le moment de prendre acte de ce qui vient d'être accompli et de me confronter moi-même avec la suite. Aujourd'hui, l'unité l'emporte. Recueillie à Brazzaville, grandie à Alger, elle est consacrée à Paris. Cette France, qui avait paru condamnée au désastre, au désespoir, aux déchirements, a maintenant des chances d'aller, sans se rompre, jusqu'au bout du drame présent, d'être victorieuse elle aussi, de recouvrer ses terres, sa place, sa dignité. On peut croire que les Français, actuellement regroupés, le resteront assez longtemps pour que les catégories entre lesquelles ils se répartissent et qui, par destination, s'efforcent toujours d'entamer la cohésion nationale, ne puissent à nouveau l'emporter jusqu'à ce que le but immédiat soit atteint.

Ayant mesuré la tâche, il me faut me jauger moi-même. Mon rôle, qui consiste à plier à l'intérêt commun les éléments divers de la nation pour la mener au salut, j'ai le devoir, quoi qu'il puisse me manquer, de le jouer tant que durera la crise, puis, si le pays le veut, jusqu'au moment où des institutions dignes de lui, adaptées à notre époque et inspirées par des leçons terribles, recevront de mes mains la charge de le conduire.

Devant moi, je le sais bien, je trouverai au long de ma route tous les groupements, toutes les écoles, tous les aréopages, ranimés et hostiles à mesure que le péril s'éloignera. Il n'y aura pas une routine ou une révolte, une paresse ou une prétention, un abandon ou un intérêt, qui ne doivent, d'abord en secret, plus tard tout haut, se dresser contre mon entreprise de rassembler les Français sur la France et de bâtir un Etat juste et fort. Pour ce qui est des rapports humains, mon lot est donc la solitude. Mais, pour soulever le fardeau, quel levier est l'adhésion du peuple! Cette massive confiance, cette élémentaire amitié, qui me prodiguent leurs témoignages, voilà de quoi m'affermir.

Peu à peu, l'appel fut entendu. Lentement, durement, l'unité s'est faite. A présent, le peuple et le guide, s'aidant l'un l'autre, commencent l'étape du salut.

Mémoires de Guerre, II, L'Unité, Librairie Plon, 1956.

Notes

1. De Gaulle, *Mémoires de Guerre,* II, p. 377.
2. Pendant les derniers mois de l'occupation, de nombreux villages furent victimes d'affreuses représailles. Le cas d'Oradour-sur-Glane où toute la population fut enfermée dans l'église et brûlée vive, donnait les pires craintes sur le sort qui attendait les Parisiens. On frémissait à la pensée que Paris devienne un second Varsovie ou un second Stalingrad. On disait — non sans raison — que la ville était minée et que les troupes allemandes avaient reçu l'ordre de tout détruire en partant.
3. Voir les documents dans: de Gaulle, *Mémoires de Guerre* (Librairie Plon), pp. 668–676.
4. Churchill était hostile à cette opération parce qu'il aurait voulu que les alliés portent leurs efforts vers les Balkans afin d'atteindre l'Allemagne et l'Europe centrale par le sud. Eisenhower, au contraire, était en faveur de cette opération; il voulait s'emparer au plus vite du port de Marseille parce que les ports du nord de la France étaient à peu près inutilisables. Aux raisons d'ordre stratégique, il ajoutait: «. . . The American government had gone to great expense to equip and supply a number of French divisions. These troops naturally wanted to fight in the battle for the liberation of France. At no other point would they fight with the same ardor and devotion, and nowhere else could they obtain needed replacements for battle losses. These troops were located in Italy and North Africa, and the only way they could be brought quickly into the battle was through the opening in the South of France.» Eisenhower, *Crusade in Europe,* p. 319.
5. «En fin de compte, le Commandant en chef (Eisenhower) m'assura que, sans pouvoir fixer encore une date précise, il donnerait avant peu l'ordre de marcher sur Paris et que ce serait la division Leclerc qu'il destinerait à l'opération.» De Gaulle, *Mémoires de Guerre,* II, p. 360. Voici ce que le général Bradley a dit à ce sujet: «Any number of American divisions could more easily have spearheaded our march into Paris. But to help the French recapture their pride after four years of occupation, I chose a French force with the tricolor on their Shermans . . . Leclerc was ordered to start . . .» Omar Bradley, *A Soldier's Story,* p. 392.
6. Un communiste, Rol-Tanguy, était à la tête de l'état-major des F.F.I. (Forces Françaises de l'Intérieur) de l'Ile de France. A ses yeux, la victoire du parti justifiait tous les sacrifices. A ceux qui voulaient attendre pour déclencher l'insurrection il répondit: «Paris vaut bien 200 000 morts.»
7. Organisation communiste fondée au congrès de Moscou en 1921
8. De Gaulle ne semble pas avoir été convaincu par les explications qu'on lui donna. Il savait que l'état-major anglo-américain voulait le tenir à l'écart des opérations le plus longtemps possible. Avant de quitter Alger, il avait été obligé de demander à l'état-major anglo-américain l'autorisation de se rendre en France. Il avait déclaré qu'il avait l'intention de visiter les territoires libérés . . .
9. Ce petit avion n'était pas conçu pour faire un trajet tel que Gibraltar-Cherbourg. On avait dû le charger d'une quantité d'essence supérieure à la normale. Au départ il pesait une demi tonne de trop. Enfin, il n'avait ni armement ni radar.
10. Il était installé près de Granville en Normandie.

11. «A special problem that became acute towards the end of August was that of determining what to do about Paris. During all preliminary operation we had been at great pains to avoid direct bombing of the French capital. Even in the process of destroying French communications we had, in the Paris region, done this by attacking railway bottlenecks outside rather than terminals inside the city. Pursuing the same general purpose, we wanted to avoid making Paris a battleground and consequently planned operations to cut off and surround the vicinity, thus forcing the surrender of the defending garrison. We could not know, of course, the exact condition and situation of the city's population. At the same moment we were anxious to save every ounce of fuel and ammunition for combat operations, in order to carry our lines forward the maximum distance . . .» Eisenhower, *op. cit.*, p. 332.

12. Cette division commandée par Leclerc était partie du Tchad en 1940. Après de brillantes campagnes en Afrique, elle avait été lancée dans la bataille de Normandie le 11 août. Leclerc libéra Paris quatre ans exactement après son ralliement à la France Libre (voir p. 113).

13. Rapporté par: Lapierre et Collins, *Paris brûle-t-il?*, p. 188.

14. De Gaulle, *Mémoires de Guerre*, II, p. 361.

15. *Ibid.*

16. «Nous arrivons tous ensemble au Mans en même temps que le général de Gaulle. Une animation extraordinaire y règne. Toutes les figures populaires chez les *Français Libres* sont là: Le Mans apparaît comme le tremplin d'où nous allons sauter jusqu'à Paris, sans coup férir.» Rémy, *On m'appelait Rémy*, p. 628.

17. Raoul Nordling était le doyen du corps diplomatique: il habitait Paris depuis plusieurs années et il connaissait beaucoup d'officiers allemands. Il réussit à faire libérer plusieurs milliers de prisonniers que les Allemands allaient transférer dans des camps de concentration.

18. Le général von Choltitz avait toujours fidèlement éxécuté les ordres de ses supérieurs. Pendant la Première Guerre Mondiale, il avait été blessé cinq fois. En juin 1940, il avait dirigé l'invasion de la Hollande et commandé le bombardement de Rotterdam. En 1942, sur le front russe, il avait pris Sébastopol. Au début de l'opération son régiment comptait 4 800 hommes; à la fin il en comptait 347. Le 7 août Hitler l'avait chargé de défendre Paris jusqu'au bout. Entre le 9 et le 25 août, von Choltitz reçut, à neuf reprises, l'ordre de détruire la ville.

19. Il restait environ 4 millions d'habitants à Paris. Environ 15 000 résistants étaient en armes. Depuis le mois de juin, les parachutages d'armes dans la région parisienne étaient devenus impossibles. Les Allemands avaient environ 20 000 hommes.

20. Le 23 août 1944 von Choltitz reçut du quartier général d'Hitler la directive suivante: «Paris ne doit pas tomber aux mains de l'ennemi, ou l'ennemi ne doit trouver qu'un champ de ruines.» Document cité par Lapierre et Collins, *op. cit.*, p. 7.

21. De Gaulle, *Mémoires de Guerre* (Librairie Plon), p. 702.

22. Cité par Lapierre et Collins, *op. cit.*, p. 233.

23. Cette unité comprenait environ 16 000 hommes.

24. C'est par cette même porte qu'il avait quitté la capitale le 10 juin vers minuit. Entretemps, Paris avait été occupé pendant mille neuf cent trente et un jours!

25. Depuis 1947 elle s'appelle l'avenue du général Leclerc.

26. A Rambouillet, au moment où Leclerc allait s'élancer vers Paris avec son armée mécanisée, de Gaulle lui dit: «Vous avez de la chance». Ensuite, après un silence, il ajouta: «Faites vite, qu'il n'y ait pas de nouvelle Commune!» (voir p. 88).

27. Von Choltitz ne voulait se rendre qu'à des troupes régulières.

28. A ce sujet, de Gaulle s'est montré fort mécontent que le chef communiste Rol-Tanguy ait apposé son nom à côté de celui du général Leclerc sur l'acte de reddition de von Choltitz.

29. La libération de Paris causa environ 600 morts parmi les soldats, 2 000 parmi les résistants et 1 000 parmi les civils. Ces chiffres sont infimes lorsqu'on les compare aux dizaines de millions de morts de la guerre.

30. Charles Luizet était un ancien élève de Saint-Cyr. De Gaulle avait été son professeur d'histoire. En 1943, de Gaulle le nomma préfet de la Corse puis, en 1944, préfet de police pour la région parisienne. Parachuté en France, Luizet réussit à entrer à Paris le 17 août, juste avant le déclenchement de l'insurrection.

31. Alexandre Parodi avait été nommé ministre des territoires non encore libérés. En mettant l'administration en place avant même que la ville soit libérée, de Gaulle empêcha les communistes de saisir le pouvoir.

32. C'est à dire du Ministère de la Guerre . . .

33. Le général Kœnig, rallié dès 1940, était commandant en chef des forces françaises en Grande-Bretagne. A propos de l'accord franco-américain, voir note 41.

34. André Le Troquer, résistant que de Gaulle fit entrer au Comité français de la Libération nationale en novembre 1943. Par la suite, il devint commissaire national délégué aux territoires libérés.

35. Le général Alphonse Juin, héros des campagnes d'Afrique du Nord et d'Italie

36. Georges Bidault, président du Conseil national de la Résistance depuis mars 1944. Membre du parti républicain populaire.

37. Membres du Comité parisien de la Libération

38. Les Forces Françaises de l'Intérieur (F.F.I.) groupèrent l'ensemble des forces combattantes de la résistance. Par une ordonnance du 9 juin 1944, il avait été déclaré qu'elles faisaient partie intégrantes de l'armée.

39. Phrase capitale. Par ces mots de Gaulle affirmait d'une part sa fidélité aux principes républicains et, d'autre part, la légitimité du pouvoir qui lui avait été transmis sans interruption depuis l'époque de la France Libre jusqu'à ce jour-là. D'un seul coup s'effondraient les programmes révolutionnaires conçus par certains groupes de résistants. De Gaulle triomphait mais un divorce se préparait entre lui et les membres des partis de gauche.

40. Ce fut la première rencontre directe de de Gaulle et de la population. Jusqu'alors les Parisiens ne connaissaient que sa voix; le 25 août ils découvrirent un visage que presqu'aucun d'entre eux ne connaissait.

41. La France était représentée par le général Kœnig. Pour montrer que le gouvernement des Etats-Unis ne reconnaissait pas de Gaulle comme chef d'état mais simplement comme celui qui détenait momentanément l'autorité, Roosevelt avait exigé que ce document soit signé par des militaires.

42. Au moment de quitter l'Arc de triomphe, de Gaulle se serait retourné vers les membres du cortège et leur aurait dit: «Messieurs, à un pas derrière moi».

43. Il marchait au milieu de la foule sans cordon de police. Devant lui une voiture descendait lentement en annonçant par haut-parleur: «Le général de Gaulle confie le soin de sa sécurité au peuple de Paris.»

44. Le fils de Napoléon Ier

45. On n'a jamais réussi à découvrir qui avait organisé cette fusillade. On a soupçonné, tour à tour, les Allemands, les miliciens, les communistes . . .

46. Voici le passage capital de la lettre écrite par Pétain le 22 juillet 1944: «Je donne pouvoir à l'amiral Auphan pour me représenter auprès du haut commandement anglo-saxon en France et éventuellement prendre contact de ma part avec le général de Gaulle . . . à l'effet de trouver au problème politique français, au moment de la libération du territoire, une solution de nature à empêcher la guerre civile et à réconcilier tous les Français de bonne foi . . . Je lui fais confiance pour agir au mieux des intérêts de la Patrie, pourvu que le principe de la légitimité que j'incarne soit sauvegardé.» Cité par: Robert Aron, *Histoire de Vichy,* II, p. 409.

47. Il n'y avait pas de courant électrique.

48. De Gaulle, *Mémoires de Guerre,* II, p. 389.

LE SALUT

Plus le trouble est grand,
plus il faut gouverner.[1]

En quelques semaines, presque tout le territoire à l'exception de l'Alsace se trouva libéré. Mais la libération ne signifiait pas la fin de la guerre. Au cours de ses nombreux déplacements,[2] de Gaulle adressait des paroles austères aux multitudes qui se pressaient autour de lui. Le redressement national n'était possible qu'au prix de lourds sacrifices; telle était la perspective après cinq années de guerre et d'occupation.[3]

La France délivrée accordait à son «homme providentiel» un crédit quasi illimité. Les inquiétudes et les ressentiments personnels étaient momentanément submergés par une marée de ferveur. C'était le moment d'agir. «Le fer est chaud. Je le bats.»[4]

Le rythme de la libération est d'une extrême rapidité ...

Il en résulte que les problèmes innombrables et d'une urgence extrême que comporte la conduite du pays émergeant du fond de l'abîme se posent au pouvoir, à la fois, de la manière la plus pressante, et cela dans le temps même où il est aussi malaisé que possible de les résoudre.

D'abord, pour que l'autorité centrale puisse s'exercer normalement, il faudrait qu'elle fût en mesure d'être informée, de faire parvenir ses ordres, de contrôler leur exécution. Or, pendant de longues semaines, la capitale restera sans moyens de communiquer régulièrement avec les provinces. Les lignes télégraphiques et téléphoniques ont subi des coupures sans nombre. Les postes-radio sont détruits. Il n'y a pas d'avions de liaison français sur les terrains criblés d'entonnoirs. Les chemins de fer sont quasi bloqués. De nos 12 000 locomotives, il nous en reste 2 800. Aucun train, partant de Paris, ne peut atteindre Lyon, Marseille, Toulouse, Bordeaux, Nantes, Lille, Nancy. Aucun ne traverse la Loire entre Nevers et l'Atlantique, ni la Seine entre Mantes et la Manche, ni le Rhône entre Lyon et la Méditerranée. Quant aux routes, 3 000 ponts ont sauté; 300 000 véhicules, à peine, sont en état de rouler sur 3 millions que nous avions eus; enfin, le manque d'essence fait qu'un voyage en auto est une véritable aventure. Il faudra deux mois, au moins, pour que s'établisse l'échange régulier des ordres et des rapports, faute duquel le pouvoir ne saurait agir que par saccades.

En même temps, l'arrêt des transports désorganise le ravitaillement. D'autant plus que les stocks avoués de vivres, de matières premières, de combustibles, d'objets fabriqués, ont entièrement disparu. Sans doute un plan «de six mois», prévoyant une première série d'importations américaines, avait-il été dressé par accord entre Alger et Washington. Mais comment le faire jouer alors que nos ports sont inutilisables? Tandis que Dunkerque, Brest, Lorient, Saint-Nazaire, La Rochelle,[5] ainsi que l'accès de Bordeaux,[6] restent aux mains de l'ennemi, Calais, Boulogne, Dieppe,

Photo E. C. Armées

La Libération.

Photo E. C. Armées

Rouen, Le Havre, Cherbourg, Nantes, Marseille, Toulon, écrasés par les bombardements britanniques et américains et, ensuite, détruits de fond en comble par les garnisons allemandes avant qu'elles mettent bas les armes, n'offrent plus que quais en ruine, bassins crevés, écluses bloquées, chenaux encombrés d'épaves.

Il est vrai que les alliés s'empressent de nous apporter le concours de leur outillage pour rétablir routes et voies ferrées sur les axes stratégiques: Rouen-Lille-Bruxelles et Marseille-Lyon-Nancy; qu'ils nous aident sans délai à aménager nos aérodromes, dans le Nord, dans l'Est et autour de Paris;... Mais les trains et les camions qui roulent, les avions qui atterrissent et les navires qui abordent sont destinés essentiellement aux forces en opérations. Même, à la demande pressante du commandement militaire, nous sommes amenés à lui fournir une partie du charbon resté sur le carreau des mines, à lui permettre d'utiliser un certain nombre de nos usines en état de fonctionner, à mettre à sa disposition une importante fraction de la main-d'œuvre qui nous reste. Ainsi qu'on pouvait le prévoir, la libération ne va, tout d'abord, apporter au pays, disloqué et vidé de tout, aucune aisance matérielle.

Du moins lui procure-t-elle une subite détente morale. Cet événement quasi surnaturel, dont on avait tant rêvé, le voilà venu tout à coup!...

Pour moi, parvenu en cette fin d'un dramatique été dans un Paris misérable, je ne m'en fais point accroire. Voyant les rations à des taux de famine, les habits élimés, les foyers froids, les lampes éteintes; passant devant des boutiques vides, des usines arrêtées, des gares mortes; entendant s'élever, déjà, les plaintes des masses, les revendications des groupes, les surenchères des démagogues; certain que, si nous disposons de sympathies chez les peuples,[7] la règle de fer des Etats est de ne donner rien pour rien et que nous ne reprendrons rang qu'à condition de payer; évaluant les sacrifices à faire avant que nous ayons arraché notre part de la victoire, puis accompli un premier redressement, je ne puis me bercer d'illusions. D'autant moins que je me sais dépourvu de tout talisman qui permettrait à la nation d'atteindre le but sans douleur. Par contre, le crédit que m'ouvre la France, j'entends l'engager tout entier pour la conduire au salut. Pour commencer, cela consiste à mettre en place le pouvoir; à provoquer autour de moi l'adhésion de toutes les régions et de toutes les catégories; à fondre en une seule armée les troupes venues de l'Empire et les forces de l'intérieur; à faire en sorte que le pays reprenne sa vie et son travail sans glisser aux secousses qui le mèneraient à d'autres malheurs.

Mémoires de Guerre, III, *Le Salut*, Librairie Plon, 1959.

A mesure que le territoire se trouva libéré, de Gaulle fit rétablir l'autorité légale. Il fut interdit aux milices populaires de juger les «collaborateurs».[8] Des tribunaux spéciaux furent institués pour juger les personnes soupçonnées d'intelligence avec l'ennemi.[9] Les mouvements clandestins furent dissouts.[10] «La charge de gouverner appartient au gouvernement»[11] rappela le chef. Il y eut quelques grincements de dents. Certains anciens résistants furent ulcérés de voir réapparaître les capitalistes, les bureaucrates, les politiciens, les magistrats... Ceux dont le patriotisme était dominé par une idéologie politique ou sociale s'aperçurent très vite que la révolution qu'ils avaient conçue dans la clandestinité ne se réaliserait jamais. Des patriotes étaient morts pour préparer «des lendemains qui chantent» mais, à peine libéré, on éprouvait déjà l'amertume des illusions perdues.

Néanmoins, malgré les ruines et les douleurs, le pays commençait à revivre. L'ennemi était chassé; le spectre de la guerre civile était écarté.[12] Ceux qui étaient déçus n'osaient pas encore se plaindre trop fort. Les Français demeuraient unis dans la lutte contre l'adversaire. Partout où il allait, «le grand Charles» était acclamé avec transport. «La nation discernait d'instinct, a-t-il écrit, que dans le trouble où elle était plongée, elle serait à la merci de l'anarchie, puis de la dictature si elle ne me trouvait pas là pour lui servir de guide et de centre de ralliement. Elle s'attachait aujourd'hui à de Gaulle pour échapper à la subversion comme elle l'avait fait, hier, pour être débarrassée de l'ennemi.»[13]

La réorganisation de la France dépendait, dans une très large mesure, de ses rapports avec les alliés. L'armée, gonflée de plusieurs centaines de milliers de nouveaux soldats, avait besoin de matériel de guerre et, tout particulièrement, de matériel de transport et d'armes lourdes. Les usines françaises étaient dévastées ou incapables de fonctionner faute de matières premières et de carburant.[14] La France était tributaire des livraisons anglo-américaines. Or, ces livraisons étaient parcimonieuses. Au cours de l'hiver 1944–1945, de Gaulle s'est débattu pour que la France puisse participer le plus activement possible à l'effort de guerre. Deux raisons l'y poussaient. D'une part, il savait que le rang de la France dépendrait de sa contribution militaire. D'autre part, il voulait réveiller la fierté nationale en donnant aux Français conscience d'avoir vaincu l'Allemagne.

Au mois de novembre, lors de la visite de Churchill à Paris,[15] les problèmes relatifs à l'après guerre furent âprement discutés.[16] Avant les grands règlements internationaux, de Gaulle aurait voulu lier la France et l'Angleterre par une alliance solide qui aurait fortifié non seulement les deux pays mais également l'Europe toute entière. Churchill refusa de s'engager. Décidément, l'Angleterre s'orientait de plus en plus vers les Etats-Unis. Sans doute le Premier britannique reconnut-il que la France devrait avoir, par la suite, une zone d'occupation en Allemagne mais, là encore, il ne donna aucune garantie.[17]

C'est avec l'U.R.S.S. que de Gaulle signa son premier traité d'alliance. Au mois de décembre, il se rendit à Moscou en passant par Le Caire et Téhéran. Il poursuivait trois buts principaux: renouer l'ancienne alliance franco-russe qui permet de prendre l'Allemagne à rebours;[18] défendre l'indépendance de la Pologne et, enfin, s'émanciper de la tutelle anglo-saxonne. Le traité de Moscou n'apporta pas les résultats que l'on escomptait. Staline eut tôt fait de se délier de ses engagements . . . Ce pacte, toutefois, ne fut pas totalement inutile; d'une part il désarma momentanément les communistes français et, d'autre part, il permit à la France de réaffirmer sa présence sur l'échiquier international.

Photo E. C. Armées

Le 11 novembre 1944. Enfin de Gaulle peut recevoir Churchill à Paris.

Le 26 novembre, nous atterrîmes à Bakou.[19] Sur le terrain, ayant écouté les souhaits de bienvenue des autorités soviétiques, je reçus le salut et assistai au défilé, — baïonnettes basses, torses bombés, pas martelés, — d'un très beau détachement de troupes. C'était bien là l'éternelle armée russe. Après quoi, à grande vitesse, nous fûmes conduits en ville, dans une maison où nos hôtes, à la tête desquels s'empressait M. Bogomolov,[20] nous prodiguèrent les prévenances. Mais, tandis que nous aurions voulu poursuivre le voyage au plus tôt, les Soviétiques nous indiquèrent, d'abord, que l'équipage de notre avion ne connaissant ni la route, ni les signaux, ce seraient des appareils russes qui devraient nous transporter; ensuite, que le mauvais temps rendrait le vol trop aléatoire en ce commencement d'hiver; enfin, qu'un train spécial nous était réservé et arrivait pour nous prendre. Bref, nous dûmes passer à Bakou deux jours que remplirent, tant bien que mal, la visite de la ville à demi déserte, une représentation au théâtre municipal, la lecture des dépêches de l'agence Tass et des repas où se déployaient un luxe et une abondance incroyables.

Le train spécial était dit «du grand-duc», parce qu'il avait servi au grand-duc Nicolas pendant la première guerre mondiale. Dans des wagons bien aménagés nous fîmes, à la faible vitesse qu'imposait l'état des voies ferrées, un trajet qui dura quatre jours. Descendant aux stations, nous nous trouvions, invariablement, entourés d'une foule silencieuse mais évidemment cordiale.

Photo E. C. Armées

Le 2 décembre 1944. Molotov accueille de Gaulle à son arrivée à Moscou.

J'avais demandé à passer par Stalingrad, geste d'hommage à l'égard des armées russes qui y avaient remporté la victoire décisive de la guerre.[21] Nous trouvâmes la cité complètement démolie. Dans les ruines travaillait, cependant, une population nombreuse, les autorités appliquant, d'une manière spectaculaire, le mot d'ordre de la reconstruction. Après nous avoir fait faire le tour du champ de bataille, nos guides nous conduisirent à une fonderie écroulée, où, d'un four à peine réparé, recommençait à couler la fonte. Mais la grande usine de tanks, que nous visitâmes ensuite, avait été entièrement rebâtie et rééquipée. A notre entrée dans les ateliers, les ouvriers se groupaient pour échanger avec nous les propos de l'amitié. Au retour, nous croisâmes une colonne d'hommes escortés de soldats en armes. C'étaient, nous expliqua-t-on, des prisonniers russes qui allaient aux chantiers. Je dois dire que, par rapport aux travailleurs «en liberté», ces condamnés nous parurent ni plus ni moins passifs, ni mieux ni plus mal vêtus. Ayant remis à la municipalité l'épée d'honneur que j'avais apportée de France pour la ville de Stalingrad et pris part à un banquet dont le menu faisait contraste avec la misère des habitants, nous regagnâmes le train «du grand-duc». Le samedi 2 décembre, à midi, nous arrivions à Moscou.

Sur le quai de la gare, nous accueillit M. Molotov.[22] Il était entouré de commissaires du peuple, de fonctionnaires et de généraux. Le corps diplomatique, au grand complet, était présent. Les hymnes retentirent. Un bataillon de «cadets» défila magnifiquement. En sortant du bâtiment, je vis, massée sur la place, une foule considérable d'où s'éleva, à mon adresse, une rumeur de sympathie. Puis, je gagnai l'ambassade de France, où je voulais résider afin de me tenir personnellement à l'écart des allées et venues que les négociations ne manqueraient pas de provoquer. Bidault, Juin, Dejean,[23] s'installèrent dans la maison que le gouvernement soviétique mettait à leur disposition.

• • •

Staline était possédé de la volonté de puissance. Rompu par une vie de complots à masquer ses traits et son âme, à se passer d'illusions, de pitié, de sincérité, à voir en chaque homme un obstacle ou un danger, tout chez lui était manœuvre, méfiance et obstination. La révolution, le parti, l'Etat, la guerre, lui avaient offert les occasions et les moyens de dominer. Il y était parvenu, usant à fond des détours de l'exégèse marxiste et des rigueurs totalitaires, mettant au jeu une audace et une astuce surhumaines, subjuguant ou liquidant les autres.

Dès lors, seul en face de la Russie, Staline la vit mystérieuse, plus forte et plus durable que toutes les théories et que tous les régimes. Il l'aima à sa manière. Elle-même l'accepta comme un tsar pour le temps d'une période terrible et supporta le bolchevisme pour s'en servir comme d'un instrument. Rassembler les Slaves, écraser les Germaniques, s'étendre en Asie, accéder aux mers libres, c'étaient les rêves de la patrie, ce furent les buts du despote. Deux conditions, pour y réussir: faire du pays une grande puissance moderne, c'est-à-dire industrielle, et, le moment venu, l'emporter dans une guerre mondiale. La première avait été remplie, au prix d'une dépense inouïe de souffrances et de pertes humaines. Staline, quand je le vis, achevait d'accomplir la seconde au milieu des tombes et des ruines. Sa chance fut qu'il ait trouvé un peuple à ce point vivant et patient que la pire servitude ne le paralysait pas, une terre pleine de telles ressources que les plus affreux gaspillages ne pouvaient pas les tarir, des alliés sans lesquels il n'eût pas vaincu l'adversaire mais qui, sans lui, ne l'eussent point abattu.

Pendant les quelque quinze heures que durèrent, au total, mes entretiens avec Staline, j'aperçus sa politique, grandiose et dissimulée. Communiste habillé en maréchal, dictateur tapi dans sa ruse, conquérant à l'air bonhomme, il s'appliquait à donner le change. Mais, si âpre était sa passion qu'elle transparaissait souvent, non sans une sorte de charme ténébreux.

• • •

A l'heure de nous rendre au dîner offert par Staline, les négociations étaient toujours au point mort. Jusqu'au dernier moment, les Russes s'étaient acharnés à obtenir de nous tout au moins un communiqué qui proclamerait l'établissement de relations officielles entre le gouvernement français et le Comité de Lublin[24] et qui serait publié en même temps que l'annonce du traité franco-russe. Nous n'y avions pas consenti. Si j'étais décidé à ne pas engager la responsabilité de la France dans l'entreprise d'asservissement de la nation polonaise, ce n'était pas que j'eusse d'illusions sur ce que ce refus pourrait avoir d'efficacité pratique. Nous n'avions évidemment pas les moyens d'empêcher les Soviets de mettre leur plan à exécution. D'autre part, je pressentais que l'Amérique et la Grande-Bretagne laisseraient faire. Mais, de si peu de poids que fût, dans l'immédiat, l'attitude de la France, il pourrait être, plus tard, important qu'elle l'eût prise à ce moment-là. L'avenir dure longtemps. Tout peut, un jour, arriver, même ceci qu'un acte conforme à l'honneur et à l'honnêteté apparaisse, en fin de compte, comme un bon placement politique.

• • •

Staline et moi, assis l'un près de l'autre, causâmes à bâtons rompus. M. Podzerov et M. Laloy traduisaient ce que nous disions, à mesure et mot pour mot. Les opérations en cours, la vie que nous menions dans nos fonctions respectives, les appréciations que nous portions sur les principaux personnages ennemis ou alliés furent les sujets de la conversation. Il ne fut pas question du pacte... Staline tenait des propos directs et simples. Il se donnait l'air d'un rustique, d'une culture rudimentaire, appliquant aux plus vastes problèmes les jugements d'un fruste bon sens. Il mangeait copieusement de tout et se servait force rasades d'une bouteille de vin de Crimée qu'on renouvelait devant lui. Mais, sous ces apparences débonnaires, on discernait le champion engagé dans une lutte sans merci. D'ailleurs, autour de la table, tous les Russes, attentifs et contraints, ne cessaient pas de l'épier. De leur part une soumission et une crainte manifestes, de la sienne une autorité concentrée et vigilante, tels étaient, autant qu'on pût le voir, les rapports de cet état-major politique et militaire avec ce chef humainement tout seul.

Soudain, le tableau changea. L'heure des toasts était arrivée. Staline se mit à jouer une scène extraordinaire.

Il eut, d'abord, des mots chaleureux pour la France et aimables à mon intention. J'en prononçai de la même sorte à son adresse et à celle de la Russie. Il salua les Etats-Unis et le président Roosevelt, puis l'Angleterre et M. Churchill, et écouta avec componction les réponses de Harriman et de Balfour.[25] Il fit honneur à Bidault, à Juin, à chacun des Français qui étaient là, à l'armée française, au régiment «Normandie-Niémen».[26] Puis, ces formalités remplies, il entreprit une grande parade.

Trente fois, Staline se leva pour boire à la santé des Russes présents. L'un après l'autre, il les désignait. Molotov, Beria, Boulganine, Vorochilov, Mikoyan, Kaganovitch, etc., commissaires du peuple, eurent les premiers l'apostrophe du maître. Il passa ensuite aux généraux et aux fonctionnaires. Pour chacun d'eux, le maréchal indiquait avec emphase quels étaient son mérite et sa charge. Mais, toujours, il affirmait et exaltait la puissance de la Russie. Il criait, par exemple, à l'inspecteur de l'artillerie: «Voronov! A ta santé! C'est toi qui as la mission de déployer sur les champs de bataille le système de nos calibres. C'est grâce à ce système-là que l'ennemi est écrasé en largeur et en profondeur. Vas-y! Hardi pour tes canons!» S'adressant au chef d'état-major de la marine: «Amiral Kouznetzov! On ne sait pas assez tout ce que fait notre flotte. Patience! Un jour nous dominerons les mers!» Interpellant l'ingénieur de l'aéronautique Yackovlev qui avait mis au point l'excellent appareil de chasse *Yack:* «Je te salue! Tes avions balaient le ciel. Mais il nous en faut encore bien plus et de meilleurs. A toi de les faire!» Parfois, Staline mêlait la menace à l'éloge. Il s'en prenait à Novikov, chef d'état-major de l'air: «Nos avions, c'est toi qui les emploies. Si tu les emploies mal, tu dois savoir ce qui t'attend.» Pointant le doigt vers l'un des assistants: «Le voilà! C'est le directeur des arrières. A lui d'amener au front le matériel et les hommes. Qu'il tâche de le faire comme il faut! Sinon, il sera pendu, comme on fait dans ce pays.» En terminant chaque toast Staline criait: «Viens!» au personnage qu'il avait nommé. Celui-ci, quittant sa place, accourait pour choquer son verre contre le verre du maréchal, sous les regards des autres Russes rigides et silencieux.

Cette scène de tragi-comédie ne pouvait avoir pour but que d'impressionner les Français, en faisant étalage de la force soviétique et de la domination de celui qui en disposait. Mais, pour y avoir assisté, j'étais moins enclin que jamais à prêter mon concours au sacrifice de la Pologne. Aussi fut-ce avec froideur qu'au salon, après le dîner, je regardai, assis autour de Staline et de moi, le chœur obstiné des diplomates: Molotov, Dekanozov et Bogomolov d'un côté; Bidault, Garreau[27] et Dejean de l'autre. Les Russes reprenaient inlassablement la délibération sur la reconnaissance du Comité de Lublin. Mais, comme la question était, pour moi, tranchée et que je l'avais fait savoir, je tenais pour oiseuse cette nouvelle discussion. Même, connaissant la propension des techniciens de la diplomatie à négocier dans tous les cas, fût-ce aux dépens des buts politiques, et me défiant de la chaleur communicative d'une réunion prolongée, j'appréhendais que notre équipe n'en vînt à faire quelques fâcheuses concessions de termes. Certes, l'issue n'en serait pas changée car ma décision était prise. Mais il eût été regrettable que la délégation française parût manquer de cohésion.

J'affectai donc ostensiblement de ne pas prendre intérêt aux débats de l'aréopage. Ce que voyant, Staline surenchérit: «Ah! ces diplomates, criait-il. Quels bavards! Pour les faire taire, un seul moyen: les abattre à la mitrailleuse. Boulganine! Va en chercher une!» Puis, laissant là les négociateurs et suivi des autres assistants, il m'emmena dans une salle proche voir un film soviétique tourné pour la propagande en l'année 1938. C'était très conformiste et passablement naïf. On y voyait les Allemands envahir traîtreusement la Russie. Mais bientôt, devant l'élan du peuple russe, le courage de son armée, la valeur de ses généraux, il leur fallait battre en retraite. A leur tour, ils étaient envahis. Alors, la révolution éclatait dans toute l'Allemagne. Elle triomphait à Berlin où, sur les ruines du fascisme et grâce à l'aide des Soviets, s'ouvrait une ère de paix et de prospérité. Staline riait, battait des mains. «Je crains, dit-il, que la fin de l'histoire ne plaise pas à M. de Gaulle.» Je ripostai, quelque peu agacé: «Votre victoire, en tout cas, me plaît. Et d'autant plus, qu'au début de la véritable guerre, ce n'est pas comme dans ce film que les choses se sont passées entre vous et les Allemands.»[28]

...A minuit, le film étant passé et la lumière revenue, je me levai et dis à Staline: «Je prends congé de vous. Le train va m'emmener tout à l'heure. Je ne saurais trop vous remercier de la façon dont vous-même et le gouvernement soviétique m'avez reçu dans votre vaillant pays. Nous nous y sommes mutuellement informés de nos points de vue respectifs. Nous avons constaté notre accord sur l'essentiel, qui est que la France et la Russie poursuivent ensemble la guerre jusqu'à la victoire complète. Au revoir, monsieur le Maréchal!» Staline, d'abord, parut ne pas comprendre: «Restez donc, murmurait-il. On va projeter un autre film.» Mais, comme je lui tendais la main, il la serra et me laissa partir. Je gagnai la porte en saluant l'assistance qui semblait frappée de stupeur.

M. Molotov accourut. Livide, il m'accompagna jusqu'à ma voiture. A lui aussi, j'exprimai ma satisfaction au sujet de mon séjour. Il balbutia quelques syllables,

Photo E. C. Armées

Signature du pacte de Moscou. Derrière Bidault, Staline regarde.

sans pouvoir cacher son désarroi. Sans nul doute, le ministre soviétique était profondément marri de voir s'évanouir un projet poursuivi avec ténacité. Maintenant, pour changer de front, il restait bien peu de temps avant que les Français ne quittassent la capitale. La reconnaissance de Lublin par Paris était évidemment manquée. Mais en outre, au point où en étaient les choses, on risquait fort que de Gaulle rentrât en France sans avoir conclu le pacte. Quel effet produirait un pareil aboutissement? Et ne serait-ce pas à lui, Molotov, que Staline s'en prendrait de l'échec? Quant à moi, bien résolu à l'emporter, je rentrai tranquillement à l'ambassade de France. Voyant que Bidault ne m'avait pas suivi, je lui envoyai quelqu'un pour l'inviter à le faire. Nous laissions sur place Garreau et Dejean. Ils maintiendraient des contacts qui pourraient être utiles mais ne nous engageraient pas.

Au fond, je ne doutais guère de la suite. En effet, vers deux heures du matin, Maurice Dejean vint rendre compte d'un fait nouveau. Après un long entretien de Staline avec Molotov, les Russes s'étaient déclarés disposés à s'accommoder, quant aux relations entre Paris et Lublin, d'un texte de déclaration profondément édulcoré . . .

Bidault s'était, entre-temps, rendu au Kremlin pour mettre au point avec nos partenaires le texte définitif du pacte. Celui-ci m'étant présenté, je l'approuvai intégralement. Etait spécifié l'engagement des deux parties de poursuivre la guerre jusqu'à la victoire complète, de ne pas conclure de paix séparée avec l'Allemagne et, ultérieurement, de prendre en commun toutes mesures destinées à s'opposer à une nouvelle menace allemande. Etait mentionnée la participation des deux pays à l'organisation des Nations Unies. Le traité serait valable pour une durée de vingt ans.

On me rapporta que les tractations ultimes s'étaient déroulées, au Kremlin, dans une pièce voisine de celles où continuaient d'aller et venir les invités de la soirée. Au cours de ces heures difficiles, Staline se tenait constamment au courant de la négociation et l'arbitrait, à mesure, du côté russe. Mais cela ne l'empêchait pas de parcourir les salons pour causer et trinquer avec l'un ou avec l'autre. En particulier, le colonel Pouyade, commandant le régiment «Normandie», fut l'objet de ses prévenances. Finalement, on vint m'annoncer que tout était prêt pour la signature du pacte. Celle-ci aurait lieu dans le bureau de M. Molotov. Je m'y rendis à quatre heures du matin.

La cérémonie revêtit une certaine solennité. Des photographes russes opéraient, muets et sans exigences. Les deux ministres des Affaires étrangères, entourés des deux délégations, signèrent les exemplaires rédigés en français et en russe. Staline et moi nous nous tenions derrière eux. «De cette façon, lui dis-je, voilà le traité ratifié. Sur ce point, je le suppose, votre inquiétude est dissipée.» Puis, nous nous serrâmes la main. «Il faut fêter cela!» déclara le maréchal. En un instant, des tables furent dressées et l'on se mit à souper.

Staline se montra beau joueur. D'une voix douce, il me fit son compliment: «Vous avez tenu bon. A la bonne heure! J'aime avoir affaire à quelqu'un qui sache ce qu'il veut, même s'il n'entre pas dans mes vues.» Par contraste avec la scène virulente qu'il avait jouée quelques heures auparavant en portant des toasts à ses collaborateurs, il parlait de tout, à présent, d'une façon détachée, comme s'il considérait les autres, la guerre, l'Histoire, et se regardait lui-même, du haut d'une cime de sérénité. «Après tout, disait-il, il n'y a que la mort qui gagne.» Il plaignait Hitler, «pauvre homme qui ne s'en tirera pas». A mon invite: «Viendriez-vous nous voir à Paris?» il répondit: «Comment le faire? Je suis vieux. Je mourrai bientôt.»

Il leva son verre en l'honneur de la France, «qui avait maintenant des chefs résolus, intraitables, et qu'il souhaitait grande et puissante parce qu'il fallait à la Russie un allié grand et puissant». Enfin, il but à la Pologne, bien qu'il n'y eût aucun Polonais présent et comme s'il tenait à me prendre à témoin de ses intentions. «Les tsars, dit-il, faisaient une mauvaise politique en voulant dominer les autres peuples slaves. Nous avons, nous, une politique nouvelle. Que les Slaves soient, partout, indépendants et libres! C'est ainsi qu'ils seront nos amis. Vive la Pologne, forte, indépendante, démocratique! Vive l'amitié de la France, de la Pologne et de la Russie!» Il me regardait: «Qu'en pense M. de Gaulle?» En écoutant Staline, je mesurais l'abîme qui, pour le monde soviétique, sépare les paroles et les actes. Je ripostai: «Je suis d'accord avec ce que M. Staline a dit de la Pologne», et soulignai: «Oui, d'accord avec ce qu'il a dit.»

Les adieux prirent, de son fait, une allure d'effusion. «Comptez sur moi!» déclara-t-il. «Si vous, si la France, avez besoin de nous, nous partagerons avec vous jusqu'à notre dernière soupe.» Soudain, avisant près de lui Podzerov, l'interprète russe qui avait assisté à tous les entretiens et traduit tous les propos, le maréchal lui dit, l'air sombre, la voix dure: «Tu en sais trop long, toi! J'ai bien envie de t'envoyer en Sibérie.» Avec les miens, je quittai la pièce. Me retournant sur le seuil, j'aperçus Staline assis, seul, à table. Il s'était remis à manger.

Mémoires de Guerre, III, Le Salut, Librairie Plon, 1959.

Photo E. C. Armées

La conférence de Yalta. Un absent.

Deux mois après la conférence de Moscou, Roosevelt, Churchill et Staline se réunirent à Yalta[29] sans avoir convié de quatrième partenaire. Ensemble, ils élaborèrent les principes généraux de l'occupation de l'Allemagne et la création d'organisations internationales destinées à maintenir la paix. Chacun d'eux, pour des raisons différentes, avait préféré tenir de Gaulle à l'écart mais, le seul qui profita de la situation, fut le camarade Staline . . . Une fois de Gaulle hors du chemin, l'Union Soviétique ne rencontrait plus guère d'obstacle en Europe centrale; les populations, terrassées par la guerre, pouvaient être facilement absorbées ou satellisées. Cinq mois plus tard, à la conférence de Potsdam,[30] «les trois Grands» réglaient entre eux le sort de l'Europe. La France n'était pas représentée mais, comme elle était jugée indispensable à l'équilibre de l'Europe, elle fut appelée à participer à l'occupation de l'Allemagne.

L'Allemagne était hors d'état de nuire. Malgré maintes déceptions, la France marquait des points. Elle fut chargée de l'une des quatre zones d'occupation; elle eut son secteur à Berlin. Elle fut invitée à la Conférence de San Francisco[31] et elle participa aux invitations à cette conférence. Elle devint l'un des cinq membres du Conseil de Sécurité[32] et la langue française devint l'une des quatre langues officielles des Nations Unies.[33] Enfin, la France fut présente aux règlements des armistices. Lorsque, le 9 mai 1945, à Berlin, l'Allemagne capitula, le feld-marschall Keitel eut la pénible surprise de voir arriver la délégation de la France.[34] «Quoi, s'exclama-t-il, les Français aussi!» Trois mois plus tard, à Tokio, le général Leclerc contresigna, à côté de MacArthur, l'acte de capitulation du Japon.

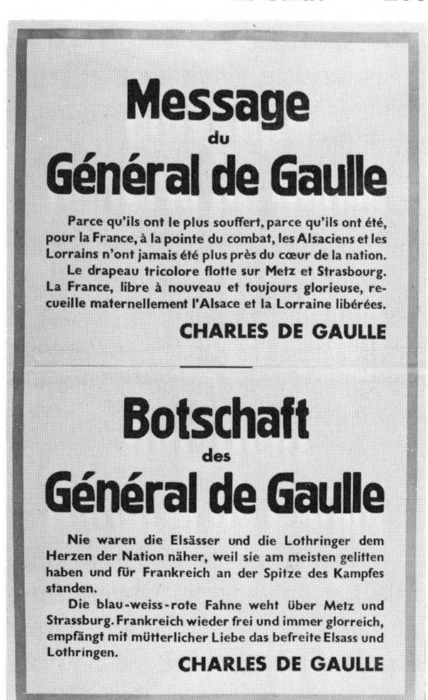

Message
du
Général de Gaulle

Parce qu'ils ont le plus souffert, parce qu'ils ont été, pour la France, à la pointe du combat, les Alsaciens et les Lorrains n'ont jamais été plus près du cœur de la nation.
Le drapeau tricolore flotte sur Metz et Strasbourg. La France, libre à nouveau et toujours glorieuse, recueille maternellement l'Alsace et la Lorraine libérées.

CHARLES DE GAULLE

Botschaft
des
Général de Gaulle

Nie waren die Elsässer und die Lothringer dem Herzen der Nation näher, weil sie am meisten gelitten haben und für Frankreich an der Spitze des Kampfes standen.
Die blau-weiss-rote Fahne weht über Metz und Strassburg. Frankreich wieder frei und immer glorreich, empfängt mit mütterlicher Liebe das befreite Elsass und Lothringen.

CHARLES DE GAULLE

L'Alsace et la Lorraine sont libérées.

Phot. Bibl. Nat. Paris

La mission qui me fut inspirée par la détresse de la patrie se trouve, maintenant, accomplie. Par une incroyable fortune, il m'a été donné de conduire la France jusqu'au terme d'un combat où elle risquait tout. La voici vivante, respectée, recouvrant ses terres et son rang, appelée, aux côtés des plus grands, à régler le sort du monde. De quelle lumière se dore le jour qui va finir! Mais, comme ils sont obscurs les lendemains de la France! Et voici que, déjà, tout s'abaisse et se relâche. Cette flamme d'ambition nationale, ranimée sous la cendre au souffle de la tempête, comment la maintenir ardente quand le vent sera tombé?

Mémoires de Guerre, III, Le Salut, Librairie Plon, 1959.

Tandis que la France luttait pour reprendre place parmi les grandes nations, de graves difficultés surgissaient aux colonies. En Indochine, l'autorité française qui s'était trouvée submergée par l'invasion japonaise ne réussissait plus à reprendre en main des populations fanatisées par le nationalisme et le communisme. L'armée chinoise occupait déjà le Tonkin ainsi qu'une partie de l'Annam et du Laos. «Les Chinois une fois implantés, quand s'en iront-ils? Et à quel prix?»[35]

Pour de multiples raisons, l'Empire ne pouvait pas être restauré tel qu'il était avant 1939. Le chapitre du colonialisme était clos. De Gaulle envisageait néanmoins de grandioses perspectives d'avenir. D'abord il voulait rétablir l'ordre dans les territoires d'outre-mer puis, il se proposait d'amener progressivement ces territoires vers l'indépendance et l'association avec la France.

...Séculaire destin de la France! Or, après ce qui s'est passé sur le sol de nos possessions africaines et asiatiques, ce serait une gageure que de prétendre y maintenir notre Empire tel qu'il avait été. A fortiori, n'y peut-on songer quand les nationalités se dressent d'un bout à l'autre du monde et qu'auprès d'elles la Russie et l'Amérique font assaut de surenchères. Afin que les peuples dont nous sommes responsables restent demain avec la France, il nous faut prendre l'initiative de transformer en autonomie leur condition de sujets et, en association, des rapports qui, actuellement, ne sont pour eux que dépendance. A la condition, toutefois, que nous nous tenions droits et fermes, comme une nation qui sait ce qu'elle veut, ne revient pas sur sa parole, mais exige qu'on soit fidèle à celle qu'on lui aura donnée. Cette directive, je l'ai lancée à partir de Brazzaville.[36] A présent, c'est en Indochine et en Afrique du Nord qu'il nous faut d'abord l'appliquer.

Mémoires de Guerre, III, Le Salut, Librairie Plon, 1959.

Bien avant la libération, de Gaulle prévoyait que les partis renaîtraient et qu'ils ne lui laisseraient que peu de temps pour agir. Profitant du fait que l'Assemblée était encore consultative[37] (et non législative) et que le peuple lui accordait un pouvoir presque illimité, il lança un vaste programme de réformes. Il s'agissait de reconstruire et de renover un pays dont l'économie, déjà stagnante en 1939, venait d'être ruinée par cinq années de guerre et d'occupation. «Aujourd'hui, comme il en fut toujours, écrit-il, c'est à l'Etat qu'il incombe de bâtir la puissance nationale, laquelle, désormais, dépend de l'économie. Celle-ci doit donc être dirigée, d'autant mieux qu'elle est déficiente, qu'il lui faut se renouveler et qu'elle ne le fera pas à moins qu'on ne l'y détermine.»[38]

Dès le mois de novembre 1944, il nationalisa les mines de charbon et les principales sources d'énergie. Il nationalisa également la Banque de France, les principaux établissements de crédit[39] ainsi que certaines grandes compagnies telles que Renault[40] et Air France.[41] Pour coordonner l'activité des divers secteurs, il fonda le Haut-Commissariat au Plan d'équipement et de modernisation. En 1945 il organisa le Bureau des Pétroles et le Haut-Commissariat à l'énergie atomique. Au mois d'août 1945, il créa l'Ecole nationale d'administration.[42]

Dans le domaine social il fit relever les salaires de 40%, il développa le régime des assurances sociales[43] et il augmenta les allocations familiales.[44] Enfin, dans l'espoir d'unir les patrons et les ouvriers dans un même effort productif, il projeta d'établir une association entre le capital et le travail qui permettrait aux travailleurs de participer aux profits de la compagnie.[45]

Dans l'immédiat, ces réformes n'apportèrent dans l'ensemble qu'une amélioration à peine sensible. Les prix montaient, le rationnement était tout aussi sévère que pendant l'occupation, le marché noir ulcérait ceux dont les moyens étaient limités. Les partis lancèrent des campagnes de revendications. Après la lune de miel de la libération, bien des gens rendirent le gouvernement responsable des difficultés de la vie quotidienne. Vers la fin de 1945, de Gaulle dit à Jacques Maritain, ambassadeur de France au Vatican: «Quand vous êtes parti en décembre dernier, les Français étaient malheureux. Vous les retrouvez mécontents. C'est un progrès!»[46]

Au mois d'avril 1945, les élections municipales amenèrent dans les mairies un fort contingent de communistes et de socialistes. En un an le nombre de membres inscrits au Parti[47] tripla. Les questions constitutionnelles faisaient l'objet de violentes discussions. Fallait-il restaurer le régime de la IIIe République ou bien fallait-il préparer une nouvelle constitution?[48] Selon de Gaulle, il appartenait au peuple de trancher ces questions. Dès que les prisonniers furent rapatriés,[49] il organisa un référendum malgré les protestations des communistes qui l'accusaient de vouloir se faire plébisciter par la nation.

Plus de 94% des électeurs se prononcèrent en faveur d'un changement de constitution. Malheureusement la nouvelle assemblée était une Babel politique.[50] Aucun parti n'avait obtenu la prépondérance néanmoins, les deux groupes de gauche l'emportaient nettement sur les autres. L'assemblée qui allait élaborer la nouvelle constitution comprenait 26% de communistes et 23,8% de socialistes. Les modérés n'avaient que 13,3% des sièges.[51]

Comme il s'y était engagé en 1940, de Gaulle se démit de ses fonctions sitôt que l'Assemblée fut constituée. Quelques jours plus tard, à sa séance inaugurale, l'Assemblée l'élut président du Gouvernement Provisoire de la République Française par 555 voix contre 0, avec une abstention. Lorsque le résultat fut annoncé, les députés se levèrent et entonnèrent la Marseillaise. «Je savais, dit de Gaulle, que le vote était une révérence adressée à mon action passée, non point du tout une promesse qui engageait l'avenir.»[52]

En effet, quelques jours plus tard, le conflit éclata lorsque de Gaulle entreprit de constituer le premier cabinet.[53] Momentanément les partis semblèrent se soumettre mais, peu après, les discussions reprirent à propos du budget. Au cours d'un débat qui dura presque toute la nuit du 31 décembre 1945 au 1er janvier 1946, communistes et socialistes réclamèrent une réduction de 20% des crédits militaires. Entretemps, la Commission de la Constitution avait commencé ses travaux. Ses intentions ne laissaient aucun doute possible. La future constitution n'instituerait qu'une seule Chambre;[54] cette Chambre unique serait omnipotente. Le pouvoir exécutif serait aussi faible — sinon plus — que du temps de la IIIe République. Quant au Président de la République, si on en avait un,[55] il ne serait qu'un figurant. Cette fonction honorifique mais vide, la majorité des deputés aurait aimé la donner à de Gaulle. «Le projet, dit celui-ci, . . . était tout juste à l'opposé de ce que j'estimais nécessaire.»[56]

Face à l'impasse, de Gaulle décida de se retirer. Il partit dans le Midi et prit quelques jours de vacances — les premiers depuis sept ans. A son retour à Paris, il donna sa démission.

Le 19 janvier, je fis convoquer les ministres, pour le lendemain, rue Saint-Dominique... J'entrai, serrai les mains et, sans que personne s'assît, prononçai ces quelques paroles: «Le régime exclusif des partis a reparu. Je le réprouve. Mais, à moins d'établir par la force une dictature dont je ne veux pas et qui, sans doute, tournerait mal, je n'ai pas les moyens d'empêcher cette expérience. Il me faut donc me retirer. Aujourd'hui même, j'adresserai au Président de l'Assemblée nationale une lettre lui faisant connaître la démission du gouvernement. Je remercie bien sincèrement chacun de vous du concours qu'il m'a prêté et je vous prie de rester à vos postes pour assurer l'expédition des affaires jusqu'à ce que vos successeurs soient désignés.» Les ministres me firent l'effet d'être plus attristés qu'étonnés. Aucun d'entre eux ne prononça un mot, soit pour me demander de revenir sur ma décision, soit même pour dire qu'il la regrettait. Après avoir pris congé, je me rendis à mon domicile, route du Champ d'entraînement.

• • •

Mais, si j'avais l'âme tranquille, ce n'était pas le cas pour le monde des politiques. Après s'y être fort agité en raison de ma présence, on s'agitait à cause de mon absence. Dans ce milieu courut le bruit que je pensais à un coup d'Etat, comme si le fait que, de mon gré, j'abandonnais le pouvoir ne suffisait pas à marquer cette crainte du caractère de l'absurdité... A vrai dire, s'il m'avait convenu d'exposer les raisons de ma retraite, je n'aurais pas manqué de le faire, et cette explication, donnée au peuple souverain, n'eût été en rien contraire aux principes démocratiques. Mais je jugeais que mon silence pèserait plus lourd que tout, que les esprits réfléchis comprendraient pourquoi j'étais parti et que les autres seraient, tôt ou tard, éclairés par les événements.

Où aller? Depuis que j'envisageais la perspective de mon éloignement, j'avais résolu de résider, le cas échéant, à Colombey-les-deux-Eglises[57] et commencé à faire réparer ma maison endommagée pendant la guerre. Mais il y faudrait plusieurs mois. Je songeai, d'abord, à gagner quelque contrée lointaine où je pourrais attendre en paix. Mais le déferlement d'invectives et d'outrages lancés contre moi par les officines politiciennes et la plupart des journaux me détermina à rester dans la métropole afin que nul n'eût l'impression que ces attaques pouvaient me toucher. Je louai donc au Service des Beaux-Arts le pavillon de Marly, que j'habitai sans bouger jusqu'en mai.

Cependant, tandis que le personnel du régime se livrait à l'euphorie des habitudes retrouvées, au contraire la masse française se repliait dans la tristesse. Avec de Gaulle s'éloignaient ce souffle venu des sommets, cet espoir de réussite, cette ambition de la France, qui soutenaient l'âme nationale. Chacun, quelle que fût sa tendance, avait, au fond, le sentiment que le Général emportait avec lui quelque chose de primordial, de permanent, de nécessaire, qu'il incarnait de par l'Histoire et que le régime des partis ne pouvait pas représenter. Dans le chef tenu à l'écart, on continuait de voir une sorte de détenteur désigné de la souveraineté, un recours choisi d'avance. On concevait que cette légitimité restât latente au cours d'une période sans angoisse. Mais on savait qu'elle s'imposerait, par consentement général, dès lors que le pays courrait le risque d'être, encore une fois, déchiré et menacé.

Photo E. C. Armées

La Boisserie. «C'est ma demeure».

Ma manière d'être, au long des années, se trouverait commandée par cette mission que la France continuait de m'assigner, lors même que, dans l'immédiat, maintes fractions ne me suivissent pas. Quoi que je dise ou qu'on me fît dire, mes paroles, réelles ou supposées, passeraient au domaine public. Tous ceux à qui j'aurais affaire prendraient la même attitude que si, en tant qu'autorité suprême, je les avais reçus dans les palais nationaux. Où qu'il m'arrivât de paraître, l'assistance éclaterait en ardentes manifestations.

C'est cette atmosphère qui m'enveloppa au cours de l'action publique que je menai, tout d'abord, une fois quitté mon rang officiel: faisant connaître, à Bayeux, ce que devraient être nos institutions;[58] condamnant, en toute occasion, la constitution arrachée à la lassitude du pays; appelant le peuple français à se rassembler sur la France pour changer le mauvais régime;[59] lançant, depuis maintes tribunes, des idées faites pour l'avenir; paraissant devant les foules dans tous les départements français et algériens, deux fois au moins pour chacun d'eux et, pour certains, davantage, afin d'entretenir la flamme et de prendre le contact de beaucoup d'émouvantes fidélités. Ce sont les mêmes témoignages qui m'ont été prodigués, après

1952, quand je pris le parti de laisser là la conjoncture, jugeant le mal trop avancé pour qu'on pût y porter remède avant que ne se déchaînât l'inévitable secousse; quand il m'arriva, quelquefois, de présider une cérémonie; quand j'allai visiter nos territoires d'Afrique et ceux de l'océan Indien, faire le tour du monde de terre française en terre française, assister au jaillissement du pétrole au Sahara. Au moment d'achever ce livre, je sens, autant que jamais, d'innombrables sollicitudes se tourner vers une simple maison.

C'est ma demeure. Dans le tumulte des hommes et des événements, la solitude était ma tentation. Maintenant, elle est mon amie. De quelle autre se contenter quand on a rencontré l'Histoire? D'ailleurs, cette partie de la Champagne est tout imprégnée de calme: vastes, frustes et tristes horizons; bois, prés, cultures et friches mélancoliques; relief d'anciennes montagnes très usées et résignées; villages tranquilles et peu fortunés, dont rien, depuis des millénaires, n'a changé l'âme, ni la place. Ainsi, du mien. Situé haut sur le plateau, marqué d'une colline boisée, il passe les siècles au centre des terres que cultivent ses habitants. Ceux-ci, bien que je me garde de m'imposer au milieu d'eux, m'entourent d'une amitié discrète. Leurs familles, je les connais, je les estime et je les aime.

Le silence emplit ma maison. De la pièce d'angle où je passe la plupart des heures du jour, je découvre les lointains dans la direction du couchant. Au long de quinze kilomètres, aucune construction n'apparaît. Par-dessus la plaine et les bois, ma vue suit les longues pentes descendant vers la vallée de l'Aube, puis les hauteurs du versant opposé. D'un point élevé du jardin, j'embrasse les fonds sauvages où la forêt enveloppe le site, comme la mer bat le promontoire. Je vois la nuit couvrir le paysage. Ensuite, regardant les étoiles, je me pénètre de l'insignifiance des choses.

Sans doute, les lettres, la radio, les journaux, font-ils entrer dans l'ermitage les nouvelles de notre monde. Au cours de brefs passages à Paris, je reçois des visiteurs dont les propos me révèlent quel est le cheminement des âmes. Aux vacances, nos enfants, nos petits-enfants, nous entourent de leur jeunesse, à l'exception de notre fille Anne qui a quitté ce monde avant nous. Mais que d'heures s'écoulent, où, lisant, écrivant, rêvant, aucune illusion n'adoucit mon amère sérénité!

Pourtant, dans le petit parc, — j'en ai fait quinze mille fois le tour! — les arbres que le froid dépouille manquent rarement de reverdir, et les fleurs plantées par ma femme renaissent après s'être fanées. Les maisons du bourg sont vétustes; mais il en sort, tout à coup, nombre de filles et de garçons rieurs. Quand je dirige ma promenade vers l'une des forêts voisines: Les Dhuits, Clairvaux, Le Heu, Blinfeix, La Chapelle, leur sombre profondeur me submerge de nostalgie; mais, soudain, le chant d'un oiseau, le soleil sur le feuillage ou les bourgeons d'un taillis me rappellent que la vie, depuis qu'elle parut sur la terre, livre un combat qu'elle n'a jamais perdu. Alors, je me sens traversé par un réconfort secret. Puisque tout recommence toujours, ce que j'ai fait sera, tôt ou tard, une source d'ardeurs nouvelles après que j'aurai disparu.

A mesure que l'âge m'envahit, la nature me devient plus proche. Chaque année, en quatre saisons qui sont autant de leçons, sa sagesse vient me consoler. Elle chante, au printemps: «Quoi qu'il ait pu, jadis, arriver, je suis au commencement!

Tout est clair, malgré les giboulées; jeune, y compris les arbres rabougris; beau, même ces champs caillouteux. L'amour fait monter en moi des sèves et des certitudes si radieuses et si puissantes qu'elles ne finiront jamais!»

Elle proclame, en été: «Quelle gloire est ma fécondité! A grand effort, sort de moi tout ce qui nourrit les êtres. Chaque vie dépend de ma chaleur. Ces grains, ces fruits, ces troupeaux, qu'inonde à présent le soleil, ils sont une réussite que rien ne saurait détruire. Désormais, l'avenir m'appartient!»

En automne, elle soupire: «Ma tâche est près de son terme. J'ai donné mes fleurs, mes moissons, mes fruits. Maintenant, je me recueille. Voyez comme je suis belle encore, dans ma robe de pourpre et d'or, sous la déchirante lumière. Hélas! les vents et les frimas viendront bientôt m'arracher ma parure. Mais, un jour, sur mon corps dépouillé, refleurira ma jeunesse!»

En hiver, elle gémit: «Me voici, stérile et glacée. Combien de plantes, de bêtes, d'oiseaux, que je fis naître et que j'aimais, meurent sur mon sein qui ne peut plus les nourrir ni les réchauffer! Le destin est-il donc scellé? Est-ce, pour toujours, la victoire de la mort? Non! Déjà, sous mon sol inerte, un sourd travail s'accomplit. Immobile au fond des ténèbres, je pressens le merveilleux retour de la lumière et de la vie.»

Vieille Terre, rongée par les âges, rabotée de pluies et de tempêtes, épuisée de végétation, mais prête, indéfiniment, à produire ce qu'il faut pour que se succèdent les vivants!

Vieille France, accablée d'Histoire, meurtrie de guerres et de révolutions, allant et venant sans relâche de la grandeur au déclin, mais redressée, de siècle en siècle, par le génie du renouveau!

Vieil homme, recru d'épreuves, détaché des entreprises, sentant venir le froid éternel, mais jamais las de guetter dans l'ombre la lueur de l'espérance!

Mémoires de Guerre, III, Le Salut, Librairie Plon, 1959.

Notes

1. De Gaulle, *Mémoires de Guerre,* III, p. 45.
2. De la libération de Paris (fin août 1944) jusqu'à la fin de la guerre (8 mai 1945), de Gaulle fit onze visites aux armées, parcourut toutes les régions libérées, s'arrêta dans les principales villes et passa deux semaines en Russie. En huit mois, il fut 70 jours absent de Paris.
3. Dans le discours prononcé au Palais de Chaillot le 12 septembre 1944, il dit: «Nous nous trouvons, et chaque Français le sait bien, devant une période difficile où la libération ne nous permet nullement l'aisance mais comporte, au contraire, le maintien de sévères restrictions et exige de grands efforts de travail et d'organisation en même temps que de discipline.»
4. De Gaulle, *Mémoires de Guerre,* II, p. 385.
5. Une garnison allemande de 18 000 hommes s'était retranchée dans le port de La Rochelle. La ville ne sera libérée que le 30 avril 1945 et échappera par miracle à la destruction.
6. Le port de Bordeaux était inutilisable parce qu'une garnison de 15 000 Allemands occupait les points stratégiques (Royan et la pointe de Grave) qui commandent l'embouchure de la Gironde. Cette garnison ne se rendra qu'à la fin du mois d'avril 1945 après des combats acharnés.
7. Comprenez: les peuples de la terre.
8. Au cours des combats de la libération plusieurs milliers de personnes soupçonnées de collaboration s'étaient trouvées exécutées sans procès régulier.
9. Les deux procès les plus célèbres de l'été 1945 furent ceux de Pierre Laval (il fut condamné à mort) et du maréchal Pétain. En raison de son grand âge (89 ans), ce dernier ne fut pas condamné à mort mais à la prison à vie.
10. 300 000 anciens résistants furent versés dans l'armée de terre; 40 000 autres furent versés dans la marine et l'armée de l'air. Certains spécialistes (les mineurs notamment) furent conviés à reprendre leurs activités professionnelles sans délai. D'autre part, de Gaulle ordonna la formation de 60 Compagnies républicaines de sécurité (C.R.S.).
11. Discours radiodiffusé du 14 octobre 1944.
12. «D'après Lord Halifax, l'amiral Leahy avait si constamment prédit au Président (des U.S.A.) que la libération donnerait en France le signal de la guerre civile que M. Roosevelt n'avait pas cru à la possibilité pour le général de Gaulle d'asseoir fermement son autorité en France . . .» Télégramme adressé par Henri Hoppenot, ambassadeur de France aux Etats-Unis, au gouvernement français le 16 octobre 1944. Signalons que le gouvernement provisoire de la France a été reconnu le 23 octobre 1944 par l'U.R.S.S., les U.S.A., la Grande-Bretagne et le Canada. Les autres puissances l'avaient reconnu depuis plusieurs mois déjà.
13. De Gaulle, *Mémoires de Guerre,* III, p. 13.
14. Quelques rares usines avaient échappé aux bombardements mais, en se retirant, les Allemands avaient démonté les machines pour les expédier en Allemagne. Ce fut notamment le cas des usines Peugeot à Montbéliard.
15. Churchill était à Paris pour les cérémonies du 11 novembre. Il fut reçu chaleureusement. «At eleven o'clock on the morning of November 11 de Gaulle conducted me in an open car across the Seine and through the Place

de la Concorde, with a splendid escort of Gardes municipales in full uniform . . . Every window was filled with spectators and decorated with flags. We proceeded through wildly cheering multitudes to the Arc de Triomphe, where we both laid wreaths upon the tomb of the Unknown Warrior.» Churchill, *The Second World War,* VI, p. 250.

16. Voir documents cités dans: de Gaulle, *Mémoires de Guerre* (Librairie Plon), III, pp. 350–359.

17. De retour à Londres, Churchill écrivit à Roosevelt: «The French pressed very strongly to have a share in the occupation of Germany, not merely as a sub-participation under British or American command, but as French command. I expressed my sympathy with this, knowing well that there will be a time not many years distant when the American armies will go home and when the British will have great difficulty in maintaining large forces overseas . . . Generally I felt in the presence of an organized government, broadly based and of rapidly growing strength, and I am certain that we should be most unwise to weaken it . . .» Churchill, *op. cit.,* VI, p. 252.

18. La France avait déjà conclu des traités d'alliance avec la Russie en 1756, 1891 et 1935.

19. Centre industriel et pétrolier sur la mer Caspienne

20. Diplomate soviétique. Il avait été l'ambassadeur de l'U.R.S.S. auprès du maréchal Pétain pendant un an. En 1941, il avait représenté son pays auprès du Comité national français à Londres. De Gaulle le connaissait bien et l'estimait.

21. Pendant l'hiver 1942–1943 les Allemands avaient livré une offensive féroce contre la ville.

22. Ministre des Affaires étrangères de l'U.R.S.S. De Gaulle l'avait connu à Londres en 1942.

23. Bidault, ministre des Affaires étrangères. Le diplomate Maurice Dejean et le général Juin accompagnaient de Gaulle.

24. Gouvernement provisoire polonais constitué en juillet 1944 sous l'égide de l'U.R.S.S. Ce gouvernement n'était pas reconnu par le gouvernement polonais qui s'était constitué à Londres.

25. Ils étaient respectivement l'ambassadeur des Etats-Unis et le chargé d'affaires britannique.

26. Régiment français qui combattait sur le front russe depuis 1942. C'était la seule unité occidentale en U.R.S.S.

27. Roger Garreau, ambassadeur de France en U.R.S.S. De Gaulle l'avait envoyé à Moscou en février 1942 pour représenter le Comité national.

28. Allusion au pacte de non-agression signé le 23 août 1939 par l'Allemagne et l'U.R.S.S. qui permit à ces deux nations de se partager la Pologne quelques semaines plus tard.

29. La conférence eut lieu du 7 au 12 février 1945, à Yalta en Crimée.

30. Du 17 juillet au 2 août 1945, Churchill (puis Attlee), Truman et Staline se réunirent à Potsdam, près de Berlin. Ils constituèrent quatre zones d'occupation qu'ils placèrent sous le contrôle des U.S.A., de l'U.R.S.S., de l'Angleterre et de la France. Ils décidèrent également de former un Conseil composé des ministres des Affaires étrangères des cinq grandes puissances (U.S.A., U.R.S.S., Grande-Bretagne, France et Chine). Ce Conseil allait être chargé de préparer les accords internationaux.

31. Le 26 juin, à San Francisco, la France fut l'un des cinquante pays qui signèrent la Charte des Nations Unies.
32. Le Conseil de Sécurité des Nations Unies. Sa responsabilité essentielle est de maintenir la paix internationale et la sécurité.
33. Elle ne fut d'ailleurs reconnue qu'à une voix de majorité.
34. Le chef de la délégation française était le général Leclerc.
35. De Gaulle, *Mémoires de Guerre,* III, p. 268.
36. A la conférence de Brazzaville au mois de janvier 1944. Voir pp. 160–161.
37. . . . «Je tiens à placer en contact avec le ministre une assemblée aussi représentative que possible . . . Ce n'est pas que je prête à un tel collège la capacité d'agir. N'ignorant pas que les assemblées, sous le tranchant des mots, sont dominées par la crainte des actes et connaissent les rivalités . . . je ne m'attends nullement à ce que leurs mandataires appuient effectivement une politique déterminée. Mais, tout au moins, j'espère qu'ils soutiendront une mystique du renouveau dont s'inspirera le peuple.» De Gaulle, *Mémoires de Guerre,* III, p. 51.
38. De Gaulle, *Mémoires de Guerre,* III, p. 116.
39. . . . «Désormais, c'est le rôle de l'Etat d'assurer lui-même la mise en valeur des grandes sources de l'énergie . . . C'est son rôle de disposer du crédit, afin de diriger l'épargne nationale vers les vastes investissements . . . et d'empêcher que des groupements d'intérêts particuliers puissent contrarier l'intérêt général.» Discours prononcé à l'Assemblée consultative le 2 mars 1945.
40. Le célèbre ingénieur Louis Renault fut accusé de collaboration. Ses biens furent confisqués et sa compagnie devint La Régie Renault.
41. Air France a groupé diverses lignes aériennes qui avaient été exploitées avant la guerre par des compagnies subventionnées.
42. Jusqu'à cette date, les cadres de l'administration nationale provenaient de diverses grandes écoles et facultés.
43. Il rendit les assurances sociales obligatoires pour tous les travailleurs. Les assurés reçoivent un remboursement important (parfois total) des frais médicaux en cas de maladie ou d'accident. Ils reçoivent également une petite pension de retraite.
44. Les allocations familiales donnent aux familles des subsides proportionnels au nombre d'enfants à charge. Elles ont fortement contribué à l'accroissement de la natalité française.
45. Il a également voulu protéger les fermiers en leur donnant un droit de préemption sur la terre qu'ils cultivent si cette terre est mise en vente et en leur garantissant qu'ils pourront exploiter une terre louée tant qu'ils le voudront, à condition de remplir les conditions de leur bail.
46. Jacques Dumaine, *Quai d'Orsay* (14 octobre 1945).
47. Au parti communiste
48. Tous les partis, à l'exception du parti radical, désiraient changer la constitution.
49. Un million de prisonniers sont rentrés pendant les trois dernières semaines de mai. Les autres sont rentrés peu après.
50. L'élection des députés eut lieu le même jour que le référendum. Un nouveau parti apparut: le Mouvement Républicain Populaire (M.R.P.). Ce groupe démocrate-chrétien avait pour chef Georges Bidault. Dans son ensemble, il était favorable à de Gaulle.

51. De Gaulle n'avait patronné aucun parti, pas même le M.R.P.
52. De Gaulle, *Mémoires de Guerre,* III, p. 318.
53. Les communistes réclamèrent l'un des trois ministères, Intérieur, Affaires étrangères ou Guerre. De Gaulle refusa et ne confia aux communistes que des ministères économiques (Economie nationale, Production industrielle, Travail et Armement).
54. Il devenait évident que l'ancien Sénat, qui représentait un élément stabilisateur, ne serait pas rétabli.
55. Il a même été question de supprimer ce titre.
56. De Gaulle, *Mémoires de Guerre,* III, p. 326.
57. Petite ville de 500 habitants située au sud de la Champagne. Autrefois, il y avait deux églises côte à côte — d'où le nom — mais, depuis le XIXe siècle, il n'y en a plus qu'une. En 1934 de Gaulle y avait acheté une vieille demeure. Il espérait que le climat de la région serait salutaire pour sa fille Anne. L'endroit lui convenait également parce qu'il était à égale distance entre Lille, Paris et les garnisons de l'Est. En 1945 il fit réparer la maison et ajouter une tour d'angle. C'est dans cette tour qu'il installa son bureau et écrivit ses *Mémoires de Guerre.* De là on découvre, par trois fenêtres, un tour d'horizon de 180° sans aucune construction.
58. Le 16 juin, à Bayeux, il prononça le discours le plus important de ses années de retraite. La constitution de la Ve République sera évidemment basée sur les principes énoncés dans ce discours. Voir pp. 216 et suivantes.
59. De Gaulle ne pouvait pas rester passif devant les difficultés et les discordes des Français. En 1947, avec ses anciens compagnons de combat, il lança un mouvement, le Rassemblement du Peuple Français (R.P.F.), qui devait rallier les Français au dessus des partis. Aux élections de 1951, le R.P.F. obtint plus de 20% des suffrages. Néanmoins, une fois entrés au gouvernement, les députes du R.P.F. s'écartèrent des principes initiaux et se lancèrent dans des combinaisons parlementaires de sorte que, en 1952, de Gaulle renonça à son entreprise et se réserva pour l'avenir. «Voici la faillite des illusions, dit-il. Il faut préparer le recours.»

DISCOURS PRONONCE A BAYEUX LE 16 JUIN 1946

Une fois installé dans sa retraite de Colombey, de Gaulle ne fit que de rares apparitions publiques. Néanmoins, les quelques discours qu'il prononçait retenaient l'attention des journalistes et de leurs lecteurs bien plus que les flots de paroles des parlementaires. Les nombreuses personnalités civiles et militaires qui l'accompagnaient dans ses déplacements, les souvenirs qu'il incarnait, l'atmosphère de ferveur qu'il soulevait sur son passage, montraient le prestige unique dont il jouissait chez les Français, même chez ses adversaires politiques.

Le premier en date et le plus significatif de tous ses discours fut prononcé à Bayeux, le 16 juin 1946, à l'occasion du second anniversaire de la libération de cette ville. Le souvenir de la visite de l'homme du 18 juin à la ville à peine libérée, était présent à tous les esprits. Sur la place du Château, au milieu de la foule qui criait «de Gaulle au pouvoir», le Général définit ses principes politiques.

Alors que l'Assemblée, déchirée par les partis, préparait péniblement un second projet de constitution[1] qui, vraisemblablement, n'allait être guère plus satisfaisant que le premier, de Gaulle présenta son programme directement au peuple. En termes concis mais précis, il exposa les principes de base qui, selon lui, devaient régir la constitution, les institutions nationales, le rôle du Chef de l'Etat et les rapports entre la métropole et les territoires d'Outre-mer.

Entre 1946 et 1958, pendant ces années qu'il a appelées «la traversée du désert», de Gaulle n'a jamais envisagé de monter un coup d'état. Il s'est contenté de rappeler, de temps à autres, quels étaient ses principes politiques pour que, en cas de crise grave, le peuple puisse y recourir. Plus de dix ans se sont écoulés avant son retour au pouvoir mais les grandes lignes de sa philosophie n'ont pas dévié. A bien des égards, le discours de Bayeux constitue la préface de la Ve République.

C'est qu'en effet, le trouble dans l'Etat a pour conséquence inéluctable la désaffection des citoyens à l'égard des institutions. Il suffit alors d'une occasion pour faire apparaître la menace de la dictature. D'autant plus que l'organisation en quelque sorte mécanique de la société moderne rend chaque jour plus nécessaires et plus désirés le bon ordre dans la direction et le fonctionnement des rouages. Comment et pourquoi donc ont fini chez nous la Ire, la IIe, la IIIe République? Comment et pourquoi donc la démocratie italienne, la République allemande de Weimar, la République espagnole, firent-elles place aux régimes que l'on sait? Et pourtant, qu'est la dictature, sinon une grande aventure? Sans doute, ses débuts semblent avantageux. Au milieu de l'enthousiasme des uns et de la résignation des autres, dans la rigueur de l'ordre qu'elle impose, à la faveur d'un décor éclatant et d'une propagande à sens unique, elle prend d'abord un tour de dynamisme qui fait contraste avec l'anarchie qui l'avait précédée. Mais c'est le destin de la dictature d'exagérer ses entreprises. A mesure que se font jour parmi les citoyens l'impatience des contraintes et la nostalgie de la liberté, il lui faut à tout prix leur offrir en compensation des réussites sans cesse plus étendues. La nation devient une machine à laquelle le maître imprime une accélération effrénée. Qu'il s'agisse de desseins intérieurs ou extérieurs, les buts, les risques, les efforts, dépassent peu à peu toute mesure. A chaque pas se dressent, au-dehors et au-dedans, des obstacles multipliés. A la fin, le ressort se brise. L'édifice grandiose s'écroule dans le malheur et dans le sang. La nation se retrouve rompue, plus bas qu'elle n'était avant que l'aventure commençât.

Il suffit d'évoquer cela pour comprendre à quel point il est nécessaire que nos institutions démocratiques nouvelles compensent, par elles-mêmes, les effets de notre perpétuelle effervescence politique. Il y a là, au surplus, pour nous une question de vie ou de mort, dans le monde et au siècle où nous sommes, où la position, l'indépendance et jusqu'à l'existence de notre pays et de notre Union française se trouvent bel et bien en jeu. Certes, il est de l'essence même de la démocratie que les opinions s'expriment et qu'elles s'efforcent, par le suffrage, d'orienter suivant leurs conceptions l'action publique et la législation. Mais aussi, tous les principes et toutes les expériences exigent que les pouvoirs publics: législatif, exécutif, judiciaire, soient nettement séparés et fortement équilibrés et qu'au-dessus des contingences politiques soit établi un arbitrage national qui fasse valoir la continuité au milieu des combinaisons.

Il est clair et il est entendu que le vote définitif des lois et des budgets revient à une Assemblée élue au suffrage universel et direct. Mais le premier mouvement d'une telle Assemblée ne comporte pas nécessairement une clairvoyance et une sérénité entières. Il faut donc attribuer à une deuxième Assemblée,[2] élue et composée d'une autre manière, la fonction d'examiner publiquement ce que la première a pris en considération, de formuler des amendements, de proposer des projets. Or, si les grands courants de politique générale sont naturellement reproduits dans le sein de la Chambre des Députés, la vie locale, elle aussi, a ses tendances et ses droits. Elle les a dans la Métropole. Elle les a, au premier chef, dans les territoires d'Outre-mer, qui se rattachent à l'Union française par des liens très divers. Elle les a dans cette Sarre à qui la nature des choses, découverte par notre victoire, désigne une fois de plus sa place auprès de nous, les fils des Francs. L'avenir des 110 millions d'hommes et de femmes qui vivent sous notre drapeau est dans une organisation de forme fédérative, que le temps précisera peu à peu, mais dont notre Constitution nouvelle doit marquer le début et ménager le développement.[3]

Tout nous conduit donc à instituer une deuxième Chambre, dont, pour l'essentiel, nos Conseils généraux[4] et municipaux éliront les membres. Cette Chambre complétera la première en l'amenant, s'il y a lieu, soit à réviser ses propres projets, soit à en examiner d'autres, et en faisant valoir dans la confection des lois ce facteur d'ordre administratif qu'un collège purement politique a forcément tendance à négliger. Il sera normal d'y introduire, d'autre part, des représentants des organisations économiques, familiales, intellectuelles, pour que se fasse entendre, au-dedans même de l'Etat, la voix des grandes activités du pays. Réunis aux élus des assemblées locales des territoires d'Outre-mer, les membres de cette Assemblée formeront le Grand Conseil de l'Union française, qualifié pour délibérer des lois et des problèmes intéressant l'Union: budgets, relations extérieures, rapports intérieurs, défense nationale, économie, communications.

Du Parlement, composé de deux Chambres et exerçant le pouvoir législatif, il va de soi que le pouvoir exécutif ne saurait procéder, sous peine d'aboutir à cette confusion des pouvoirs dans laquelle le Gouvernement ne serait bientôt plus rien qu'un assemblage de délégations. Sans doute aura-t-il fallu, pendant la période transitoire où nous sommes, faire élire par l'Assemblée Nationale Constituante le Président du Gouvernement provisoire, puisque, sur la table rase, il n'y avait aucun autre procédé acceptable de désignation. Mais il ne peut y avoir là qu'une disposition du moment. En vérité, l'unité, la cohésion, la discipline intérieure du Gouvernement de la France doivent être des choses sacrées, sous peine de voir rapidement la direction même du pays impuissante et disqualifiée. Or, comment cette unité, cette cohésion, cette discipline, seraient-elles maintenues à la longue, si le pouvoir exécutif émanait de l'autre pouvoir, auquel il doit faire équilibre, et si chacun des membres du Gouvernement, lequel est collectivement responsable devant la représentation nationale tout entière, n'était, à son poste, que le mandataire d'un parti?

C'est donc du Chef de l'Etat, placé au-dessus des partis, élu par un collège qui englobe le Parlement mais beaucoup plus large et composé de manière à faire de lui le Président de l'Union française en même temps que celui de la République, que doit procéder le pouvoir exécutif.[5] Au Chef de l'Etat la charge d'accorder l'intérêt général quant au choix des hommes avec l'orientation qui se dégage du Parlement. A lui la mission de nommer les ministres et, d'abord, bien entendu, le Premier,[6] qui devra diriger la politique et le travail du Gouvernement. Au Chef de l'Etat la fonction de promulguer les lois et de prendre les décrets, car c'est envers l'Etat tout entier que ceux-ci et celles-là engagent les citoyens. A lui la tâche de présider les Conseils du Gouvernement et d'y exercer cette influence de la continuité dont une nation ne se passe pas. A lui l'attribution de servir d'arbitre au-dessus des contingences politiques, soit normalement par le Conseil, soit, dans les moments de grave confusion, en invitant le pays à faire connaître par des élections sa décision souveraine.[7] A lui, s'il devait arriver que la patrie fût en péril, le devoir d'être le garant de l'indépendance nationale et des traités conclus par la France.

Des Grecs, jadis, demandaient au sage Solon: «Quelle est la meilleure Constitution?» Il répondait: «Dites-moi, d'abord, pour quel peuple et à quelle époque?» Aujourd'hui, c'est du peuple français et des peuples de l'Union française qu'il s'agit, et à une époque bien dure et bien dangereuse! Prenons-nous tels que nous sommes. Prenons le siècle comme il est. Nous avons à mener à bien, malgré d'immenses difficultés, une rénovation profonde qui conduise chaque homme et chaque femme de chez nous à plus d'aisance, de sécurité, de joie, et qui nous fasse plus nombreux, plus puissants, plus fraternels. Nous avons à conserver la liberté sauvée avec tant et tant de peine. Nous avons à assurer le destin de la France au milieu de tous les obstacles qui se dressent sur sa route et sur celle de la paix. Nous avons à déployer, parmi nos frères les hommes, ce dont nous sommes capables, pour aider notre pauvre et vieille mère, la Terre. Soyons assez lucides et assez forts pour nous donner et pour observer les règles de vie nationale qui tendent à nous rassembler quand, sans relâche, nous sommes portés à nous diviser contre nous-mêmes! Toute notre Histoire, c'est l'alternance des immenses douleurs d'un peuple dispersé et des fécondes grandeurs d'une nation libre groupée sous l'égide d'un Etat fort.

Photo Keystone

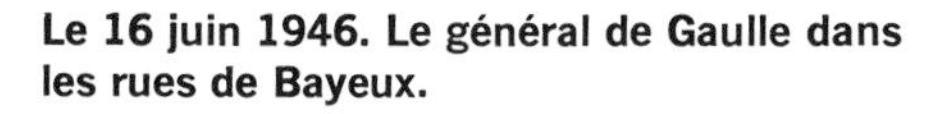
Le 16 juin 1946. Le général de Gaulle dans les rues de Bayeux.

Notes

1. Le 5 mai 1946, un premier projet de constitution, nettement inspiré par les partis de gauche, avait été repoussé par 52% des votants. Après des discussions orageuses, un second projet, légèrement plus modéré fut accepté par 62% des votants. Huit millions d'inscrits s'abstinrent de voter. A propos de la constitution qui fut, malgré tout, adoptée, de Gaulle fit le commentaire suivant: «Un tiers des Français s'y était résigné, un tiers l'avait repoussée, un tiers l'avait ignorée».
2. Le premier projet de constitution ne prévoyait qu'une seule assemblée. Le second projet allait en instituer une seconde dépourvue, d'ailleurs, de tout pouvoir concret. La constitution de la Ve République restaurera le Sénat et lui donnera le droit de bloquer les propositions législatives.
3. Ici de Gaulle a esquissé rapidement ce qui, en 1958, deviendra la Communauté. Comparer ces paroles avec celles qu'il a prononcées à la conférence de Brazzaville (voir pp. 160–161) et celles qu'ils prononcera après son retour au pouvoir (voir pp. 242–245).
4. Un Conseil général siège dans chaque département; il est chargé de l'administration de questions d'intérêt local. Chaque canton élit au suffrage universel un conseiller général.
5. Déjà en 1946, de Gaulle exprima le vœu que le Président de la République soit élu par le plus grand nombre possible d'électeurs. Lorsqu'il parlera des institutions de la Ve République, il reprendra presque exactement les même termes. Voir p. 237 et suivantes.
6. Selon la constitution de la IVe République, le Premier ministre était désigné par le Président de la République puis investi par un vote de l'Assemblée. Selon la constitution de la Ve République, le Premier ministre sera nommé par le Président; il dépendra directement du Président tout en étant responsable devant l'Assemblée.
7. Ici de Gaulle a esquissé le principe du référendum qu'il emploiera à plusieurs reprises à partir de 1958. Voir p. 226 et suivantes.

LA PRESIDENCE

Pour nous, pour tous,
autant que jamais,
il faut que la France soit
la France.[1]

De sa retraite de Colombey où il écrivait les derniers chapitres du troisième volume de ses *Mémoires de Guerre,* de Gaulle suivait les vicissitudes de la IVe République. L'inflation, les difficultés économiques,[2] les surenchères des partis, la guerre d'Algérie, l'instabilité gouvernementale[3] mettaient la France dans une position de faiblesse vis-à-vis de l'étranger et menaçaient l'existence même du régime. Impuissants, les ministères se succédaient et la crise allait en s'aggravant.

Chaque jour, par sacs entiers, René Coty, le Président de la République recevait des lettres qui réclamaient le retour du Général. «Quand j'aurai reçu 800 000 signatures, aurait-il dit, j'appellerai de Gaulle au pouvoir.» A Colombey les visiteurs se faisaient plus nombreux mais de Gaulle, drapé dans sa solitude, ne laissait tomber que quelques paroles énigmatiques: «Je suis trop vieux», «Ils ne m'appelleront pas, les choses ne vont pas encore assez mal», «Je serai toujours disponible si la France a besoin de moi . . .».

L'Algérie vivait sur un pied de guerre. Toute l'armée y était rassemblée. Exaspérés par les attentats terroristes qui se succédaient depuis quatre ans,[4] un million d'Algériens d'origine européenne proclamaient hautement leur volonté de défendre «l'Algérie française». La France s'était retirée d'Indochine,[5] du Maroc et de Tunisie;[6] on pressentait qu'elle ne se battrait pas pour retenir l'Afrique noire trop vaste et coûteuse mais, disait-on, l'Algérie restera française . . . en dépit de l'incapacité des politiciens de Paris.

Fatalement la colère devait éclater. Le 13 mai 1958, la population d'Alger se rassembla devant le monument aux morts en l'honneur de trois soldats français que les rebelles venaient d'exécuter. La cérémonie était à peine achevée qu'explosèrent les cris de: «Algérie française», «l'armée au pouvoir», «tous au Gouvernement général contre le régime pourri».

La foule se porta vers le palais du Gouvernement général. Sans un coup de feu, le bâtiment est pris d'assaut. On pille les archives. On constitue un Comité de Salut Public. La foule, massée sur la place, acclame les insurgés dont les silhouettes se profilent aux fenêtres comme des ombres chinoises. Elle ovationne le général Massu, chef du régiment des parachutistes. La fièvre monte. A minuit quelqu'un vient au balcon annoncer de la part du général Massu que le Comité de Salut Public vient de lancer un appel au général de Gaulle. A quatre heures du matin Massu, en personne, confirme la nouvelle. La foule applaudit et scande «Algérie française».

Le lendemain la situation était encore plus confuse. Le gouvernement de Paris tentait de restaurer l'ordre, les hommes du Comité de Salut Public hésitaient à prendre une position politique,[7] quant au sage de Colombey . . . il gardait un silence sybillin. Alger acclamait son nom mais les autorités officielles ne s'étaient pas mises en rapport avec lui. Alléguant la légalité, de Gaulle se gardait bien de patronner un groupe d'insurgés; il attendait que ce soit la nation toute entière qui fasse appel à lui. Enfin, le 15 mai, sans prendre d'engagement à l'égard de qui que ce soit, il déclara:

> La dégradation de l'Etat entraîne infailliblement l'éloignement des peuples associés, le trouble dans l'armée, la dislocation nationale, la perte de l'indépendance. Depuis douze ans, la France, aux prises avec des problèmes trop rudes pour le régime des partis, est engagée dans ce processus désastreux.
>
> Naguère, le pays, dans ses profondeurs, m'a fait confiance pour le conduire tout entier jusqu'à son salut.
>
> Aujourd'hui, devant les épreuves qui montent de nouveau vers lui, qu'il sache bien que je me tiens prêt à assumer les pouvoirs de la République.[8]

A mesure que s'épaississait l'imbroglio entre Paris et Alger, de Gaulle apparaissait aux yeux de la majorité des Français comme la seule «solution» possible. Des chefs de parti s'apprêtaient à accepter ou même à favoriser son retour au pouvoir.[9] Le 19 mai le Général vint à Paris tenir une conférence de presse, sa première depuis trois ans. Il apparut sur l'écran de la télévision. La France revit l'homme du 18 juin . . . en civil, vieilli, alourdi, portant des lunettes[10] mais toujours aussi imposant. Son visage avait acquis une expression plus humaine, sa voix s'était nuancée; il avait une souplesse, un charme qu'on ne lui avait pas soupçonnés . . .

«Je suis, déclara-t-il, un homme qui n'appartient à personne et qui appartient à tout le monde.»[11] Aux journalistes qui finalement se risquèrent à dire que les partis de gauche craignaient qu'il n'instaure une dictature personnelle et qu'il n'attente aux libertés publiques, il répondit: «L'ai-je jamais fait? Au contraire, je les ai rétablies quand elles avaient disparu. Croit-on qu'à 67 ans je vais commencer une carrière de dictateur?»[12]

La conférence terminée, il reprit la route de son «village». Le 22 mai, au cours d'un thé que, tout à fait exceptionnellement, il donnait à Colombey,[13] il confia à un groupe de parlementaires: «Je ne répondrai qu'à un appel du Président de la République. Je n'ai jamais été un homme de coups d'état. Je suis d'ailleurs trop vieux pour cela.»

Bientôt la Corse se solidarisa avec le mouvement parti d'Alger; le midi de la France commençait à s'agiter.[14] Le gouvernement craignait une descente en masse de parachutistes sur Paris. En grand secret, dans le parc de Saint-Cloud, de Gaulle rencontra le Président du Conseil Pierre Pflimlin. Le Général refusa de désavouer l'insurrection. A cinq heures du matin de Gaulle rentrait dans son village sans que l'entrevue ait abouti à un résultat immédiat. Mais les menaces s'accumulaient et le gouvernement se sentait impuissant. Enfin Pflimlin mit fin au dilemme. «Il n'y a pas d'autre alternative, dit-il, que de Gaulle ou la guerre civile. Choisissons de Gaulle.» Dans la nuit du 27 au 28, il remit sa démission au Président de la République.

Quelques communistes, socialistes et radicaux essayèrent en vain de faire obstacle au courant. Le 29, après une nuit d'angoisse, René Coty téléphona à de Gaulle pour l'inviter à former le nouveau gouvernement. Le soir même, le Général arriva à l'Elysée et présenta son programme d'action. Avant de s'engager, il posa deux conditions absolues: d'une part que le gouvernement, une fois investi par l'Assemblée nationale reçoive «pour une durée déterminée, les pleins pouvoirs pour agir»[15] et, d'autre part, qu'il puisse préparer des changements constitutionnels qui, par la suite, seraient soumis au pays par voie de référendum. «Je ne saurais entreprendre la tâche de conduire l'Etat et la nation que si ces conditions indispensables n'étaient consenties avec la franchise et large confiance qu'exige le Salut de la France, de l'Etat et de la République.»[16]

Le dimanche 1er juin, de Gaulle présenta la liste des membres de son gouvernement. Aux parlementaires qui redoutaient que les changements constitutionnels amènent une dictature, il précisa: «Ce qu'il y aura, ce sera la continuation de la République, car, vous entendez bien que si j'ai fait le gouvernement que j'ai fait, c'est pour que la République continue.»[17] L'Assemblée nationale lui donna l'investiture par 329 voix contre 224. Deux jours plus tard, elle lui accorda les pleins pouvoirs pour six mois.[18] Les Chambres se mirent «en vacances». En se levant de son fauteuil, le Troquer, le Président de la Chambre des Députés,[19] conclut amèrement: «Prochaine séance . . . à une date indéterminée.»

Le lendemain de Gaulle partit pour l'Algérie. A Alger, sa première étape, il fut acclamé avec délire. Il dut attendre plusieurs minutes pour prendre la parole. Enfin il s'écria:

> Je vous ai compris.
>
> Je sais ce qui s'est passé ici. Je vois ce que vous avez voulu faire . . .[20]

Il déclara que, désormais, tous les habitants de l'Algérie auraient «les mêmes droits et les mêmes devoirs» et qu'ils allaient élire, en un seul et même collège, leurs représentants. «Avec ces représentants élus, nous verrons comment faire le reste»,[21] ajouta-t-il. Plus d'un Algérois fut surpris de ne pas entendre les mots magiques de «intégration» et «Algérie française». Le lendemain, à Constantine, nouvelle vague d'enthousiasme. A Bône, le 6 juin lorsqu'il déclara «La France est ici en ma personne», il se retourna vers la tribune des officiels pour faire calmer les acclamations. De retour à Paris, il annonça aux membres du Cabinet: «Le ministre de l'Algérie, c'est moi.»

Photo Keystone

Eté 1958. Voyage en Algérie.

Photo E. C. Armées

Au mois d'août, au cours d'une randonnée de 20 000 kilomètres à travers l'Union Française, il lança l'idée de la Communauté dont les statuts allaient être publiés en même temps que le texte de la nouvelle constitution. La métropole et les territoires d'outre-mer formeraient une fédération libre dans laquelle chaque territoire aurait la pleine liberté de son administration intérieure. Les questions de défense, de politique étrangère, la direction de l'économie, de la justice et de l'enseignement seraient réglées en commun. Lors du référendum, les électeurs de tous les territoires allaient pouvoir se prononcer soit pour l'indépendance immédiate soit pour l'adhésion à la Communauté. «Nous ne craignons personne, déclara-t-il à Dakar. Nous demandons qu'on nous dise «oui» ou qu'on nous dise «non».»[22]

Entretemps une équipe de spécialistes sous la direction du Ministre de la Justice Michel Debré,[23] préparait la nouvelle constitution. Celle-ci parut à la fin du mois d'août. Le 28 septembre, parmi les électeurs qui furent conviés à répondre oui ou non, rares étaient ceux qui avaient lu le texte du projet; la majorité des Français votèrent pour ou contre de Gaulle; 79,2% des votants répondirent «oui». Quant aux territoires d'outre-mer, à l'exception de la Guinée qui demanda son indépendance, ils se prononcèrent tous en faveur de l'adhésion à la Communauté.[24]

Aussitôt après le référendum, de Gaulle repartit pour l'Algérie. «Cent millions d'hommes, déclara-t-il à Constantine, ont décidé de bâtir ensemble leur avenir dans l'égalité et dans la fraternité.»[25] Dans le même discours il annonça la mise en train d'un vaste programme de développement économique en Algérie qui est connu sous le nom de «Plan Constantine».

Au mois de décembre les élections législatives amenèrent à la Chambre et au Sénat plus de 25% de «gaullistes».[26] Dès lors, l'élection du Président n'était plus qu'une simple formalité. De Gaulle reçut 78,5% des voix. Le 8 janvier 1959, René Coty accueillit son successeur sur le perron de l'Elysée en ces termes: «Le premier des Français est désormais le premier en France.»[27] Ensemble dans la voiture officielle, les deux présidents remontèrent les Champs-Elysées jusqu'à l'Etoile. Ils se séparèrent sous l'Arc de triomphe. En revenant à l'Elysée, de Gaulle fit asseoir à côté de lui son directeur de cabinet et collaborateur de longue date, Georges Pompidou, un homme que la foule ne connaissait pas encore. Le président du Sénat, Gaston Monnerville, convaincu que cet honneur aurait dû lui revenir de droit, en fut profondément blessé. Le gouvernement se sentait fort.

La Ve République commençait. D'une façon générale, sa constitution a conféré au Chef de l'Etat des pouvoirs beaucoup plus étendus que par le passé. «Le président répond de la France», a dit de Gaulle. Certes, le Parlement délibère et vote les lois, ce qui marque le caractère démocratique du régime, mais il a cessé d'avoir le monopole de l'autorité. Le Président dispose des moyens nécessaires pour assurer le fonctionnement et l'équilibre des pouvoirs; il est l'arbitre entre le législatif et l'exécutif; il peut dissoudre l'Assemblée; il peut demander l'autorisation de «prendre par ordonnances, pendant un délai limité, des mesures qui sont normalement du

Photo Keystone

De Gaulle parcourt la Communauté.

A Saint-Louis, au Sénégal, les femmes portent des robes à l'effigie du Président.

Photo Keystone

Photo Keystone

Le 8 janvier 1959. Sur le perron de l'Elysée, le président Coty accueille son successeur.

domaine de la loi» (art. 38). Il peut s'adresser directement au peuple et le consulter soit par la voie du référendum soit par celle de nouvelles élections. Enfin, dans les circonstances graves, il reçoit les pleins pouvoirs (art. 16). Selon le mot de Michel Debré, «la clef de voûte de l'édifice constitutionnel n'est plus le Parlement mais le Président.»[28]

En 1962, les dispositions relatives à l'élection du chef de l'Etat furent modifiées. Jusqu'alors, celui-ci avait été élu par un nombre restreint d'électeurs or, de Gaulle tenait à resserrer le plus possible les liens entre la nation et son chef. D'avance, il voulait renforcer «l'équation personnelle» de son successeur. En octobre 1962, par voie de référendum, il demanda aux Français de décider que, dorénavant, le président serait élu au suffrage universel.[29]

Aux termes de la constitution, le Président choisit son premier ministre. Celui-ci n'est pas nécessairement un parlementaire. En 1962, de Gaulle appela Pompidou; ce dernier avait derrière lui une brillante carrière de professeur de sciences politiques et de directeur de la Banque Rothschild mais il n'avait jamais été élu à un poste gouvernemental. Exemple sans précédent dans l'histoire de la France.

Afin d'écarter les pressions politiques, les ministres doivent renoncer à leur mandat parlementaire. Le premier ministre et le gouvernement sont responsables devant l'Assemblée Nationale. Seule une motion de censure adoptée par la majorité des membres de l'Assemblée oblige le gouvernement à démissionner.

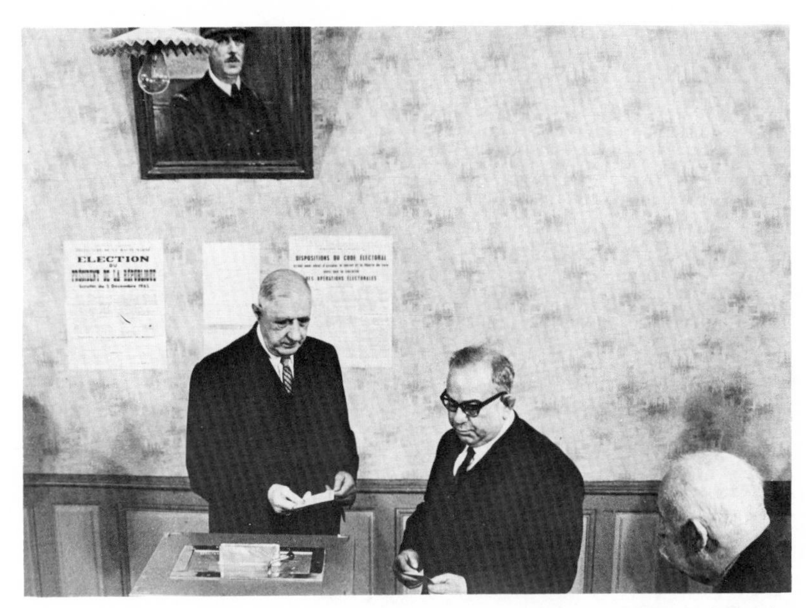

Photo E. C. Armées

1965. Elections présidentielles à Colombey-les-Deux-Eglises.

De Gaulle a toujours été hostile à l'esprit de parti. «On ne peut, dit-il, servir à la fois la France et son parti.» Une fois président, il s'est bien gardé de devenir l'homme d'une formation politique quelconque. Il a choisi ses collaborateurs librement, selon leurs capacités. Le gouvernement a dû chercher à s'appuyer sur une majorité, non plus constituée par un parti ou un groupe de partis, mais sur tous les parlementaires favorables à sa politique générale.

Tandis que les réformes constitutionnelles s'accomplissaient, le terrorisme continuait en Algérie.[30] Les populations d'origine européenne attendaient avec une impatience croissante mais les mots «intégration» et «Algérie française» n'étaient jamais prononcés. De Gaulle continuait à mettre l'accent sur le programme économique et social qu'il fallait réaliser en Algérie. Sur le plan politique, il refusait de «figer d'avance dans des mots»[31] ce que l'avenir allait décider.

Enfin, le 16 septembre 1959, dans un discours qui ne surprit plus guère, il annonça que les Algériens allaient pouvoir choisir eux-mêmes entre trois alternatives: la sécession, la Francisation complète ou bien, la formation avec la France d'une fédération.[32]

La fureur des Algériens d'origine européenne déclencha une succession d'émeutes sanglantes. Organisée par des personnalités locales et par des officiers de l'état-major, l'O.A.S.[33] (l'Organisation de l'Armée Secrète) essaya d'entraîner l'armée dans une tentative désespérée pour bloquer les négociations d'Evian[34] et abattre de Gaulle. Celui-ci fut l'objet de nom-

Le Chef de l'Etat.

Photo E. C. Armées

breuses tentatives d'attentat. Evidemment les insurgés eurent le dessous. Ils manquaient d'armes et de moyens financiers; ils se heurtaient à la fois au gouvernement français et aux rebelles musulmans; l'armée, à quelques exceptions près, ne les suivait pas; les habitants de la métropole ne les soutenaient pas. Au mois de janvier 1961 les électeurs français se prononcèrent en faveur de l'autodétermination des Algériens; l'année suivante, au mois d'avril, ils approuvèrent les accords d'Evian.[35] De leur côté, au mois de juillet 1962, les Algériens votèrent en faveur de l'indépendance[36] qui leur fut accordée en vertu des accords antérieurs. Cette année-là, plus de 800 000 personnes furent rapatriées d'Algérie. Pour beaucoup, cette opération fut déchirante. Néanmoins, la majorité des Français l'approuva — ou s'y résigna — car elle permettait à la France d'être en paix dans le monde entier . . . pour la première fois depuis 1939.

Deux caractères principaux se dégagent de l'histoire du premier septennat. D'une part la France a accordé l'indépendance à la plupart des territoires qui avaient constitué son empire colonial.[37] D'autre part, elle a accompli, dans tous les secteurs, un effort systématique pour aménager son territoire afin d'accroître sa production et sa prospérité. C'est là, selon l'expression du Général, «la grande affaire de la nation». A l'Elysée, les allocutions et les conférences de presse sont devenues l'occasion de présenter aux auditeurs et aux téléspectateurs des pourcentages et des bilans. «Pour être vraiment prospères, maîtres de nous-mêmes et puissants, nous, Français, avons beaucoup fait, a déclaré de Gaulle en 1963. Il nous reste beaucoup à faire. Car le progrès exige l'effort.»[38]

Tout en respectant les droits de la libre entreprise, l'Etat est devenu le principal investisseur dans les grands travaux d'aménagement.[39] C'est l'Etat, par conséquent, qui joue le rôle d'arbitre dans l'orientation et l'exécution du Plan de développement;[40] c'est également lui qui dirige l'ensemble de la recherche scientifique et qui encourage le développement de l'enseignement, notamment dans les domaines de l'agriculture, des techniques et sciences. Pour des raisons de simple bon sens, l'administration de de Gaulle s'est, dès ses débuts, appliquée à stabiliser les prix,[41] à revaloriser la monnaie[42] et à équilibrer la balance des paiements.[43]

De Gaulle n'envisage jamais la France dans un vase clos, bien au contraire. «Tout se tient», répète-t-il souvent. De là découlent deux convictions complémentaires. D'une part la France doit à tout prix préserver son indépendance nationale et, d'autre part, elle doit faire les efforts nécessaires pour occuper dans le monde la place qui lui revient.

Pour ce qui est du Marché commun, de Gaulle n'a pas cherché à en retarder le développement mais il a vigoureusement défendu les intérêts nationaux.[44] En 1958, par le traité de Rome, le Marché commun s'était fixé pour but de réaliser l'union économique des six états signataires. Pour des raisons pratiques, les premières étapes du programme avaient surtout facilité le commerce des produits industriels. Or, pour la France qui exporte près de 30% de sa production agricole, il était indispensable que les produits agricoles soient, le plus rapidement possible, soumis aux mêmes règlements que les produits industriels. En 1964, si elle n'avait pas obtenu satisfaction sur ce point essentiel, elle aurait été forcée de quitter la communauté des Six.

Maintes fois de Gaulle a exprimé le vœu que le Marché commun soit couronné par une association politique. Non pas qu'il envisage de subordonner la nation à «quelque aéropage technocratique, apatride et irresponsable»,[45] loin de là! Mais, il souhaiterait que, sans perdre leur souveraineté, les nations européennes, de l'Atlantique à l'Oural, resserrent leurs rapports politiques et qu'elles évoluent, d'un commun accord, vers la formation d'une confédération.

S'associer, s'allier, coopérer mais se tenir «en dehors de toute inféodation»,[46] tels sont également les principes fondamentaux de de Gaulle dans le domaine de la défense nationale. Bien que, selon lui, la France ait l'intention de demeurer «l'alliée de ses alliés»,[47] elle se refuse à subordonner son destin aux décisions d'une puissance étrangère qui, en cas de danger, aurait fatalement ses propres préoccupations et ses propres intérêts à défendre.

Ce spécialiste des questions militaires qui a toujours mis l'accent sur le caractère de contingence de l'action de guerre, est persuadé que, de nos jours, «les choses étant ce qu'elles sont», seule une armée à armement nucléaire peut donner les moyens de faire respecter sa souveraineté. Tout en coûtant moins cher qu'une armée conventionnelle,[48] cette armée des techniciens de l'âge atomique est capable d'atteindre d'un seul coup une force de frappe qui surpasse celle de plusieurs bombes Hiroshima.[49]

L'Elysée

Le 31 mai 1961. De Gaulle accueille John Kennedy. «A votre arrivée sur cette terre française, qui jamais ne vit les Américains autrement qu'en amis et en alliés, c'est avec joie que j'adresse à vous-même et aux Etats-Unis le très cordial salut de la France.»

De Gaulle voit dans cette force, qui ne dépend ni de Moscou ni de Washington, l'une des rares sauvegardes de la paix. C'est pour cela que, après plusieurs avertissements, le 9 mars 1966, la France a informé ses partenaires de l'Alliance Atlantique qu'elle refusait de laisser ses éléments militaires sous l'autorité d'un état-major international dominé par les Etats-Unis. La France reprit la libre disposition de ses forces sans, toutefois, rompre avec le Pacte Atlantique. Elle déclara qu'elle restait fidèle à l'esprit du traité signé en 1949 et même qu'elle souhaitait que le traité soit reconduit au delà de 1969, date qui marque le terme des accords.

De Gaulle n'a jamais glorifié la guerre, pas même dans sa jeunesse et ce n'est pas par lassitude qu'il parle de la paix. Bien au contraire, il considère que, dans notre monde «mouvant», on ne pourra trouver la paix qu'au prix d'un effort constant et collectif. Dans cet effort la France a une mis-

Photo Keystone

En famille à l'Elysée. De gauche à droite: Madame Charles de Gaulle, Madame Philippe de Gaulle, Philippe de Gaulle et le Général.

sion toute particulière à accomplir. Elle doit travailler, dans la mesure de ses moyens, à aider les pays sous-développés; elle doit préserver sa personnalité de toute satellisation; elle doit faire rayonner sa culture; elle doit s'efforcer d'établir «la détente, l'entente et la coopération»[50] entre les peuples; enfin, elle doit être «en rapports avec tout le monde».[51]

Avec la Ve République le Président est devenu, au vrai sens du mot, le Chef de l'Etat. Néanmoins, le texte de la constitution qui, d'ailleurs, est relativement bref et adaptable aux circonstances, ne donne qu'une idée incomplète de la place tenue par de Gaulle. Celui-ci est devenu le chef des armées, le négociateur des traités de paix; il détient le téléphone blanc qui, éventuellement, pourrait déclencher la force nucléaire française. Ses ennemis sont évidemment unanimes à lui reprocher d'exercer un «pouvoir personnel» et de faire de la République une «dictature larvée».

Certes, de Gaulle est l'homme des monologues et des méditations solitaires. Préparées à l'aide d'enquêtes discrètes et minutieuses, ses décisions surprennent parfois ses proches collaborateurs. Le mystère dont il aime à s'envelopper, lui permet de conserver jusqu'à la dernière minute sa liberté d'action mais il lui permet également de jouer sur les imaginations. Il est passé maître dans l'art du suspense. Pourtant, celui que les caricaturistes ont surnommé «le roi», «Charlemagne», «le Président Soleil», est le chef d'état qui a gardé le contact le plus étroit avec la nation. Déjà lié au peuple par des souvenirs indélébiles, il a renoué ses rapports avec lui à l'aide d'allocutions, de tournées en province, de visites d'inauguration qui, au lieu d'être froidement protocolaires, manifestent, au contraire, sa participation personnelle aux grandes entreprises nationales. Il aime voir le peuple, traverser la foule, serrer des mains, se faire présenter les personnalités locales. La radio et la télévision aidant, sa présence a pénétré tous les milieux. Vedette du petit écran, il fait partie de l'actualité.

A cinquante ans de Gaulle a brusquement surgi comme un «personnage historique» quelque peu légendaire. Cela a contribué à cacher l'homme tel qu'il fut avant et après le 18 juin 1940. A vrai dire, il s'agit d'une personnalité complexe. Tout d'abord, il est un monsieur courtois, distingué, impeccable dans sa tenue; un intellectuel lucide, volontiers sarcastique, doué d'une mémoire prodigieuse; un père de famille courageux et sensible qui entend que sa vie privée reste toujours privée; un Français qui, comme tant d'autres, aime la campagne, la bonne chère et la vie saine; un catholique convaincu mais non sectaire qui veut que la religion reste une question personnelle; un écrivain épris de clarté et d'harmonie, un artiste de la langue française.

Mais il est également un méditatif qui aime planer au dessus des perspectives de l'histoire. Attiré par les vastes horizons, il semble vivre en dehors du temps et au delà des affaires courantes. Ses critiques n'ont pas manqué de lui reprocher son mépris des contingences, son indifférence à l'égard des individus, ses visions de don Quichote. Si l'on se place sur le plan des intérêts immédiats, ces reproches sont souvent justifiés. En réalité, les difficultés du moment, si graves qu'elles aient pu être, les siennes aussi bien que celles des autres, ne l'ont jamais paralysé. Son regard s'est maintenu au dessus des nuées. Voilà pourquoi il a été «l'homme des tempêtes». Le calme revenu, celui que le peuple avait regardé comme l'homme providentiel, devenait pour beaucoup un rêveur irritant.

Néanmoins, à aucun moment de sa vie, de Gaulle ne s'est retranché du monde. Il est descendu dans l'arène et il y a lutté de toutes ses forces car chez lui le besoin d'action l'emporte sur la méditation. Il a été tenté par la solitude mais il ne s'y est jamais abandonné parce qu'il est animé par une passion exclusive. Il ne fait qu'un avec sa foi. Chez lui, la raison, les sentiments, toutes les forces de son être convergent vers la France, vers la France telle qu'il l'a toujours vue: une France transcendant les épreuves et les régimes, les partis et les hommes.

Notes

1. Allocution, 27 avril 1965.
2. En 1956 les exportations ne couvraient que 72% des importations. L'année suivante la balance commerciale était encore plus déficitaire.
3. La durée moyenne des ministères de la IVe République ne dépassait guère six mois.
4. Les attentats terroristes avaient commencé le 1er novembre 1954. Sur une population totale de 10 millions d'habitants, l'Algérie comprenait 9 millions de Musulmans et environ 1 million de personnes d'origine européenne qui, en majorité, étaient nées en Algérie.
5. En vertu des accords de Genève signés en 1954
6. En 1956 la France avait accordé l'indépendance à ses deux anciens protectorats, la Tunisie et le Maroc.
7. Ceux qui avaient lu les œuvres de de Gaulle (ils étaient rares) ou qui connaissaient les déclarations qu'il avait faites à Brazzaville, se méfiaient plutôt du Général.
8. Communication, 15 mai 1958.
9. C'était, notamment, le cas du leader socialiste Guy Mollet. Il prépara le retour du Général malgré l'opposition de beaucoup de membres de son parti. Les Communistes sont restés en bloc hostiles à de Gaulle.
10. Il avait été opéré de la cataracte.
11. Conférence de presse, 19 mai 1958.
12. *Ibid.*
13. C'était la première fois qu'une telle réception avait lieu à Colombey où les de Gaulle vivaient dans la plus grande simplicité, tant par goût que par nécessité. Avant de toucher des droits d'auteur pour ses *Mémoires de Guerre,* de Gaulle ne recevait qu'une pension de retraite de colonel. Sa nomination de général de brigade à titre temporaire avait été annulée par le gouvernement de Pétain. Or, après la libération, il avait repoussé toutes les offres qui lui furent faites de modifier son statut vis-à-vis de l'administration.
14. En France, Toulouse était un centre d'agitation.
15. Déclaration, 29 mai 1958.
16. *Ibid.*
17. Déclaration, 1er juin 1958.
18. Par 350 voix contre 161.
19. Le Troquer, membre du parti socialiste. Il était parmi ceux qui s'étaient opposés au retour de de Gaulle.
20. Discours prononcé à Alger le 4 juin 1958. Voir p. 240.
21. *Ibid.*
22. Discours prononcé à Dakar le 26 août 1958.
23. Le projet constitutionnel a été préparé par des parlementaires délégués par les Chambres ainsi que par 13 personnees nommées par le Gouvernement. Michel Debré était un juriste éminent qui était toujours resté fidèle à de Gaulle.
24. En Algérie et au Sahara la nouvelle constitution fut acceptée par 97% des votants. Dans les territoires d'outre-mer (Guinée exclue), 93,5% des votants se prononcèrent en faveur de l'adhésion à la Communauté.
25. Discours prononcé à Constantine le 3 octobre 1958. Voir p. 240.

26. Malgré le mépris qu'il a toujours montré à l'égard des partis, de Gaulle a été obligé de permettre à ses partisans de se grouper en son nom. Ceux-ci constituèrent l'Union pour la Nouvelle République (U.N.R.). Voir p. 229.

27. Paroles rapportées par: Tournoux, élections de de Gaulle, *Paris Match*, 15 octobre 1966.

28. Michel Debré, *Au service de la nation*, p. 196.

29. La modification de la constitution fut acceptée par 62,2% des votants. Voir p. 238.

30. En cinq années, le terrorisme a fait en Algérie environ 1 800 victimes parmi les populations d'origine européenne, 18 000 parmi les civils musulmans, 13 000 parmi les soldats français et 145 000 du côté de l'insurrection.

31. Discours, 2 octobre 1958.

32. Voir p. 241.

33. Parmi les chefs de l'O.A.S., il faut mentionner Pierre Lagaillarde (professeur à l'université d'Alger), le docteur Perez, le général Salan, le général Jouhaud, Jacques Soustelle (ancien Gouverneur général de l'Algérie et Ministre des Affaires sahariennes) et Georges Bidault (ancien résistant, plusieurs fois ministre sous la IVe République).

34. Négociations entre les partisans de l'indépendance algérienne et les représentants du gouvernement français

35. Au référendum du 8 janvier 1961, 75% des électeurs de la Métropole se montrèrent favorables à l'autodétermination des Algériens. Le 8 avril 1962, 90% de ces mêmes électeurs approuvèrent les accords d'Evian.

36. Par une énorme majorité: 91% des votants. Il convient de remarquer qu'un grand nombre de personnes d'origine européenne avaient déjà quitté l'Algérie. Selon les accords d'Evian, l'Algérie devenait indépendante dès que le peuple algérien se prononçait dans ce sens.

37. En 1960, 14 républiques africaines et la République malgache demandèrent et obtinrent leur indépendance. Voir p. 244.

38. Allocution, 19 avril 1963.

39. L'Etat fournit environ 90% des crédits pour les investissements.

40. Voir p. 248.

41. Avant 1958 les prix montaient en moyenne de 10% par an. Au cours du premier septennat, ils n'ont monté que de 2,5% par an en moyenne.

42. En 1958 les réserves de la Banque de France étaient très basses. En 1965 les réserves d'or et de devises de la Banque de France étaient sept fois ce qu'elles avaient été en 1958. La France a demandé le retour à l'étalon-or pour les règlements internationaux.

43. De 1959 à 1961 la balance commerciale avait été excédentaire. Depuis 1961, les exportations couvrent en moyenne 90% des importations.

44. Le traité de Rome a été signé avant le retour de de Gaulle au pouvoir, au moment où la France traversait une crise économique grave. Voir p. 263.

45. Conférence de presse, 9 septembre 1965.

46. *Ibid.*

47. *Ibid.*

48. En 1958 la France consacrait 30% de son budget à la défense nationale; en 1965, elle y consacrait 21% de son budget. D'autre part, elle a diminué de moitié la durée du service militaire.

49. En 1964 la France réalisa sa première unité atomique aérienne.

50. Allocution prononcée à Varsovie, 6 septembre 1967.

51. Entretien de de Gaulle avec Michel Droit, 14 décembre 1965.

DISCOURS ET CONFERENCES DE PRESSE

Les Institutions[1]

. . . Cette sorte d'impuissance de l'Etat à remplir son objet tient beaucoup moins à l'inaptitude des hommes dont je connais, au contraire, les capacités et le dévouement de beaucoup, qu'à la confusion des pouvoirs publics dans laquelle leurs efforts se perdent comme l'eau se perd dans le sable.

Discours prononcé à Lyon le 20 septembre 1947.

La République, c'est le peuple! On n'est pas la République quand on n'a pas le peuple avec soi.

Conférence de presse, 12 novembre 1947.

Dans l'histoire de la France, il y a toujours eu, sous une forme ou sous une autre, des féodalités.[2] Aujourd'hui, elles ne sont plus dans les donjons, mais elles sont tout de même dans les fiefs. Les fiefs sont dans les partis, dans les syndicats, dans certains secteurs des affaires, — excusez-moi — de la presse et de l'administration, etc. . . .

Conférence de presse, 12 novembre 1947.

Pour défendre la République il faut des vertèbres.

Conférence de presse, 17 octobre 1948.

Comment . . . le régime qui ne repose que sur les partis, pourrait-il, dans le monde tel qu'il est, inspirer, conduire, défendre la nation . . . ? Ce que nous voulons, nous, c'est d'abord que les pouvoirs publics: exécutif, législatif, judiciaire soient séparés et responsables, et non point confondus à la discrétion des partis . . . Nous voulons que les pouvoirs soient des pouvoirs et non point des combinaisons, que l'Etat soit l'Etat et non point un puzzle de marchandages et de rivalités.[3]

Discours prononcé à la Porte de Versailles le 23 juin 1950.

La mission que le pays m'a confiée exclut que je prenne parti. Je ne le ferai donc en faveur de personne, même pas pour ceux qui m'ont toujours marqué un amical dévouement à travers toutes les vicissitudes. Bien entendu, je ne vais pas désapprouver que des groupes ou des candidats de toutes les tendances publient leur adhésion à l'action de Charles de Gaulle.[4]

Conférence de presse, 23 octobre 1958.

Vous le savez, la nature des fonctions du Président de la République a profondément changé par rapport à ce qu'elle fut. Il m'appartient, en effet, d'assurer, quoiqu'il arrive, la conduite de l'Etat et le fonctionnement régulier des pouvoirs publics. Il m'appartient d'être, quoiqu'il arrive, le garant de l'indépendance et de l'intégrité de la France... Si le cours ordinaire des pouvoirs ne suffit pas, il m'appartient de recourir directement au pays par voie de référendum. Il m'appartient, quand la Patrie et la République sont menacées, de prendre les mesures exigées par les circonstances...[5]

Allocution prononcée à l'Elysée le 4 novembre 1960.

Prévu par la Constitution, le Référendum passe ainsi dans nos mœurs, ajoutant quelque chose d'essentiel à l'œuvre législative du Parlement. Désormais sur un sujet vital pour le pays, chaque citoyen pourra être, comme il l'est à présent, directement appelé à en juger pour sa part et à prendre sa responsabilité.[6]

Allocution prononcée le 6 avril 1962.

...Un des caractères essentiels de la Constitution de la Ve République, c'est qu'elle donne une tête à l'Etat... Cependant, pour que le Président de la République puisse porter et exercer effectivement une charge pareille, il lui faut la confiance explicite de la Nation...[7] Pour qu'ils soient (les Présidents à venir) entièrement en mesure et complètement obligés de porter la charge suprême... il faudra qu'ils en reçoivent directement mission de l'ensemble des citoyens... Je crois donc devoir faire au pays la proposition que voici: Quand sera achevé mon propre septennat, ou si la mort ou la maladie l'interrompait avant le terme, le Président de la République sera dorénavant élu au suffrage universel.[8]

Allocution prononcée le 20 septembre 1962.

...Il faut une tête, et comme cette tête est une personne, il convient que celle-ci reçoive l'expression personnelle de la confiance de tous les intéressés. Il faut tenir compte aussi de ce fait écrasant que, dans la situation politique et stratégique où se trouve le monde, il y a des pays, en particulier le nôtre, qui sont à tout instant, on peut le dire, en danger de mort subite. D'où la nécessité pour ces pays d'avoir au sommet une autorité permanente qui soit en mesure d'assurer le destin et, le cas échéant, de prendre instantanément des décisions d'une immense portée.[9]

Conférence de presse, 14 janvier 1963.

On a parlé de «pouvoir personnel».[10] Si l'on prétend par là que le Président de la République a pris personnellement les décisions qu'il lui incombait de prendre, cela est tout à fait exact. Dans quel poste, grand ou petit, celui qui est responsable a-t-il le droit de se dérober? D'ailleurs, qui a jamais cru que le Général de Gaulle, étant appelé à la barre, devait se contenter d'inaugurer les chrysanthèmes?... Mais si l'on veut dire que le Président s'est isolé de tout et de tous et que, pour agir, il n'écoutait que lui-même, on méconnaît l'évidence. De combien d'avis et de consultations ne s'est-il pas entouré! Jusqu'à présent, au cours du septennat, le Chef de l'Etat a réuni 302 fois le Conseil des Ministres, 420 fois des Conseils interministériels restreints, reçu dans son bureau 605 fois le Premier Ministres, 78 fois les Présidents des Assemblées, près de 2 000 fois l'un ou l'autre des membres du gouvernement ... environ 1 500 fois les principaux fonctionnaires, experts, syndicalistes...

Conférence de presse, 9 septembre 1965.

Si, malgré l'enveloppe, malgré les termes, malgré l'esprit de ce qui a été voté en 1958, les partis se réemparaient des institutions, de la République, de l'Etat, alors évidemment, rien ne vaut plus! On a fait des confessionnaux, c'est pour tâcher de repousser le diable! Mais si le diable est dans le confessionnal, alors cela change tout!

Elle (la constitution de 1958) marche grâce à un chef de l'Etat qui n'appartient pas aux partis... qui est pour le pays... qui répond à quelque chose qui est commun à tous les Français, par dessus tous les partis.

... Le fait que les partisans de droite et les partisans de gauche déclarent que j'appartiens à l'autre côté, prouve précisément... que je ne suis pas d'un côté, je ne suis pas de l'autre, je suis pour la France.[11]

Entretien télévisé du général de Gaulle et de Michel Droit, 15 décembre 1965.

Parlons, si vous le voulez, de ces diverses règles dont on s'impatiente souvent je le sais,[12] et je sais bien dans quel milieu. La Constitution comporte des règles précises pour ce qui concerne la délimitation du domaine législatif, les rôles respectifs du Parlement et du Gouvernement dans ce domaine, les procédures dont celui-ci peut user pour rendre plus expéditifs les débats et les votes de celui-là, enfin les conditions dans lesquelles il est possible à l'Assemblée nationale de censurer le ministère.

Après tantôt cent ans de pratique parlementaire et la constatation faite en 1958, littéralement «in extremis», de certains errements désastreux, la Constitution a fixé, en toute raison, ces règles à défaut desquelles le régime représentatif lui-même risquerait fort de disparaître, emporté par les conséquences d'abus que ne supporte plus le caractère de notre temps...

Parmi ces règles tutélaires, se trouve l'article 38 qui spécifie que des pouvoirs spéciaux peuvent être, momentanément et pour un objet déterminé, attribués par le Parlement au Gouvernement... C'est d'ailleurs, sur leur base explicite (la base explicite des textes) que de tels pouvoirs ont été demandés et obtenus sept fois depuis sept ans par le gouvernement de la Ve République... Ils vont l'être une fois de plus.

Conférence de Presse, 16 mai 1967.

La Question Algérienne

L'autorité de la France doit... s'affirmer ici aussi nettement et fortement que sur toute autre terre française. Toute politique, qui sous le prétexte fallacieux d'une révolution à rebours, aurait pour effet de réduire les droits et les devoirs de la France ou bien de décourager les habitants d'origine métropolitaine, qui furent et qui demeurent le ferment de l'Algérie, ou bien, enfin, de donner à croire aux Français musulmans qu'il pourrait leur être loisible de séparer leur sort de celui de la France, ne ferait, en vérité, qu'ouvrir la porte à la décadence.[13]

Discours prononcé à Alger le 12 octobre 1947.

Je vous ai compris.[14]

Je sais ce qui s'est passé ici. Je vois ce que vous avez voulu faire. Je vois que la route que vous avez ouverte en Algérie, c'est celle de la rénovation et de la fraternité...

Eh bien! de tout cela je prends acte au nom de la France, et je déclare qu'à partir d'aujourd'hui la France considère que dans toute l'Algérie il n'y a qu'une seule catégorie d'habitants:[15] il n'y a que des Français à part entière, des Français à part entière avec les mêmes droits et les mêmes devoirs.

Cela signifie qu'il faut ouvrir des voies qui jusqu'à présent étaient fermées pour beaucoup.

Discours prononcé à Alger le 4 juin 1958.

Il s'agit que ce pays si vivant et si courageux, mais si difficile et si souffrant, soit profondément transformé. Cela veut dire qu'il est nécessaire que les conditions de vie de chacun et de chacune s'améliorent de jour en jour; cela veut dire que pour les habitants les ressources du sol, la valeur des élites, doivent être mises au jour et développées; cela veut dire que les enfants doivent être instruits; cela veut dire que l'Algérie toute entière doit avoir sa part de ce que la civilisation moderne peut et doit apporter aux hommes de bien-être et de dignité...[16]

Cessez ces combats absurdes, et aussitôt on verra l'espérance refleurir partout sur les terres de l'Algérie... Et puis, m'adressant à tels états qui jettent ici de l'huile sur le feu tandis que leurs peuples douloureux halètent sous la dictature,[17] je leur déclare: ce que la France est en mesure d'accomplir ici, ce que la France seule est en mesure de réaliser, pouvez-vous le faire, vous autres? Non! Alors... Alors laissez faire la France! En Algérie comme partout la France, pour sa part, a choisi la fraternité.

Discours prononcé à Constantine le 3 octobre 1958.

Le destin politique de l'Algérie est en Algérie même...[18] Quand la voie démocratique est ouverte, quand les citoyens ont la possibilité d'exprimer leur volonté, il n'y en a pas d'autre qui soit acceptable. Or cette voie est ouverte en Algérie... Que sera la suite? C'est une affaire d'évolution. De toute manière une immense transformation matérielle et morale est commencée en Algérie... Au fur et à mesure du développement, des solutions politiques se préciseront.

... Les solutions futures auront pour base — c'est la nature des choses — la personnalité courageuse de l'Algérie et son association étroite avec la Métropole française. Je crois aussi que cet ensemble, complété par le Sahara, se liera pour le progrès commun avec les libres Etats du Maroc et de Tunisie. A chaque jour suffit sa lourde peine. Mais qui gagnera en définitive? Vous verrez que ce sera la fraternelle civilisation.

Conférence de presse, 23 octobre 1958.

... Je crois et je dis que le destin de l'Algérie dépend d'une œuvre de longue haleine, celle de toute une génération, menée dans des conditions et dans un esprit absolument nouveaux et visant à faire en sorte que l'Algérie se révèle elle-même et s'ouvre au monde tel qu'elle est. Je crois et je dis qu'une telle œuvre est inimaginable sans la présence et l'action de la France.

Conférence de presse, 25 mars 1959.

Grâce au progrès de la pacification, au progrès démocratique, au progrès social, on peut maintenant envisager le jour où les hommes et les femmes qui habitent l'Algérie seront en mesure de décider de leur destin, une fois pour toutes, librement, en connaissance de cause. Compte tenu de toutes les données, algériennes, nationales et internationales, je considère comme nécessaire que ce recours à l'autodétermination soit, dès aujourd'hui, proclamé ...

Comme l'intérêt de tout le monde, et d'abord celui de la France, est que l'affaire soit tranchée sans aucune ambiguïté, les trois solutions concevables feront l'objet de la consultation.

Ou bien: la sécession, ou certains croient trouver l'indépendance. La France quitterait alors les Algériens qui exprimeraient la volonté de se séparer d'elle ... Je suis, pour ma part, convaincu qu'un tel aboutissement serait invraisemblable et désastreux ...

Ou bien: la francisation complète, telle qu'elle est impliquée dans l'égalité des droits; les Algériens pouvant accéder à toutes les fonctions politiques, administratives et judiciaires de l'Etat et entrer dans tous les services publics ...

Ou bien: le gouvernement des Algériens par les Algériens appuyé sur l'aide de la France et en union étroite avec elle, pour l'économie, l'enseignement, la défense, les relations extérieures. Dans ce cas, le régime intérieur de l'Algérie devrait être de type fédéral, afin que les Communautés diverses, française, arabe, kabyle, mozabite, etc ..., qui la cohabitent dans le pays, y trouvent des garanties quant à leur vie propre et un cadre pour leur coopération.[19]

... La route est tracée. La décision est prise. La partie est digne de la France.

Allocution prononcée le 16 septembre 1959.

Je crois, comme la France entière, que la solution du drame algérien c'est le libre choix offert à toutes les femmes et à tous les hommes qui habitent la région ... Cela est la voie claire, droite, humaine, sereine ...

Discours prononcé à Lille le 27 septembre 1959.

Vous les Français d'Algérie, qui avez tant et tant fait là pendant des générations, si une page a été tournée par le grand vent de l'Histoire, il vous appartient d'en écrire une autre. Trève de vaines nostalgies, de vaines amertumes, de vaines angoisses, prenez l'avenir comme il se présente et prenez-le corps à corps. Plus que jamais l'Algérie a besoin de vous. Plus que jamais la France a besoin de vous en Algérie.[20]

Conférence de presse, 10 novembre 1959.

L'autodétermination est la seule politique qui soit digne de la France. C'est la seule issue possible... L'autodétermination est le seul moyen grâce auquel les Musulmans pourront exorciser eux-mêmes le démon de la sécession. Quant aux modalités de telle ou telle solution française, j'entends qu'elles soient élaborées à loisir, la paix revenue. Après quoi, je me réserve de m'engager, au moment voulu, pour ce que je tiendrai pour bon. On peut croire que je le ferai à fond.

Allocution prononcée le 29 janvier 1960.

...Alors que nous étions en train de déchirer notre unité nationale et de gaspiller les éléments de notre puissance militaire, faute d'accomplir la décolonisation, de mettre un terme au conflit algérien et de briser la subversion qui s'apprêtait aux coups d'Etat, voici que la coopération est établie entre la France et ses anciennes colonies et que l'Algérie y accède à son tour.[21]

Allocution prononcée le 4 octobre 1962.

L'Algérie a pris sa route,[22] je le répète avec notre accord et notre aide: nous lui souhaitons la meilleure chance et nous sommes tout disposés à l'aider à faire son destin.

Discours prononcé à Troyes le 24 avril 1963.

Les Territoires d'Outre-Mer. La Communauté et les Pays Sous-Développés.

Nous entendons réaliser ce que nous-même nous avons commencé depuis les jours historiques de Brazzaville[23] et d'Alger, faire en sorte que chaque Etat, ou bien chaque territoire, reçoive la possibilité, soit de se gouverner, soit de s'administrer lui-même, dans la mesure où le permet son degré de développement. Mais nous tenons pour nécessaire que l'Union Française fasse un tout de nature fédérale, constitué autour de la France et pour lequel la France assure, en tous cas, la représentation extérieure, la défense et les dispositions économiques communes.

Allocution prononcée à Marseille le 17 avril 1948.

...Il est naturel et légitime que les peuples africains accèdent à ce degré politique où ils auront la responsabilité entière de leurs affaires intérieures, où il leur appartiendra d'en décider eux-mêmes.

Photo Keystone

De Gaulle au Mexique.

... Dans le monde comme il est, il est nécessaire que s'établissent de grands ensembles économiques, politiques et culturels et au besoin de grands ensembles de défense.[24]

Discours prononcé à Brazzaville le 24 août 1958.

A chaque instant chacun se trouvera et demeurera dans la Communauté par un acte de libre détermination. J'ajoute, et c'est bien le moins, qu'il en sera de même pour la Métropole, car personne n'ignore les charges considérables qu'elle supporte partout, chez elle, dans le monde, et qu'elle supporte aussi dans les territoires fraternels d'Afrique. Il est donc légitime que la Métropole s'intègre, elle aussi, à la Communauté, par un acte de libre détermination et qu'elle y reste dans les mêmes conditions.

Discours prononcé à Abidjan le 25 août 1958.

En notre temps, la seule querelle qui vaille est celle de l'homme. C'est l'homme qu'il s'agit de sauver, de faire vivre et de développer. Nous autres, qui vivons entre l'Atlantique et l'Oural,[25] nous autres qui sommes l'Europe disposant avec l'Amérique, sa fille, des sources et des ressources principales de la civilisation ... que ne dressons nous tous ensemble, la fraternelle organisation qui prêtera son concours aux autres? Que ne mettons nous en commun un pourcentage de nos matières premières, de nos objets fabriqués, de nos produits alimentaires, une fraction de nos cadres scientifiques ... ? Faisons-le! Non point pour qu'ils soient les pions de nos politiques, mais pour améliorer les chances de la vie et de la paix.

Conférence de presse, 25 mars 1959.

Nous avons, nous, la France, une œuvre humaine à remplir dans le monde, et pour le monde. La masse des hommes qui appartiennent à des pays comme on dit sous-développés qui ont à peine de quoi ne pas mourir — et encore! — cette masse d'hommes, c'est un devoir du siècle, c'est un devoir de la terre entière, de faire en sorte qu'ils accèdent, eux aussi, à la dignité et à la fraternité.

Discours prononcé à Roanne le 7 juin 1959.

Ce n'est pas, bien entendu, que je renie en quoi que ce soit l'œuvre colonisatrice qui a été accomplie par l'Occident européen, et en particulier par la France. Je considère plus que jamais que cette œuvre fut belle, fut grande et fut féconde...

Mais je n'en crois pas moins qu'il faut savoir, quand le moment est venu — et il est venu — reconnaître à tous le droit de disposer d'eux-mêmes, leur faire en principe confiance, et même attendre d'eux qu'ils apportent, à leur tour, leur contribution au bien de l'humanité. C'est là en somme, et ce n'est pas ailleurs, qu'est la politique de la France...

Je considère comme absurde et comme ruineuse une tendance qui consisterait ...à marquer leur nouvel essor par la rupture des liens les unissant avec les pays qui les ont précédés dans la civilisation et notamment avec ceux qui la leur ont ouverte. C'est ce que je crois en particulier, depuis toujours, pour ceux des Etats qui sont venus de l'Union française. C'est un fait qu'il s'est établi entre eux et nous, de leur fait et du nôtre, des liens qu'il serait lamentable de voir briser dans le processus nouveau où ils sont maintenant engagés...

Je répète qu'à quatorze Républiques africaines et à la République malgache,[26] qui sont venues à l'Union française et auxquelles a été reconnu la libre disposition d'elles-mêmes, la France a proposé sa coopération.

Conférence de presse, 5 septembre 1960.

C'est un fait: la décolonisation est notre intérêt et, par conséquent notre politique. Pourquoi resterions-nous accrochés à des dominations coûteuses, sanglantes et sans issue, alors que notre pays est à renouveler de fond en comble, alors que tous les pays sous-développés, à commencer par ceux qui hier dépendaient de nous et qui sont aujourd'hui nos amis préférés, demandent notre aide et notre concours?...

Si j'ai mis en route le Plan Constantine, qui est pour nous une lourde charge, c'est pour préparer cette association de l'Algérie et de la France... Je ne vois pas du tout pourquoi, dans l'avenir, on déchirerait cette trame humaine, malgré les douleurs que les uns et les autres viennent, hélas! de traverser.

Conférence de presse, 11 avril 1961.

Cet immense effort intérieur pour la puissance et la prospérité nous détermine à employer nos propres moyens chez nous. C'est dire que l'entreprise qui a, naguère, consisté à assumer le gouvernement, l'administration, l'existence des peuples colonisés est, désormais, périmé... Pour de multiples raisons, notre intérêt national direct est donc de nous dégager de charges coûteuses et sans issue et de laisser nos anciens sujets disposer d'eux-mêmes.

Allocution prononcée le 12 juillet 1961.

Photo Keystone

De Gaulle à Addis Abbeba avec l'Empereur Haile Selassie.

...Au temps où la colonisation était la seule voie qui permît de pénétrer les peuples repliés dans leur sommeil, nous fûmes des colonisateurs, et parfois impérieux et rudes. Mais, au total, ce que nous avons, en tant que tels, accompli, laisse un solde largement positif aux nations où nous l'avons fait.

Conférence de presse, 31 janvier 1964.

La France donne, en effet, au total quelque chose comme 2 milliards de nouveaux francs pour la coopération avec les pays sous-développés... Cet argent que nous donnons pour l'aide aux pays sous-développés n'est pas de l'argent perdu à aucun point de vue. Je considère même que c'est un très bon placement.[27]

Entretien télévisé du général de Gaulle et de Michel Droit, 14 décembre 1965.

L'Aménagement du Territoire et le Progrès

Nous vivons dans un régime social où l'opposition des intérêts entre ceux qui, cependant, collaborent à une même tâche, entrave le rendement, empoisonne l'atmosphère et ne sert, en définitive, qu'aux diviseurs professionnels. Or, ce dont il s'agit aujourd'hui, c'est de rendement des entreprises, de dignité dans le personnel, d'autorité de leur direction. Assurons-les par un régime d'association,[28] établi à l'intérieur de chaque groupe d'entreprises, intéressant au rendement tous ceux qui en font partie et comportant un système d'arbitrage impartial et organisé.

Discours prononcé à Vincennes le 5 octobre 1947.

L'Etat... a le devoir d'entretenir dans la nation un climat favorable à la Recherche et à l'Enseignement; l'Etat, qui, malgré le flot des besoins et le flot des dépenses, a la fonction de doter les laboratoires et de pourvoir l'enseignement.[29] L'Etat, enfin, qui doit orienter l'ensemble tout en laissant à chacun des chercheurs sa direction et son autonomie. C'est à l'Etat qu'il appartient de déterminer, dans le domaine de la recherche, ce qui est le plus utile à l'intérêt public, et d'affecter à ces objectifs-là ce dont il dispose en fait de moyens et en fait d'hommes.

Discours prononcé à l'université de Toulouse le 14 février 1959.

...Nous sommes au siècle du progrès et de la science. Il faut que la France soit à la tête du mouvement et elle est en train d'y parvenir. Nos réussites à cet égard se multiplient tous les jours...[30] Nous finissons par trouver cela tout naturel. Eh bien, c'est très bon signe, cela prouve que cela devient notre seconde nature et, à l'époque où nous sommes, *il faut que la France épouse son temps.*

Discours prononcé à Blois le 9 mai 1959.

Nous voulons que le développement économique soit lié au progrès social par le relèvement de la condition de chacun.

Discours prononcé à Aurillac le 5 juin 1959.

Etant le peuple français, il nous faut accéder au rang de grand Etat industriel ou nous résigner au déclin. Notre choix est fait. Notre développement est en cours. Ce qu'il vise, c'est, tout à la fois, le progrès de la puissance française et celui de la condition humaine. Nos plans prévoient qu'il s'accomplira, pendant les prochaines années, au rythme de 5 ou 6% par an, élevant de 4% annuellement le pouvoir d'achat moyen.

Allocution prononcée le 14 juin 1960.

La politique valable pour la collectivité française... c'est celle qui pousse et qui aide l'agriculture à se transformer...

Cela consiste pour l'Etat à déterminer les exploitations à adopter des structures, des dimensions, des productions qui puissent les rendre toutes rentables.[31]

L'Elysée

Conférences de presse et discours.

Cela consiste à amener les agriculteurs à organiser leurs marchés pour acheter et pour vendre en limitant les intermédiaires, à établir les installations qui permettent de conserver et de conditionner les produits de façon à pouvoir les offrir aux moments opportuns et sous une forme choisie...

L'effort de l'Etat consiste aussi à faciliter l'implantation d'activités diverses dans les régions agricoles, de telle manière que ceux, en particulier les jeunes, qui sont en trop dans la profession, en raison de la mécanisation, puissent s'employer sans quitter nécessairement le pays. Egalement assurer sur place l'instruction de la jeunesse, une instruction qui vaille celle qu'on donne ailleurs... Améliorer aussi, certainement, la situation des agriculteurs en ce qui concerne la Sécurité sociale, les allocations familiales, la retraite des vieux. Poursuivre le développement de l'équipement des campagnes, pour l'eau, les logements, les écoles, les hôpitaux, les chemins, etc....

Conférence de presse, 5 septembre 1961.

Actuellement... notre pays est en plein essor... Mais il n'y a pas d'ascension qui dure si la marche n'est pas régulière et la montée méthodique. Il nous faut donc un Plan, et qui soit effectivement observé.

Ce Plan, nous l'avons![32] Il a été, comme on sait, bâti avec le concours des représentants de toutes les activités nationales. Il a fait l'objet d'une loi. Il aboutit, en quatre années, dont l'une est déjà passée et la seconde commencée, à un accroissement d'expansion de 24% et, une fois prélevés sur ce total les investissements nécessaires aux progrès futurs, à 20% d'amélioration du niveau de vie des Français, s'ajoutant aux 10% atteints pendant les trois années antérieures. Cela ne s'est jamais vu. De ce fait, s'ouvrent devant la nation, et spécialement devant sa jeunesse, les plus vastes perspectives d'activité et de fraternité.

Allocution prononcée le 19 avril 1963.

Par rapport à 1958, l'année 1964 a vu le produit national accru de 35%. Je parle du produit réel, évalué après défalcation de toute augmentation des prix. Dès lors, la France, au train où elle va, sera, en moins d'une génération, deux fois plus riche qu'elle n'était. Pendant le même espace de six ans, le revenu moyen des Français, calculé en valeur absolue, a monté d'au moins 25%...

Tandis que notre progrès collectif nous met à même d'améliorer ainsi l'existence de chacun, nous l'employons également à accroître massivement les grands investissements sociaux.

Allocution prononcée le 31 décembre 1964.

...A moins d'un cataclysme qui remettrait tout en cause, nous ne nous livrerons plus à la discrétion effrénée du capitalisme libéral et personne ne croit que nous nous soumettrons jamais à la tyrannie écrasante du communisme totalitaire...

Nous avons choisi de conduire, oui! de conduire notre effort et notre progrès en vue du plus grand rendement, de la plus grande continuité, de la plus grande justice... Tout en laissant la carrière grande ouverte à l'esprit d'entreprise individuel et collectif qui comporte le risque par le gain ou la perte, nous appliquons l'action publique à orienter notre économie pour l'avance de la nation dans tous les domaines et pour l'amélioration du sort des Français à mesure que s'accroît la richesse de la France. Notre cadre, c'est le Plan, par lequel nous déterminons les objectifs à atteindre, les étapes, les conditions.[33]

Conférence de presse, 4 février 1965.

Au début du siècle les 2/3 des Français étaient des ruraux; aujourd'hui il y en a 20% et, évidemment, il y en aura moins dans les années prochaines... Le fait étant ce qu'il est, la question est que la nation s'en accommode et que cette évolution nationale se fasse dans les meilleures conditions possibles. Voilà au point de vue national comment se pose le problème paysan: transfert d'une partie énorme de la population française de l'agriculture à l'industrie. Vous pensez bien que cela ne peut pas aller sans secousses, sans difficultés, sans chagrin...

Et puis alors, il y a un problème propre à l'agriculture, parce que maintenant l'agriculture est au milieu d'un monde économique qui, pour elle, est complètement nouveau. Elle est dans un monde de production, de productivité, d'outillage et de marchés... Enfin, il y a naturellement une question infiniment respectable et qui se pose à chacun de nos agriculteurs: c'est la vie chez lui. Un paysan, comme un ouvrier d'ailleurs, ne peut plus vivre, et ne veut plus vivre, et il a bien raison, comme il vivait hier...

Notre Ve Plan prévoit que, des revenus de toutes les catégories des Français, ce sont les revenus agricoles qui, dans les cinq prochaines années, doivent le plus augmenter.

Entretien du général de Gaulle avec Michel Droit, 13 décembre 1965.

...A une pareille rénovation, il faut, à partir de la base, une impulsion et un ressort. Sans doute devons-nous faire en sorte, pour atteindre ce but à long terme, que tous les échelons de l'éducation nationale soient ouverts à tous les jeunes et que l'orientation scolaire les répartisse entre les disciplines suivant leurs propres aptitudes et les besoins de la collectivité. Mais il est également nécessaire que, pour adhérer franchement, ardemment, à la transformation de la France, les travailleurs français participent, non plus seulement au gré des contrats relatifs à leurs salaires, mais d'une manière organique et en vertu de la loi, aux progrès de l'expansion, dès lors que ceux-ci se traduisent en bénéfices ou en enrichissements.[34] Dans cette voie qui conduit, sans nul doute, à un régime social nouveau, fondé sur l'association comme sur l'esprit d'entreprise, déjà quelques pas furent, avec avantage, essayés de-ci de-là. Maintenant, c'est une étape que nous avons à accomplir.

Voilà ce qui est fait. Voilà ce qui doit l'être. Pour bien voir et traiter ce vaste ensemble, il ne faut pas que les arbres nous cachent la forêt. Il ne faut pas que les partis pris obscurcissent l'intérêt général.

Conférence de presse, 16 mai 1967.

La Défense Nationale

(A propos de l'OTAN) De la part des puissances de l'Europe occidentale, en particulier de la part de la France, il est très naturel qu'un pareil pacte soit signé. La France sait à quel point il lui serait nécessaire d'être aidée par l'Amérique, si elle-même était attaquée ainsi que la liberté...[35]

Du côté américain, je ne peux pas ne pas saluer l'effort très méritoire et très salutaire... pour surmonter les tendances classiques qui les portent vers l'isolationnisme.

Mais, nous Français nous avons une autre conclusion à tirer du Pacte Atlantique. Ce pacte, pour la défense de l'Europe occidentale et de la France n'aura de vertu pratique que dans la mesure où la France elle-même aura une défense nationale.

Conférence de presse, 29 mars 1949.

Pour organiser l'Europe, qu'on la prenne comme elle est, c'est à dire comme un ensemble formé de peuples très distincts dont chacun a, bien à lui, son corps, son âme, son génie et, par suite, doit avoir ses forces.[36] Renvoyons aux géomètres les plans étranges qui prétendent mêler, à l'intérieur des mêmes unités, les contingents de pays divers pour fabriquer l'armée apatride. Où donc les soldats de cette Babel militaire iraient-ils puiser leurs vertus?

Discours prononcé à Nîmes le 7 janvier 1951.

Septembre 1966. Expérience nucléaire dans le Pacifique.

Photo E. C. Armées

Nous n'avons pas cessé, nous ne cessons pas, de presser Russes, Américains et Britanniques, de renoncer aux fabrications, de liquider leurs stocks de bombes et de consentir à ce que soit établi un effectif contrôle international.

...La France, du moment que les trois autres restent surarmés pour leur compte, ne consent pas du tout à une infériorité chronique et gigantesque...

Conférence de presse, 23 octobre 1958.

Il faut que la défense de la France soit française... Un pays comme la France, s'il lui arrive de faire la guerre, il faut que ce soit sa guerre... Naturellement, la défense française serait, le cas échéant, conjuguée avec celle d'autres pays. Cela est dans la nature des choses. Mais il est indispensable qu'elle nous soit propre, que la France se défende par elle-même, pour elle-même et à sa façon.

Discours prononcé au Centre des Hautes Etudes Militaires le 13 décembre 1959.

Assurément, on comprend que les puissances qui ont des armements atomiques, c'est à dire les Etats-Unis, l'Union Soviétique et l'Angleterre, ne désirent pas voir la France s'en doter.[37] Assurément, on comprend que ces trois puissances trouvent, parmi les Etats qui leur sont plus ou moins liés, des échos favorables à leur thèse et défavorables au plan français. Assurément la France se doit à elle-même et doit à tous d'observer la prudence la plus rigoureuse dans les expériences qu'elle a encore à faire et c'est ce qu'elle fera, comme elle l'a fait d'ailleurs pour les précédentes. Mais, tant que d'autres auront les moyens d'anéantir, il faudra qu'elle ait les moyens de se défendre.

Conférence de presse, 11 avril 1961.

Notre temps et notre monde sont déterminés par un fait immense qui tient en suspens le destin de chaque peuple et de chaque individu. Il s'agit, bien sûr, du fait atomique.

Conférence de presse, 15 mai 1962.

...La puissance nucléaire américaine ne répond pas nécessairement et immédiatement à toutes les éventualités concernant l'Europe et la France.

Ainsi, les principes et les réalités s'accordent pour conduire la France à se doter d'une force atomique qui lui soit propre. Cela n'exclut pas du tout, bien entendu, que soit combinée l'action de cette force avec celle des forces analogues de ses alliés. Mais, pour nous, dans l'espèce, l'intégration est une chose qui n'est pas imaginable.[38]

...La force atomique française a ceci qui lui est propre qu'elle a une efficacité certaine, même si elle n'approche pas du maximum imaginable... La force atomique française, dès son organisation, aura la sombre et terrible capacité de détruire en quelques instants des millions et des millions d'hommes. Ce fait ne peut pas manquer d'influer, au moins quelque peu, sur les intentions de tel agresseur éventuel.

Conférence de presse, 14 janvier 1963.

Pour ce qui est de la défense, jusqu'à ces derniers temps les Américains, grâce à leurs armes nucléaires, étaient en mesure d'assurer au monde libre une protection quasi absolue. Mais ils ont perdu ce monopole... Il est tout naturel que l'Amérique voie dans sa propre survie, l'objectif principal d'un conflit éventuel et n'envisage le moment, le degré, les modalités de son intervention nucléaire pour la défense d'autres régions, en particulier de l'Europe, qu'en fonction de cette nécessité naturelle et primordiale. C'est d'ailleurs une des raisons pour lesquelles la France se dote d'un armement atomique propre.

Conférence de presse, 29 juillet 1963.

...Tandis que se dissipent les perspectives d'une guerre mondiale éclatant à cause de l'Europe, voici que des conflits où l'Amérique s'engage dans d'autres parties du monde, comme avant-hier en Corée, hier à Cuba, aujourd'hui au Vietnam, risquent de prendre en vertu de la fameuse escalade, une extension telle qu'il pourrait en sortir une conflagration générale. Dans ce cas, l'Europe, dont la stratégie est, dans l'OTAN, celle de l'Amérique, serait automatiquement impliquée dans la lutte lors même qu'elle ne l'aurait pas voulu... La volonté qu'a la France de disposer d'elle-même, volonté sans laquelle elle cesserait bientôt de croire en son propre rôle et de pouvoir être utile aux autres, est incompatible avec une organisation de défense où elle se trouve subordonnée.

...Sans revenir sur son adhésion à l'alliance atlantique, la France va d'ici au terme ultime prévu pour ses obligations et qui est le 4 avril 1969, continuer à modifier successivement les dispositions actuellement pratiquées, pour autant qu'elles la concernent...[39] Au total, il s'agit de rétablir une situation normale de souveraineté, dans laquelle ce qui est français, en fait de sol, de ciel, de mer et de forces, et tout élément étranger qui se trouverait en France, ne relèveront plus que des seules autorités françaises. C'est dire qu'il s'agit là, non point du tout d'une rupture, mais d'une nécessaire adaptation.

Conférence de presse, 21 février 1966.

...Quelques bruyants que puissent être les partis pris, nous condamnons, de la part de n'importe quel Etat, toute intervention armée sur le territoire des autres, comme cela a précisément lieu en Asie du Sud-Est et au Moyen-Orient, parce que, par le temps qui court, l'incendie est, dès l'origine, détestable et qu'une fois allumé il risque de s'étendre au loin. Mais aussi voilà pourquoi nous nous dotons d'un armement de dissuasion tel qu'aucun pays du monde ne puisse vouloir frapper le nôtre sans savoir que, dans ce cas, il subirait de terribles domages.

Cependant, pour que la France ait prise sur la paix, en ce qui la concerne elle-même et, autant que possible, en ce qui concerne les autres, il lui faut l'indépendance. Aussi se l'est-elle assurée. Dès lors que l'Amérique et l'Union Soviétique... sont partout et dans tous les domaines en rivalité permanente, chacune a naturellement constitué autour d'elle un bloc d'Etats qui lui sont directement liés, sur lesquels elle exerce son hégémonie et auxquels elle promet sa protection. En conséquence de quoi ces Etats conforment, bon gré mal gré, leur politique à celle de leur grand allié, lui soumettent leur défense, lui confient leur destinée.

En se retirant de l'O.T.A.N., la France, pour sa part, s'est dégagée d'une telle sujetion. Ainsi ne se trouverait-elle entraînée, éventuellement, dans aucune querelle qui ne serait pas la sienne et dans aucune action guerrière qu'elle n'aurait pas elle-même voulue. Ainsi est-elle en mesure de pratiquer, comme elle le juge bon, d'un bout à l'autre de l'Europe, l'entente et la coopération, seuls moyens d'aboutir à la sécurité de notre continent.

Allocution prononcée le 10 août 1967.

Le Marché Commun, l'Europe et le Monde

...Aujourd'hui, une lourde inquiétude plane sur notre pays. En fait, les deux-tiers du continent se trouvent dominés par Moscou. Je ne cherche pas à développer ici dans quelle mesure une politique qui, à Yalta,[40] tenta de régler hâtivement le sort de l'Europe et, en particulier, sans la France en dépit des protestations du gouvernement de Paris, a pu contribuer à cette situation. Les choses, maintenant, sont ce qu'elles sont, c'est à dire fort alarmantes... La Russie soviétique organise autour d'elle, par la contrainte, un formidable groupement d'Etats dont il serait vraiment dérisoire de prétendre qu'aucun d'eux soit indépendant. Ce bloc de près de 400 millions d'hommes borde maintenant la Suède, la Turquie, la Grèce, l'Italie! Sa frontière n'est séparée de la nôtre que par 500 kilomètres, soit à peine la longueur de deux étapes du tour de France cycliste. Il écrase à l'intérieur de lui-même, toute opinion et toute action qui ne serait pas complètement soumise à ses dirigeants, tandis qu'il dispose dans les pays libres de groupements à sa dévotion.

Discours prononcé à Rennes le 27 juillet 1947.

Les Allemands doivent renaître comme des hommes associés à l'effort commun de l'humanité pour sa reconstruction, et spécialement à l'effort commun de l'Europe, mais jamais plus ils ne doivent retrouver les moyens de redevenir une menace... L'Allemagne ne doit pas redevenir le Reich, c'est à dire une puissance unifiée, centralisée autour d'une force et nécessairement amenée à l'expansion par tous les moyens.

Conférence de presse, 12 novembre 1947.

Il s'agit d'orienter l'Allemagne... vers la modernisation, vers la coopération... C'est possible, non pas, bien entendu, en donnant à l'Allemagne la forme et l'esprit d'un Reich, mais en l'encourageant à reprendre sa forme traditionnelle d'une fédération d'Etats, lesquels entreraient, sans épouvanter personne, dans l'Union Européenne dont la France ferait partie.

Conférence de presse, 17 novembre 1948.

Alors que, d'un jour à l'autre, l'Europe libre risque d'être submergée, ce n'est vraiment pas le moment de l'empêcher de rassembler ses forces. Quelque opinion que l'on ait, par exemple, du régime qui gouverne l'Espagne,[41] ce peuple fier et vaillant, dont le territoire est l'un des môles essentiels de l'Occident, doit être, sans plus tarder, incorporé à l'ensemble. Quelles qu'aient été, de siècle en siècle, de part et d'autre du Rhin, les douleurs et les fureurs, c'est un fait que l'Allemagne est au cœur de l'Europe et que la couverture sur l'Elbe exige le concours des Allemands. Quant à eux, qu'ils prennent leur place sans étaler à l'excès leurs alarmes ou leurs exigences! Qu'ils saisissent l'occasion que leur offre soudain l'Histoire. Qu'ils rendent au vieil Occident la chance que l'Empereur Charlemagne emporta dans son tombeau![42]

Discours prononcé à Nîmes le 7 janvier 1951.

Les responsabilités? Américains! C'est à vous que, pour l'instant, incombent les principales. En tant que nation vous êtes intacts. En tant que puissance, aucune autre ne possède les moyens que vous avez. En tant qu'Etat, vous demeurez debout, parce que les circonstances vous ont, jusqu'à présent, tenu à l'abri des malheurs qui détruisent les institutions. Sur le grand tableau de l'histoire, où s'inscrivent les mérites et les erreurs des peuples, vous avez, maintenant, la case numéro un. C'est un privilège très lourd. Nous le savons, parce que la France fut longtemps le principal champion de la liberté des hommes. A force d'épreuves, elle n'y suffit plus. C'est votre tour.

Discours prononcé à Nîmes le 7 janvier 1951.

...La France veut la paix. Elle travaille d'abord à la détente internationale, comme on dit, et à partir de cette détente internationale, elle veut travailler à l'entente, à l'entente entre tous les peuples... Seulement la France sait, et en France l'Alsace sait mieux que personne, que la paix ou la guerre ça se décidera en Europe. Oui, c'est l'Europe depuis l'Atlantique jusqu'à l'Oural, c'est l'Europe, toutes ces vieilles terres où naquit, où fleurit la civilisation moderne, c'est toute l'Europe qui décidera du destin du monde. Si les peuples de l'Europe, de quelque côté du rideau qu'ils sont placés peuvent un jour établir, entre eux, la concorde, la paix de la terre sera assurée.

Le Rhin ne doit plus être un fossé, le Rhin doit être une rue où affluent de part et d'autre, les richesses, les produits, les idées, les ardeurs. Le Rhin doit être un lien.

Discours prononcé à Strasbourg le 20 novembre 1959.

...Le Marché commun des Six[43] entrera, le 31 décembre, dans sa réalisation pratique. Sans doute, les participants ne veulent-ils pas que cette institution puisse blesser les autres pays d'Europe, et l'on doit compter qu'un accommodement sera trouvé entre les intérêts. Sans doute, aussi, faut-il que les nations qui s'associent ne cessent pas d'être elles-mêmes et que la voie suivie soit celle d'une coopération organisée d'Etats en attendant d'en venir, peut-être à une imposante Confédération... En définitive et comme toujours, ce n'est que dans l'équilibre que l'univers trouvera la paix.

Allocution prononcée le 31 mai 1960.

Se figurer bâtir quelque chose qui soit efficace pour l'action et qui soit approuvé par les peuples en dehors et au-dessus des Etats, c'est une chimère... Assurément, en attendant qu'on ait pris corps à corps et dans son ensemble le problème de l'Europe, il est vrai qu'on a pu instituer certains organismes qui ont leur valeur technique, mais ils n'ont pas, ils ne peuvent avoir, d'autorité et, par conséquent, d'efficacité politique. Tant qu'il ne se passe rien de grave, ils fonctionnent sans beaucoup d'histoires, mais dès qu'il apparaît une circonstance dramatique, un certain problème à résoudre, on s'aperçoit, à ce moment-là, que telle «haute autorité»,[44] n'en a pas sur les diverses catégories nationales et que seuls les états en ont.

Conférence de presse, 5 septembre 1960.

...La France qui, pour sa part, n'est pas disposée à céder aux menaces de l'Empire totalitaire (l'U.R.S.S.), la France garde cependant sincère et profonde son amitié pour les pays qui vivent dans cet empire.

Conférence de presse, 5 septembre 1961.

Nous n'avons pas consenti... à développer un Marché commun qui n'eût pas englobé l'agriculture et où la France, pays agricole en même temps qu'industriel aurait vu son équilibre économique, social et financier bouleversé de fond en comble.[45] Au contraire, nous avons fait pour notre part en sorte que la grave omission que comportait à cet égard le Traité de Rome fût réparée pour l'essentiel et que les dispositions et les sauvegardes voulues fussent décidées par les six états contractants.

Allocution prononcée le 5 février 1962.

Aux yeux de la France cette construction économique (le Marché commun) ne suffit pas. L'Europe occidentale doit se constituer politiquement. D'ailleurs, si elle n'y parvenait pas, la Communauté économique elle-même ne pourrait à la longue s'affermir, ni même se maintenir. Autrement dit, il faut à l'Europe des institutions qui l'amènent à former un ensemble politique comme elle en est un déjà dans l'ordre économique...

Je le répète une fois de plus: pour nous organiser politiquement, commençons par le commencement. Organisons notre coopération. Réunissons périodiquement nos Chefs d'Etat ou de Gouvernement pour qu'ils examinent en commun les problèmes qui sont les nôtres et pour qu'ils prennent à leur égard des décisions qui seront celles de l'Europe...

Je ne crois pas que l'Europe puisse avoir aucune réalité vivante si elle ne comporte pas la France avec ses Français, l'Allemagne avec ses Allemands, l'Italie avec ses Italiens, etc... Dante, Gœthe, Chateaubriand, appartiennent à toute l'Europe dans la mesure même où ils étaient respectivement et éminemment Italien, Allemand, et Français. Ils n'auraient pas beaucoup servi l'Europe s'ils avaient été des apatrides et s'ils avaient pensé, écrit en quelque «esperanto» ou «volapük»[46] intégré...

Je voudrais parler plus spécialement de l'objection de l'intégration. On nous l'oppose en nous disant: «Fondons ensemble les six Etats dans une entité supranationale; ainsi ce sera très simple et très pratique». Mais cette entité-là est impossible à découvrir faute d'un fédérateur qui ait aujourd'hui en Europe la force, le crédit et l'adresse suffisants...

Est-ce que le peuple français, le peuple allemand, le peuple italien, le peuple hollandais; le peuple belge, le peuple luxembourgeois songeraient à se soumettre à des lois que voteraient des députés étrangers, dès lors que ces lois iraient à l'encontre de leur volonté profonde? Ce n'est pas vrai: il n'y a pas de moyen, à l'heure qu'il est, de faire en sorte qu'une majorité étrangère puisse contraindre des peuples récalcitrants.

Conférence de presse, 15 mai 1962.

On a pu croire que nos amis anglais, en posant leur candidature pour le Marché commun,[47] accepteraient de se transformer eux-mêmes au point de s'appliquer toutes les conditions qui sont acceptées et pratiquées par les Six; mais la question est de savoir si la Grande-Bretagne actuellement peut se placer, avec le Continent et comme lui, à l'intérieur d'un tarif qui soit véritablement commun, de renoncer à toute préférence à l'égard du Commonwealth, de cesser de prétendre que son agriculture soit privilégiée et encore de tenir pour caducs les engagements qu'elle a pris avec les pays qui font partie de sa zone de libre échange.

... Il est possible que l'évolution propre à la Grande-Bretagne et l'évolution de l'univers portent les Anglais vers le Continent, quels que soient les délais avant l'aboutissement. Pour ma part, c'est cela que je crois volontiers...

Conférence de presse, 14 janvier 1963.

Tout système qui consisterait à transmettre notre souveraineté à des aéropages internationaux serait incompatible avec les droits et les devoirs de la République française... Cette abdication des Etats européens, en particulier de la France, aboutirait inévitablement à une sujétion extérieure... Bref, il nous paraît essentiel que l'Europe soit l'Europe et que la France soit la France.

Allocution prononcée le 19 avril 1963.

Je connais autant de détenteurs de l'idéologie communiste qu'il a de pères de l'Europe, et cela en fait un certain nombre. Chacun de ses détenteurs, à son tour, condamne, excommunie, écrase et quelque fois tue les autres. En tout cas il combat fermement le culte de la personnalité des autres.

Je me refuse à entrer dans une discussion valable sur le sujet de la querelle entre Pékin et Moscou. Ce que je veux considérer, ce sont les réalités profondes qui sont humaines, nationales et, par conséquent, internationales.

L'étendard de l'idéologie ne couvre en réalité que des ambitions. Et, je crois bien qu'il en est ainsi depuis que le monde est né.

Conférence de presse, 29 juillet 1963.

Placer la production de nos usines dans un cadre européen, tandis que celle de nos champs serait demeurée à l'écart, c'eût été provoquer une insupportable rupture de notre équilibre économique, social et financier. Pour nous, il était nécessaire que la Communauté englobât l'agriculture, faute de quoi... nous eussions repris notre liberté à tous égards et il n'y aurait pas eu de Marché commun.

Conférence de presse, 31 janvier 1964.

La Chine,[48] un grand peuple, le plus nombreux de la terre... un très vaste pays, géographiquement compact quoique sans unité... un Etat plus ancien que l'histoire...

Paris et Pékin sont donc convenus d'échanger des ambassadeurs. Est-il besoin de dire que, de notre part, il n'y a, dans cette décision, rien qui comporte la moindre approbation à l'égard du système politique qui domine actuellement la Chine? En nouant à son tour, et après maintes nations libres, des relations officielles avec cet état... la France reconnaît simplement que le monde est tel qu'il est.

Conférence de presse, 31 janvier 1964.

Il n'y a pas de montagnes entre l'Angleterre et la France, il y a simplement un canal. Encore, avec un tunnel, pourraît-il, je crois, les rapprocher beaucoup.

Conférence de presse, 4 février 1965.

Il y a dans le monde de grandes réalités au milieu desquelles vit la France. Ce sont: deux pays actuellement colossaux: Etats-Unis et Russie Soviétique en concurrence pour l'hégémonie; la Chine, énorme par sa masse et son avenir; l'Europe Occidentale, à laquelle, après de terribles déchirements, tout commande de s'unir à tous égards; enfin, le tiers-monde d'Afrique, d'Asie, d'Amérique Latine, innombrable et dépourvu... La France, si elle demeure l'alliée et l'amie de l'Amérique, si elle sent avec la Russie, par dessus les régimes qui passent, beaucoup d'affinités naturelles et d'intérêts communs, n'accepte d'être subordonnée ni à l'une ni à l'autre... La France travaille en Europe à achever l'union économique des Six, tout en comptant qu'un jour plusieurs voisins pourraient s'y joindre... La France, dans la mesure de ses moyens... aide les peuples venus ou revenus à l'indépendance. Pour une telle action, la France doit avoir les mains libres. Elle les a.

Allocution prononcée le 11 décembre 1965.

En vérité, il semble bien que le changement de situation des Britanniques par rapport aux Six, dès lors que, d'un commun accord, on voudrait y procéder, pourrait comporter le choix entre trois issues.[49]

Ou bien reconnaître que, dans l'état présent des choses, leur entrée dans le Marché commun, avec toutes les exceptions dont elle ne saurait manquer d'être accompagnée, l'irruption de données toutes nouvelles en nature et en quantité qu'elle comporterait forcément, la participation de plusieurs autres Etats qui en serait certainement le corollaire, reviendrait à imposer la construction d'un édifice tout à fait nouveau, en faisant pratiquement table rase de celui qui vient d'être bâti. A quoi aboutirait-on, sinon peut-être à la création d'une sorte de zone de libre-échange de l'Europe occidentale, en attendant la zone atlantique qui ôterait à notre continent toute réelle personnalité.

Ou bien instaurer entre la Communauté d'une part, l'Angleterre et tels et tels Etats de la petite zone «de libre échange»[50] d'autre part, un régime d'association, tel qu'il est prévu par le Traité de Rome, et qui pourrait, sans bouleversement, multiplier et faciliter les rapports économiques des contractants.

Ou bien, enfin, attendre pour changer ce qui est, qu'une certaine évolution intérieure et extérieure, dont il semble que la Grande-Bretagne commence à montrer les signes, ait été, éventuellement, menée à son terme, c'est à dire que ce grand peuple, si magnifiquement doué en capacités et en courage, ait lui-même accompli, d'abord et de son côté, la profonde transformation économique et politique voulue pour que puisse être réalisée sa jonction aux six continentaux. Je crois bien que c'est là ce que souhaitent beaucoup d'esprits, soucieux de voir paraître une Europe ayant ses dimensions naturelles et qui portent à l'Angleterre une grande admiration et une sincère amitié. Si, un jour, elle en venait là, de quel cœur la France accueillerait cette historique conversion.

Conférence de Presse, 16 mai 1967.

Photo E. C. Armées

Photo E. C. Armées

Un bain de foule

De Gaulle et les Français.

Photo Keystone

Notes

1. Afin de présenter le développement de la pensée de de Gaulle, nous donnons quelques extraits des discours prononcés entre 1946 et 1958 puis de ceux qui ont été prononcés depuis 1958.
2. De Gaulle a fréquemment comparé le régime des partis au morcellement de la société féodale. Du temps de la féodalité (IXe au XVe siècle) le pouvoir royal était faible. Le fief était le territoire administré par un seigneur. Dans la plupart des régions l'autorité du roi était plus théorique que réelle.
3. A cause de leur multiplicité les partis étaient obligés de former des coalitions pour se donner plus de poids.
4. Les «Gaullistes» ont constitué l'Union pour la Nouvelle République (U.N.R.). Aux élections législatives du mois de décembre 1958, l'U.N.R. obtint plus de 26% des voix. Les Communistes n'eurent que 20% des voix (contre 25 à 26% aux élections précédentes), les socialistes 13% et le M.R.P. 8%.
5. Ce discours a été prononcé au moment où les Algériens d'origine européenne, furieux contre la politique algérienne de de Gaulle, devenaient menaçants. L'année suivante de Gaulle demanda les pleins pouvoirs (en vertu de l'article 16 de la constitution) pour mettre fin à l'insurrection. Les chefs de l'Organisation de l'Armée Secrète furent arrêtés ou condamnés par contumace.
6. Deux jours plus tard (8 avril 1962) les Français allaient décider par référendum s'ils acceptaient les accords d'Evian qui donnaient aux Algériens le droit de déterminer leur propre statut.
7. Dans le même discours, de Gaulle a précisé que, en 1958, il n'avait attaché aucune importance aux modalités de son élection car «les événements de l'histoire avaient déjà fait le nécessaire. En raison de ce que nous avons vécu et réalisé ensemble . . . il y a entre nous, Françaises, Français et moi-même, un lien exceptionnel qui m'investit et m'oblige.»
8. Jusqu'alors, le Président de la République avait été élu par les parlementaires des deux Chambres. Déjà depuis un certain temps de Gaulle avait l'intention d'apporter des réformes à la constitution. Bientôt la révision constitutionnelle lui parut exiger une attention immédiate. En effet, le 22 août 1962, le soir venu, sur la route de Colombey, en arrivant au carrefour du Petit-Clamart, sa voiture avait été fouettée par une rafale de mitrailleuse. Une balle était passée à un demi centimètre de sa tête, une autre à deux centimètres de la tête de sa femme. Comme si de rien n'était, les deux voyageurs avait poursuivi leur chemin mais, moralement, de Gaulle en demeura profondément affecté. Du fait qu'il venait de frôler la mort de si près, il fut d'autant plus bouleversé par la fin tragique du président Kennedy.
9. Ces paroles ont été prononcées au moment où la France décidait de se constituer une force atomique indépendante de celle des anglo-américains. Voir p. 233.
10. Ce reproche a été maintes fois adressé à de Gaulle par l'opposition.
11. Ces paroles ont été prononcées par de Gaulle au cours du dernier de ses trois entretiens radiotélévisés avec le journaliste Michel Droit. Le 5 décembre 1965, au premier tour des élections présidentielles, de Gaulle avait obtenu 44,6% des suffrages exprimés (six candidats s'étaient présentés). Le 19 décembre, au second tour, face à son adversaire socialiste François Mitterand, il fut élu avec 55,2% des suffrages exprimés.

12. Allusion aux pouvoirs spéciaux que de Gaulle venait de demander (en vertu de l'article 38 de la constitution) pour lancer son programme économique et social (voir pp. 226–228).

13. Ces paroles montrent que de Gaulle a cherché à maintenir la souveraineté française en Algérie tant que cela lui a paru réalisable.

14. Ce discours fut prononcé à Alger aussitôt après le retour du Général au pouvoir. Ce jour-là des dizaines de milliers d'Algérois étaient venus acclamer leur héros. Quinze ans plus tôt, presque jour pour jour, de Gaulle était arrivé à Alger pour prendre avec Giraud la direction du Comité français de la Libération nationale.

15. Jusqu'alors il y avait eu deux catégories d'Algériens: d'une part les Algériens d'origine européenne qui avaient la citoyenneté française et qui jouissaient des mêmes droits que leurs compatriotes de la métropole; en 1944, certains Musulmans évolués (anciens combattants, titulaires de diplômes, fonctionnaires, etc...) avaient été assimilés à cette catégorie; d'autre part, la majorité des Musulmans qui avaient la nationalité française mais non la citoyenneté française. Ces derniers constituaient le second collège électoral et ils ne pouvaient élire que des représentants aux assemblées locales et régionales. Très souvent, les Musulmans, indifférents ou mécontents, s'abstenaient de voter. Aux élections de 1958, pour la première fois, tous les Algériens, hommes et femmes, ont joui des mêmes droits.

16. Ce vaste programme économique et social est généralement connu sous le nom de Plan Constantine. Il a permis la mise en valeur de nouvelles terres, l'établissement de nouvelles usines, la création d'emplois et le développement de l'enseignement et de l'hygiène.

17. Allusion aux pays arabes — notamment à l'Egypte — qui excitaient et aidaient les rebelles algériens.

18. De Gaulle a prononcé ces paroles à son retour d'Algérie, devant 600 journalistes. L'un des leaders de la rébellion, Ferhat Abbas, venait de déclarer qu'il était prêt à étudier les conditions politiques et militaires d'un cessez-le-feu.

19. Plus tard de Gaulle laissera entendre qu'il souhaitait que cette troisième solution soit adoptée.

20. L'inquiétude grandissait parmi les Algériens d'origine européenne. Les familles qui, jusqu'alors avaient vécu à la campagne ou au milieu de Musulmans, étaient obligées de se regrouper dans les villes à la recherche d'un refuge. D'autres cherchaient déjà à vendre leurs biens et à quitter l'Algérie.

21. Par le référendum du 8 avril 1962, 90% des électeurs français avaient approuvé les accords d'Evian. Par le référendum d'autodétermination le 1er juillet 1962, les Algériens s'étaient prononcés par une écrasante majorité en faveur de l'indépendance. L'indépendance fut officiellement accordée à l'Algérie le 3 juillet 1962.

22. A partir du mois de juillet 1962, de Gaulle n'a fait que quelques allusions rapides à l'Algérie.

23. Voir pp. 160–161.

24. Notez les deux principes fondamentaux qui ont constitué la base de la Communauté: liberté des territoires dans leur administration intérieure et formation avec la France d'une vaste fédération.

25. Notez que de Gaulle ne réduit pas l'Europe à un groupe d'états de l'ouest mais qu'il l'envisage dans sa totalité.

26. En 1960 ces pays avaient obtenu leur indépendance en vertu des dispositions prévues par la constitution de la Communauté; ils avaient ensuite signé des accords bilatéraux avec la France.

27. Ces paroles ont été prononcées au cours de la campagne électorale. En effet, les adversaires de de Gaulle lui reprochaient notamment ses libéralités excessives à l'égard des pays sous-développés. En 1965 la France a consacré 1,44% de son revenu national pour aider les pays sous-développés; cette contribution est un record, il faut la comparer avec celle des autres pays: Belgique, 1,39%; Hollande 1,16%; Angleterre 0,98%; U.S.A. 0,89%; Allemagne 0,65%. Les contributions des pays communistes sont environ 15 fois plus faibles que celles des pays occidentaux.

28. Cette association des ouvriers et de la direction dans la gestion de l'entreprise et dans la participation aux bénéfices est souvent désignée sous le nom de «intéressement».

29. Entre 1959 et 1965 les crédits à la recherche scientifique ont presque été multipliés par six.

30. Parmi les récentes réalisations françaises se distinguaient notamment la Caravelle et l'hélicoptère l'Alouette.

31. De nombreuses exploitations agricoles (notamment en Bretagne et dans le Sud-Ouest) sont en effet trop petites pour profiter des progrès de la mécanisation et, par conséquent, elles ne sont plus rentables.

32. Depuis sa formation en 1945, le Commissariat général au Plan de développement, d'équipement et de productivité oriente l'ensemble de la politique économique de la France. Les plans se sont succédés comme suit: premier plan (1947–1953), deuxième plan (1954–1957), troisième plan (1958–1961), quatrième plan (1961–1965), cinquième plan (1966–1970).

33. Dans son allocution de Gaulle a précisé que, par rapport à 1958, l'Etat a, en 1965, augmenté ses crédits de 50% pour le logement, de 68% pour la santé publique, de 80% pour le travail, de 128% pour l'agriculture, de 170% pour l'éducation nationale, de 216% pour la jeunesse et les sports et de 518% pour la recherche scientique.

34. Au cours de l'été 1967, à l'aide des pouvoirs spéciaux qui lui avaient été conférés (voir pp. 226–228), de Gaulle a fait voter une série de trente-cinq ordonnances. Par l'une des ordonnances les plus importantes, il a voulu «intéresser» les travailleurs aux entreprises en leur donnant le droit de participer aux bénéfices de l'entreprise pour laquelle ils travaillent et même, jusqu'à un certain point, de participer à sa gestion.

35. De Gaulle a prononcé ces paroles quelques jours avant la signature du pacte de l'OTAN (Organisation du Traité de l'Atlantique Nord). C'est en effet à Washington, le 4 avril 1949, qu'un groupe de douze nations a signé ce pacte d'assistance mutuelle.

36. Ces paroles ont été prononcées au moment des débats relatifs au projet de la Communauté européenne de défense (C.E.D.). Ce projet avait été conçu à la suite de la tension internationale provoquée en 1950 par la guerre de Corée. Après de véhémentes controverses, il fut finalement repoussé par l'Assemblée nationale le 30 août 1954. De Gaulle s'est toujours opposé à tout projet d'intégration militaire qui priverait la nation de la libre disposition de ses forces.

37. Les expériences atomiques françaises soulevaient des protestations de la part des trois puissances nucléaires et de la part d'états qui n'avaient pas d'équipement nucléaire. La première bombe atomique française avait été explosée le 13 février 1960 près de Reggane dans le Sahara.

38. Le Président Kennedy souhaitait former une force nucléaire atlantique (groupant les U.S.A., la Grande-Bretagne et la France) sous l'autorité exclusive des U.S.A.

39. Au mois de mars 1966 le gouvernement français décida de se retirer de l'OTAN. (Voir p. 232.)

40. Voir p. 204.

41. Allusion au gouvernement dirigé par le général Franco

42. Au IXe siècle, peu après la mort de Charlemagne, son empire s'est trouvé partagé entre ses trois petits fils depuis lors, l'Europe occidentale n'a plus jamais été unifiée. Voir la suite du discours du 7 janvier 1951 p. 250.

43. Le 25 mars 1957, le Traité de Rome instituant le Marché commun a été signé par six états: la France, la République fédérale allemande, l'Italie, la Belgique, les Pays-Bas et le Luxembourg. Ce traité a eu pour but «de promouvoir un développement harmonieux des activités économiques de l'ensemble de la communauté, une expansion continue et équilibrée, une stabilité accrue, un relèvement accéléré du niveau de vie et des relations plus étroites entre les Etats qu'elle réunit». Le traité prévoyait, notamment, l'élimination progressive des barrières douanières entre les Six et l'élaboration d'un tarif extérieur commun pour les marchandises provenant des pays extérieurs à la communauté des Six.

44. Allusion à la Haute Autorité qui jouit d'une sorte de pouvoir supranational dans les domaines économiques.

45. A ses débuts, le Marché commun organisa l'élimination progressive des barrières douanières sur les produits industriels. L'élimination des barrières douanières sur les produits agricoles avait été prévue par le Traité de Rome mais les modalités n'en avaient pas été précisées dans l'immédiat. Rappelons que ce Traité avait été signé avant le retour de de Gaulle au pouvoir.

46. Système de langue universelle conçu par l'Allemand Schleyer à la fin du XIXe siècle.

47. En 1961, après de longues discussions, le gouvernement de la Grande-Bretagne a demandé à faire partie du Marché commun. Des négociations difficiles eurent lieu entre la Grande-Bretagne et les Six. Deux difficultés majeures se présentaient. D'une part la Grande-Bretagne était obligée de tenir compte des intérêts des pays du Commonwealth et, d'autre part, elle voulait continuer à protéger son agriculture nationale à l'aide de subsides et de tarifs douaniers. Les négociations traînèrent puis elle furent suspendues à la grande satisfaction d'ailleurs de plusieurs dominions, notamment de l'Australie et de la Nouvelle Zélande.

48. Ces paroles ont été prononcées au moment où la France nouait pour la première fois des relations diplomatiques avec la Chine communiste.

49. Ces paroles ont été prononcées à la suite d'une tension entre les Six due au fait que la Grande-Bretagne avait demandé à entrer dans le Marché Commun. La France s'était opposée à l'admission de la Grande-Bretagne à cause des conditions demandées par celle-ci. La Grande-Bretagne voulait continuer à protéger son agriculture contre la concurrence des Six (ce qui aurait fait du tort à l'agriculture française), elle voulait garder des relations préférentielles avec les pays membres du Commonwealth enfin, elle refusait de se soumettre aux dispositions monétaires et aux accords relatifs à la libre circulation des capitaux à l'intérieur de la Communauté.

50. La zone de libre échange est constituée par sept pays; elle a pour but de faciliter les échanges entre les états membres mais elle ne constitue pas une union économique étroite comme le Marché commun.

ETE 1968

Au début du mois de mai 1968, des groupes d'étudiants parisiens manifestèrent contre l'administration de l'université. Bientôt, l'agitation s'étendit aux universités de province. Quelques jours plus tard, les principaux syndicats (notamment la C.G.T.) décidèrent de déclencher une grève générale. Pendant la seconde moitié du mois, 10 millions de personnes furent soit en grève soit incapables d'exercer leurs activités professionnelles. Des chocs sanglants eurent lieu entre les manifestants et les forces de police. Les manifestants et les grévistes défiaient le gouvernement. La nation était presque complètement paralysée.

De Gaulle ne se laissa pas intimider. Le 30 mai, dans une allocution de sept minutes, il déclara qu'il ne démissionnait pas. Il soutint son premier ministre Georges Pompidou. Enfin, en vertu du mandat que lui avait conféré la constitution, il décréta que l'Assemblée nationale était dissoute et que de nouvelles élections allaient avoir lieu.

Menacés à la fois par l'anarchie et par la dictature, les Français se rallièrent en masse autour de de Gaulle. Aux élections du 23 et du 30 juin, les candidats gaullistes remportèrent, à l'Assemblée nationale, 358 sièges sur 487. Jamais aucun gouvernement français n'avait obtenu une telle majorité.

Etant le détenteur de la légitimité nationale et républicaine, j'ai envisagé, depuis 24 heures, toutes les éventualités sans exception, qui me permettraient de la maintenir. J'ai pris mes résolutions. Dans les circonstances présentes, je ne me retirerai pas. J'ai un mandat du peuple. Je le remplirai. Je ne changerai pas le Premier Ministre....

Je dissous aujourd'hui l'Assemblée nationale.

J'ai proposé au pays un référendum qui donnait aux citoyens l'occasion de prescrire une réforme profonde de notre économie et de notre université et en même temps de dire s'ils me gardaient leur confiance ou non, par la seule voie acceptable, celle de la démocratie. Je constate que la situation actuelle empêche matériellement qu'il y soit procédé. C'est pourquoi j'en diffère la date. Quant aux élections législatives, elles auront lieu dans les délais prévus par la Constitution, à moins qu'on entende baillonner le peuple français tout entier en l'empêchant de s'exprimer en même temps qu'on l'empêche de vivre, par les mêmes moyens qu'on empêche les étudiants d'étudier, les enseignants d'enseigner, les travailleurs de travailler. Ces moyens, ce sont l'intimidation, l'intoxication et la tyrannie exercés par des groupes organisés de longue main en conséquence, et par un parti qui est une entreprise totalitaire même s'il a déjà des rivaux à cet égard....

Déclaration radiotélévisée, 30 mai 1968.

ANNEXES

Constitution d'une division cuirassée selon les plans du général de Gaulle	*Constitution d'une division Panzer allemande*
Un groupe de reconnaissance formé de chars réduits (automitrailleuses) et de fractions d'infanterie, transportées sur véhicules légers.	Un détachement de reconnaissance, formé d'automitrailleuses et d'infanterie sur motocyclettes et voitures légères.
Une brigade de chars (500 chars).	Une brigade de chars (450 chars).
Une brigade d'infanterie (5 bataillons) transportée sur véhicules tous terrains (motocyclettes, voitures à chenilles), fortement dotée en canons d'accompagnement et en armes antichars.	Une brigade de fusiliers (valeur de 5 bataillons) à motocyclette et en voitures tous terrains, avec proportion considérable de canons d'infanterie et d'engins antichars.
Une brigade d'artillerie tractée comprenant: un régiment de 75; un régiment d'obusiers de 105.	Un régiment d'artillerie d'obusiers de 105.
Un bataillon du génie.	Un détachement de pionniers.
Un bataillon de camouflage.	Fractions spécialisées dans le camouflage et l'installation des unités antichars.

Tableau publié par Paul Reynaud dans: *Le Problème militaire français.*

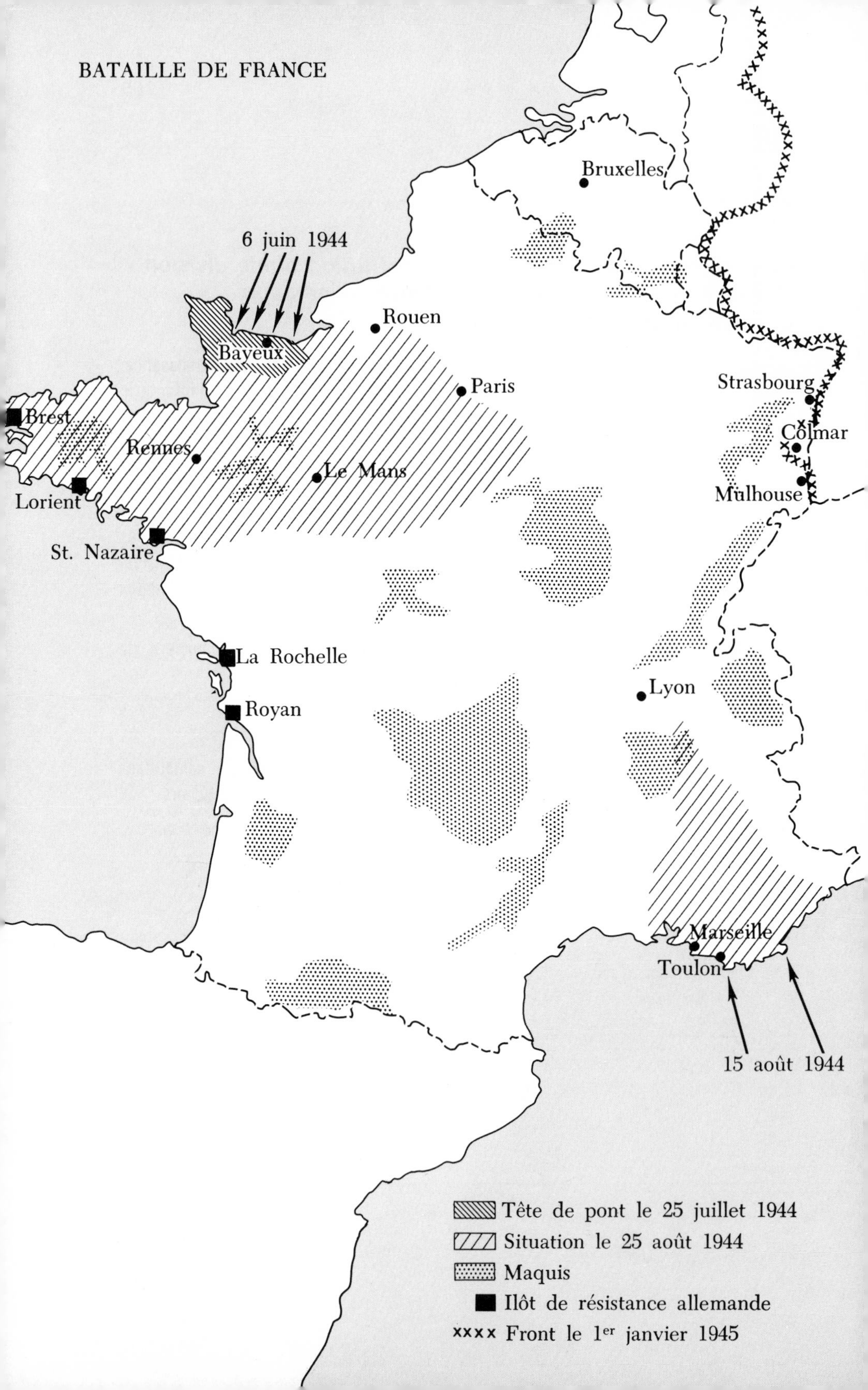
BATAILLE DE FRANCE
Bruxelles
6 juin 1944
Rouen
Bayeux
Paris
Strasbourg
Brest
Colmar
Rennes
Le Mans
Mulhouse
Lorient
St. Nazaire
La Rochelle
Lyon
Royan
Marseille
Toulon
15 août 1944
Tête de pont le 25 juillet 1944
Situation le 25 août 1944
Maquis
Ilôt de résistance allemande
Front le 1er janvier 1945

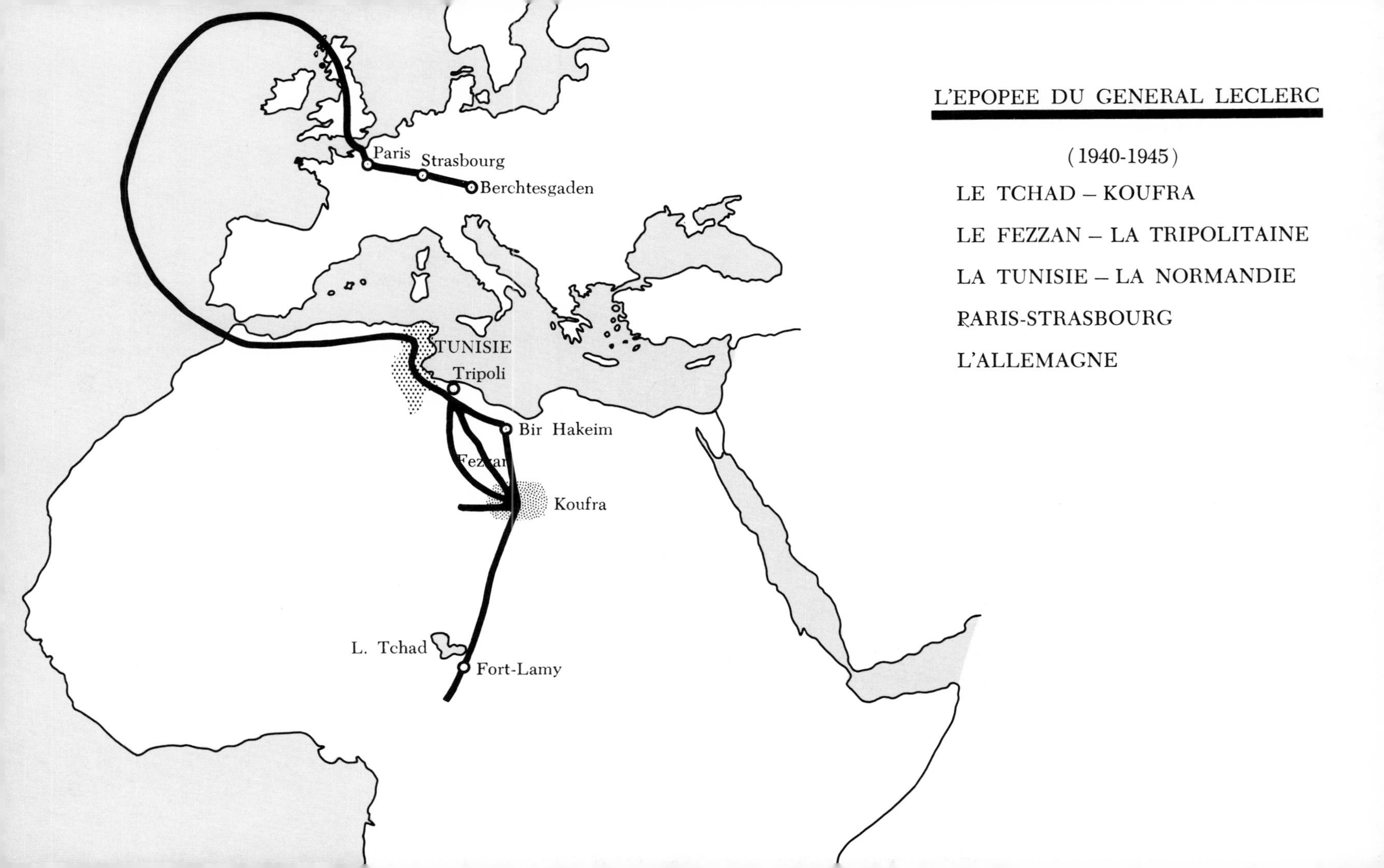
L'EPOPEE DU GENERAL LECLERC
(1940-1945)
LE TCHAD – KOUFRA
LE FEZZAN – LA TRIPOLITAINE
LA TUNISIE – LA NORMANDIE
PARIS-STRASBOURG
L'ALLEMAGNE
Paris
Strasbourg
Berchtesgaden
TUNISIE
Tripoli
Bir Hakeim
Koufra
L. Tchad
Fort-Lamy

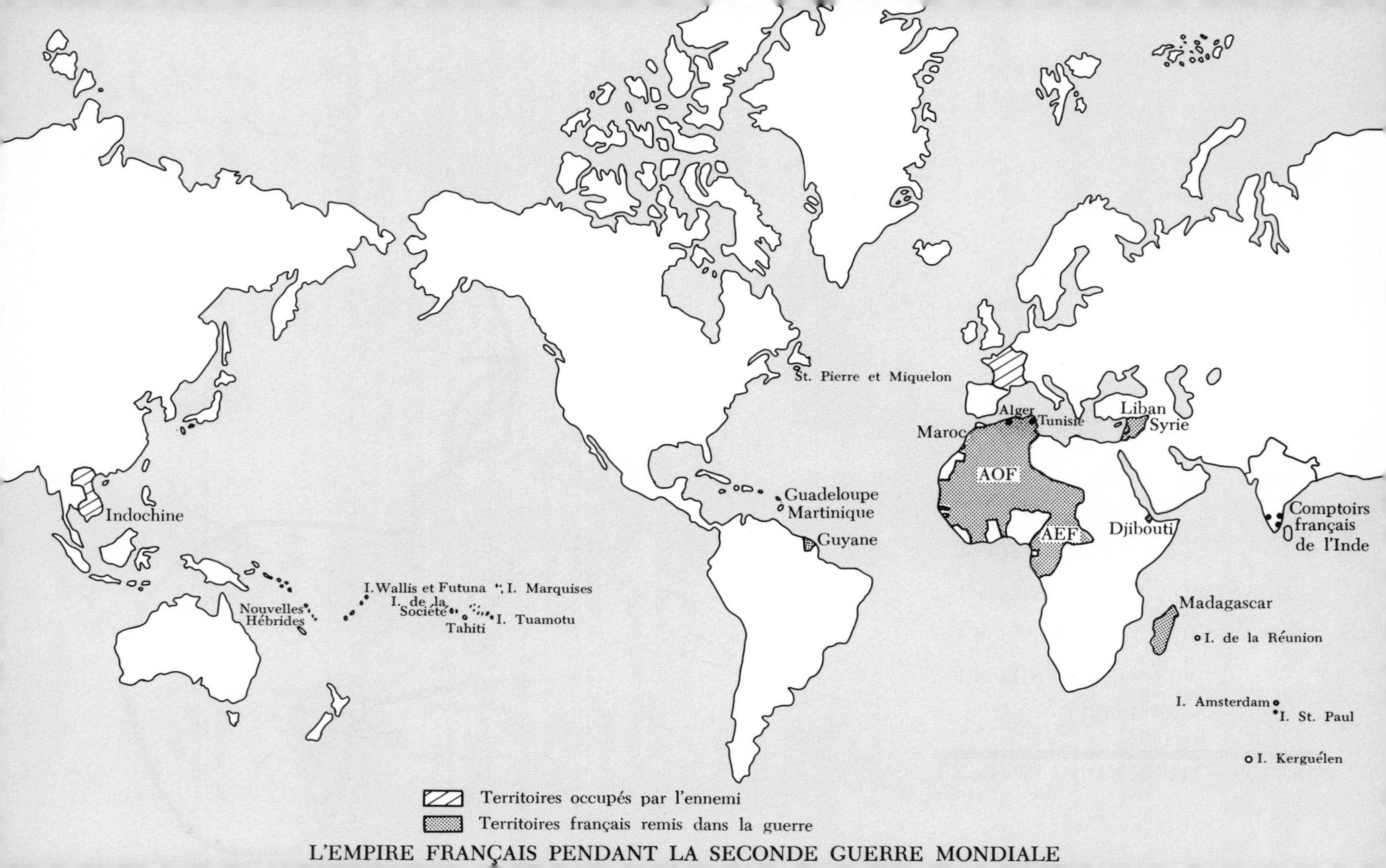

L'EMPIRE FRANÇAIS PENDANT LA SECONDE GUERRE MONDIALE

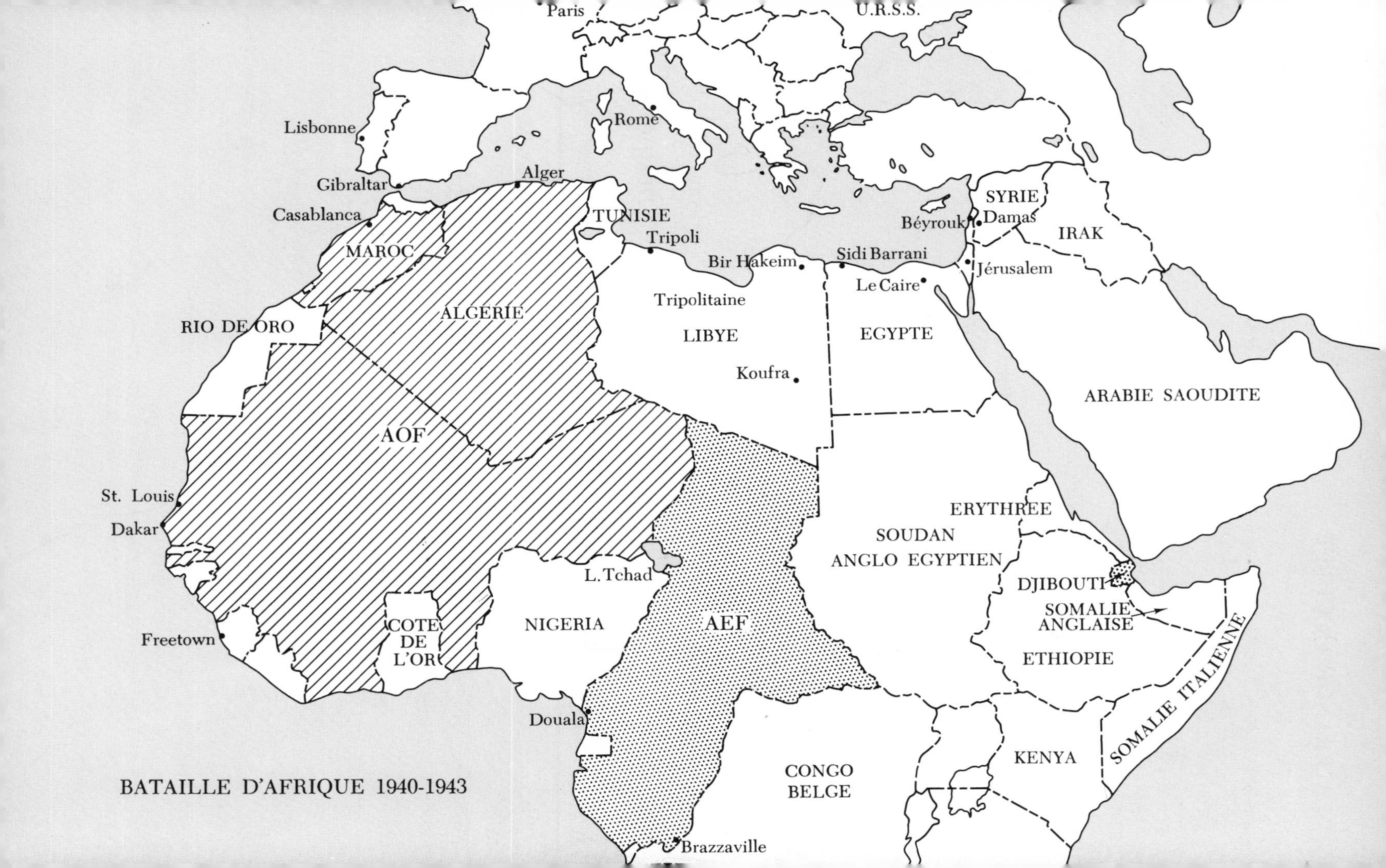

BATAILLE D'AFRIQUE 1940-1943

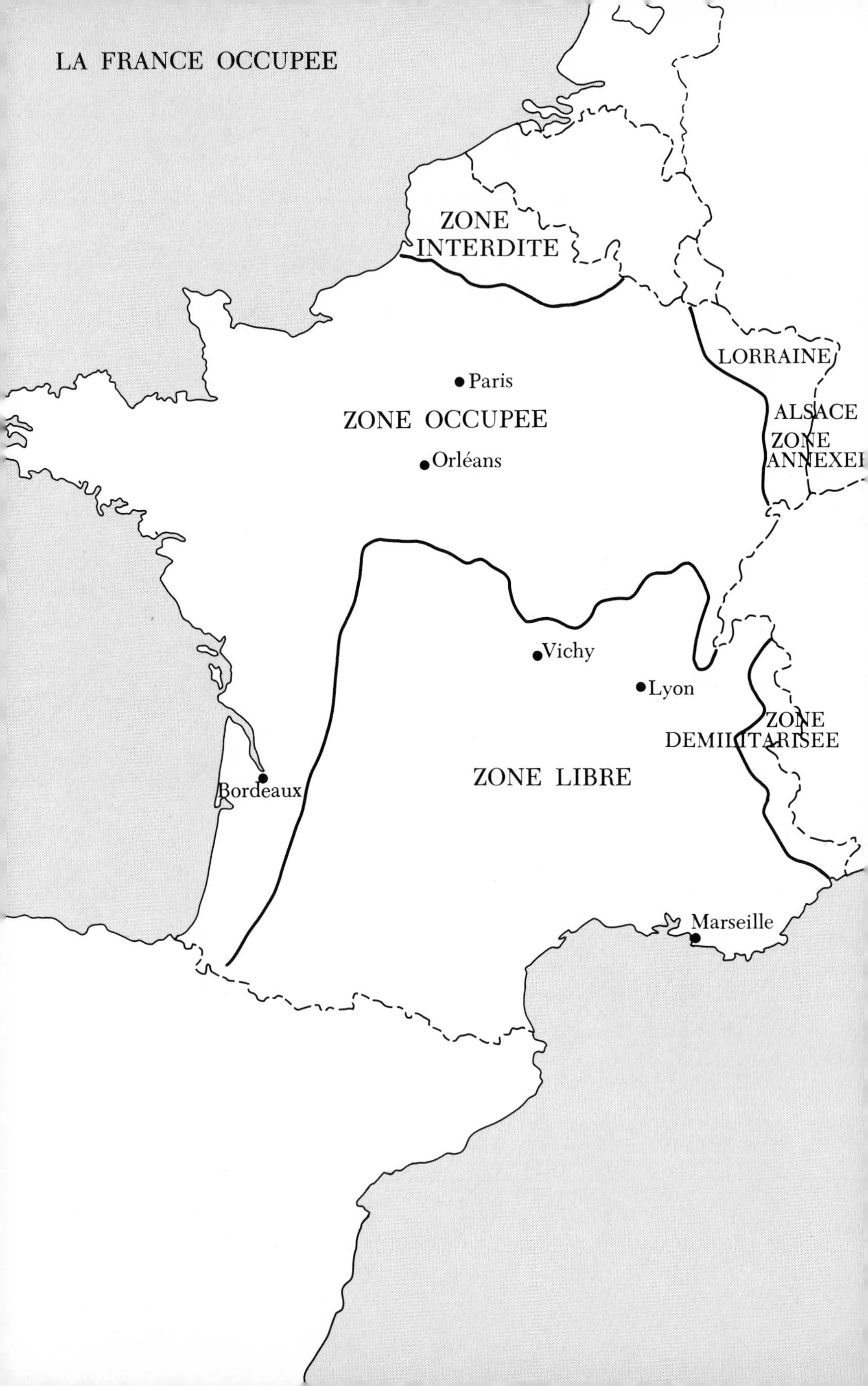
LA FRANCE OCCUPEE
ZONE
INTERDITE
LORRAINE
Paris
ZONE OCCUPEE
ALSACE
ZONE
ANNEXEE
Orléans
Vichy
Lyon
ZONE
DEMILITARISEE
Bordeaux
ZONE LIBRE
Marseille

BIBLIOGRAPHIE

Sauf indication contraire, les éditeurs français ont leur bureau principal à Paris.

Principaux Ouvrages de De Gaulle

La Discorde chez l'ennemi. Berger-Levrault, 1924.
Le Fil de l'Epée. Berger-Levrault, 1932.
Histoire des troupes du Levant, publié sans nom d'auteur. Imprimerie Nationale, 1931.
Vers l'Armée de Métier. Berger-Levrault, 1934.
La France et son Armée. Plon, 1938.
Trois Etudes suivies du *Mémorandum* du 26 janvier 1934. Berger-Levrault, 1945.
Mémoires de Guerre, I, *L'Appel.* Plon, 1954.
Mémoires de Guerre, II, *L'Unité.* Plon, 1956.
Mémoires de Guerre, III, *Le Salut.* Plon, 1959.

Principaux Articles de De Gaulle

«Orientation de nos doctrines de guerre». *Revue Militaire Française,* 1er mars 1925.
«Rôle historique des Places françaises». *Revue Militaire Française,* 1er décembre 1925.
«Le Flambeau». *Revue Militaire française,* 1er mars, 1er avril 1927.
«Pour une politique de la Défense nationale». *Revue Bleue,* 4 février 1933.
«Vers l'Armée de Métier». *Revue Politique et Parlementaire,* 10 mai 1933.
«Métier Militaire». *Les Etudes,* 5 décembre 1933.
«La Mobilisation Economique à l'Etranger». *Revue Militaire Française,* 1er janvier 1934.
«Comment faire une Armée de Métier». *Revue Hebdomadaire,* 12 janvier 1935.
«Les Origines de l'Armée Française». *Revue d'Infanterie,* No. 1939, janvier 1939.
«L'Avènement de la Force Mécanique, Mémorandum», paru dans le *Journal de Genève* 6, 7, 8 mai 1943; réimprimé dans *Trois Etudes.*

Discours, Messages et Conférences de De Gaulle

Discours et messages (18 juin 1940–29 septembre 1946). Berger-Levrault, 1946 (édition la meilleure et la plus complète des discours de guerre).
La France sera la France. Discours prononcés entre 1947 et 1951. Publié pour le R.P.F. par Berger-Levrault 1951.
De Gaulle parle (extrait des discours, allocutions et conférences de presse présentés par André Passeron). Vol. 1 (1958–1962), Plon, 1962; Vol. 2 (1962–1966), Fayard, 1966.

Allocutions, conférences de presse, discours, publiés en fascicules par: le Secrétariat général du Gouvernement, Direction de la Documentation, 31 quai Voltaire, Paris 7°.

Pour ou contre la force de frappe. Déclarations du général de Gaulle. Opinions et commentaires d'Etienne Anthérieur. John Didier, 1963.

Principales Traductions Anglaises des Oeuvres de De Gaulle

The Army of the Future. Lippincott, Philadelphia, 1941.

The Speeches of General de Gaulle, Vol. 1 (1940–1942), Vol. 2 (1942–1944). Oxford University Press, London, New York, 1944.

France and Her Army. Ryerson Press, Toronto, 1945.

War Memoirs, 3 vol. Simon and Schuster, New York, 1955–1960.

Major Addresses, Statements and Press Conferences. New York French Embassy, Press and Information Division, New York, 1960.

The Edge of the Sword. Criterion Books, New York, 1960.

Principaux Ouvrages sur De Gaulle

Plusieurs centaines d'ouvrages relatifs à de Gaulle ont déjà paru. L'intéressé en éprouve, dit-on, un certain agacement. «J'ai déjà lu cela quelque part», dit-il lorsqu'il retrouve des reminiscences d'ouvrages publiés antérieurement.

Un grand nombre de livres sont marqués par le point de vue admiratif ou hostile de leur auteur; vis-à-vis d'une personnalité aussi complexe et imposante, l'objectivité est évidemment fort difficile. Pendant la guerre et peu après la Libération, presque tous les ouvrages étaient hagiographiques. Par contre, au moment de l'affaire d'Algérie, des attaques acerbes et des polémiques féroces ont surgi de tous côtés. Les œuvres chargées de passion sont d'un intérêt documentaire médiocre. Heureusement, il existe un nombre croissant d'études magistrales qui, telles que les œuvres de Henri Michel ou de J. R. Tournoux, sont écrites avec une lucidité pénétrante.

Nous donnons ici le titre des ouvrages français et étrangers qui présentent le plus d'intérêt pour les étudiants. On trouvera parmi les œuvres recommandées, des souvenirs personnels, des témoignages, des documents et des études dont certaines constituent déjà des classiques de l'histoire contemporaine.

Aglion, Raoul, *The Fighting French.* Holt, New York, 1943.

Amouroux, Henri, *Le 18 juin 1940.* Fayard, 1964.

———, *La vie des Français sous l'occupation.* Fayard, 1961.

Aron, Raymond, *Le grand débat,* initiation à la stratégie atomique. Calmann-Lévy, 1963.

Aron, Robert, *Charles de Gaulle.* Perrin, 1964.

———, *Histoire de Vichy.* Fayard, 1964.

———, *Histoire de la libération de la France.* Fayard, 1959.

———, *Nouveaux grands dossiers de l'histoire contemporaine.* Perrin, 1964.

Ashcroft, Edward, *De Gaulle.* Odhams Press, London, 1962.

Auburtin, Jean, *Le colonel de Gaulle.* Plon, 1965.

———, *Charles de Gaulle.* Séghers, 1966.

Avril, Pierre, *Un président pour quoi faire?* Le Seuil, 1965.
Barrès, Philippe, *Charles de Gaulle.* Plon, 1945.
Bellanger, Claude, *Presse clandestine* (1940–1944). Armand Colin, 1961.
Bloch, Pierre, *Charles de Gaulle, premier ouvrier de France.* Fasquelle, 1945.
Bloch-Morhange, *Le Gaullisme.* Plon, 1963.
Blum, Léon, *Mémoires.* Albin Michel, 1955.
Bonheur, Gaston, *Charles de Gaulle.* Gallimard, 1958.
Bourdan, Pierre (Pierre Maillaud), *Carnet des jours d'attente.* Paris Trémois, 1945.
Bromberger, Merry, *Le destin secret de Georges Pompidou.* Fayard, 1965.
Bromberger, Serge et Merry, *Les 13 complots du 13 mai.* Fayard, 1959.
Catroux, Général, *Dans la bataille de la Mediterranée* (1940–1944). Julliard, 1949.
Cattaui, Georges, *Charles de Gaulle.* Editions Universitaires, 1956.
Cere-Rousseau, *Chronologie du conflit mondial.* Société d'éditions françaises et internationales, 1945.
Churchill, Winston, *The Second World War.* Houghton-Mifflin, Boston, 1948.
Clark, Brigadier Stanley, *The Man Who Is France.* George G. Harrap and Co., London, 1960.
Claudel, Paul, *Au général de Gaulle* (Poèmes et paroles durant la Guerre de Trente Ans). Gallimard, 1945.
Crusoë (Lemaigre-Dubreuil), *Vicissitudes d'une victoire.* Edition de l'âme française, 1946.
D'Astier, Emmanuel, *Les Grands.* Gallimard, 1961.
Debré, Michel, *Au service de la nation.* Stock, 1963.
Debu-Bridel, Jacques, *Les partis contre de Gaulle.* Somogy, 1948.
Denis, Pierre, *Souvenirs de la France Libre.* Berger-Levrault, 1947.
Dewavrin (voir Passy).
Eisenhower, Dwight, *Crusade in Europe.* Permabooks, New York, 1952.
Fabre-Luce, Alfred, *Journal de la France* (1939–1944). Le cheval ailé, 1946.
Fauvet, Jacques, *La IVe République.* Fayard, 1959.
Ferniot, Jean, *De Gaulle et le 13 mai.* Plon, 1965.
Funk, Arthur L., *Charles de Gaulle, the Crucial Years* (1943–1944). Oklahoma Press, 1959.
Furniss, Edgar Jr., *De Gaulle and the French Army.* The Twentieth Century Fund, New York, 1964.
Galimand, Lucien, *Vive Pétain, vive de Gaulle.* Editions de la Couronne, 1948.
Garas, Félix, *Charles de Gaulle seul contre les pouvoirs.* Julliard, 1957.
Gaulmier, Jean, *Charles de Gaulle écrivain.* Charlot, 1946.
Girardet, *La Crise militaire française* (1945–1962). Armand Colin, 1964.
Giraud, Général, *Un seul but, la victoire.* Julliard, 1949.
Gourdon, Pierre, *Le général de Gaulle serviteur de la France.* Tallandier, 1945.
Grosser, Alfred, *La politique extérieure de la Ve République.* Le Seuil, 1965.
Hamon, Léo, *De Gaulle dans la République.* Plon, 1958.
Hatch, Alden, *The De Gaulle Nobody Knows.* Hawthorn Books, New York, 1960.
Hostage, René, *Le Conseil national de la Résistance.* Presses Universitaires de France, 1958.
Ismay, Lord, *Mémoirs.* Heinemann, London, 1960.

Jouvre, Edmond, *Le Général de Gaulle et la construction de l'Europe* (1940–1966). Librairie générale de Droit et de Jurisprudence, 1967.
Lacoste Lareymondie, Marc de, *Mirages et réalités, l'arme nucléaire française*. Serpe, 1964.
Lacouture, Jean, *De Gaulle*. Le Seuil, 1965.
Laffargue, André, *Fantassin de Gascogne*. Flammarion, 1962.
La Gorce, Paul-Marie, *De Gaulle entre deux mondes, une vie et une époque*. Fayard, 1964.
Langer, William, *Our Vichy Gamble*. Alfred A. Knopf, New York, 1947.
Lapierre-Collins, *Paris brûle-t-il? Histoire de la Libération de Paris*. Laffont, 1964.
Larminat, Edgar de, *Chroniques irrévérencieuses*. Plon, 1962.
Lattre de Tassigny, maréchal de, *Histoire de la première armée française*. Plon, 1949.
Leahy, Admiral William, *I Was There*. McGraw-Hill, 1950.
Mallet, Serge, *Le Gaullisme et la gauche*. Le Seuil, 1965.
Mannoni, Eugène, *Moi, Général de Gaulle*. Le Seuil, 1964.
Massip, Robert, *De Gaulle et l'Europe*. Flammarion, 1963.
Mauriac, François, *De Gaulle*. Grasset, 1964.
Michel, Henri, *Histoire de la France Libre*. Presses Universitaires de France, 1963.
———, *Histoire de la Résistance en France*. Presses Universitaires de France, 1950.
———, *Les courants de pensée de la Résistance*. Presses Universitaires de France, 1962.
———, *Les idées politiques et sociales de la Résistance*. Presses Universitaires de France, 1954.
———, *Vichy année 1940*. Laffont, 1966.
Michelet, Edmond, *Le Gaullisme, passionnante aventure*. Fayard, 1962.
Minart, Jacques, *Charles de Gaulle tel que je l'ai connu*. Editions littéraires de France, 1945.
Montgomery, Field Marshal, *The Memoirs*. World Publishing Co., New York, 1958.
Murphy, Robert, *Diplomat Among Warriors*. Collins, New York, 1964.
Muselier, Admiral, *De Gaulle contre le Gaullisme*. Editions du Chêne, 1946.
Nachin, Lucien, *Charles de Gaulle, général de France*. Editions Colbert, 1944.
Noblecourt-Planchais, *Une histoire politique de l'armée*, Vol. 1 (1919–1942), Vol. 2 (1940–1967). Le Seuil, 1967.
Oberlé, Jean, *Jean Oberlé vous parle, souvenirs de cinq ans à Londres*. La Jeune Parque, 1945.
Ormesson, Wladimir d', *Les vraies confidences*. Plon, 1962.
Paillat, Claude, *Dossier secret de l'Algérie*, 13 mai 1958–18 avril 1961. Le Livre contemporain, 1961.
———, *L'Echiquier d'Alger, avantage à Vichy*, juin 1940–novembre 1942. Laffont, 1966.
———, *L'Echiquier d'Alger, de Gaulle joue et gagne*, novembre 1942–août 1944. Laffont, 1967.
Parment, *Charles de Gaulle et la Normandie*. Defontaine, Rouen, 1945.

Passeron, André, *De Gaulle parle* (1958–1962). Plon, 1962.
———, *De Gaulle parle* (1962–1966). Fayard, 1966.
Passy (Dewavrin Colonel), *2ᵉ bureau Londres* (2 vol.). Raoul Solar, Monte-Carlo, 1947.
———, *Missions secrètes en France*. Plon, 1951.
Planchais (voir Noblecourt-Planchais).
Raissac, Guy, *Un combat sans merci, l'affaire Pétain-de Gaulle*. Albin Michel, 1966.
Rémy (Renault Gilbert), *Mémoires d'un agent français de la France Libre* (3 vol.). Editions France Empire, 1959, 1960, 1961.
———, *De Gaulle cet inconnu*. Solar, Monte-Carlo, 1947.
Renault, Gilbert (voir Rémy).
Reynaud, Paul, *Le problème militaire français*, Paris, 1934.
———, *Mémoires* (2 vol.). Flammarion, 1963.
———, *La politique étrangère du Gaullisme*, Julliard, 1964.
———, *Et après?* Plon, 1964.
Robertson, Arthur, *La doctrine du général de Gaulle*. Fayard, 1959.
Sandahl, Pierre, *De Gaulle sans képi* (Alger 1943–1944). La Jeune Parque, 1948.
Sanguinetti, Alexandre, *La France et l'arme atomique*. Julliard, 1964.
Schoenbrun, David, *The Three Lives of Charles de Gaulle*. Atheneum, New York, 1966.
Sherwood, Robert, *Roosevelt and Hopkins*. Harper, 1948.
Sicé, médecin général, *L'Afrique Equatoriale française et le Cameroun au service de la France*. Presses Universitaires de France, 1946.
Siegfried, André, *De la IVᵉ à la Vᵉ République*. Grasset, 1958.
Soustelle, Jacques, *Envers et contre tout*, Vol. 1; *De Londres à Alger*, Vol. 2; *D'Alger à Paris*. Laffont, 1950.
Spears, George, *Assignment to Catastrophe*. Heinemann, London, 1954.
Terrenoire, Louis, *De Gaulle et l'Algérie*. Fayard, 1964.
Tesson, Philippe, *De Gaulle Iᵉʳ*. Albin Michel, 1965.
Tournoux, J. R., *Secrets d'Etat*. Plon, 1960.
———, *Pétain et de Gaulle*, un demi siècle d'histoire non officielle. Plon, 1964.
———, *La Tragédie du Général*. Plon, 1967.
Vallon, Louis, *Le grand dessein national*. Calmann-Lévy, 1964.
Viansson-Ponté, Pierre, *Les Gaullistes, rituel et annuaire*. Le Seuil, 1963.
Weygand, Général, *En lisant les Mémoires de Guerre du général de Gaulle*. Flammarion, 1955.
Willis, Frank Roy, *De Gaulle, Anachronism, Realist or Prophet?* New York, Holt, Rinehart & Winston, 1967.

INDEX